地図への旅

ギャラリーと図書室の一隅で

霜田文子

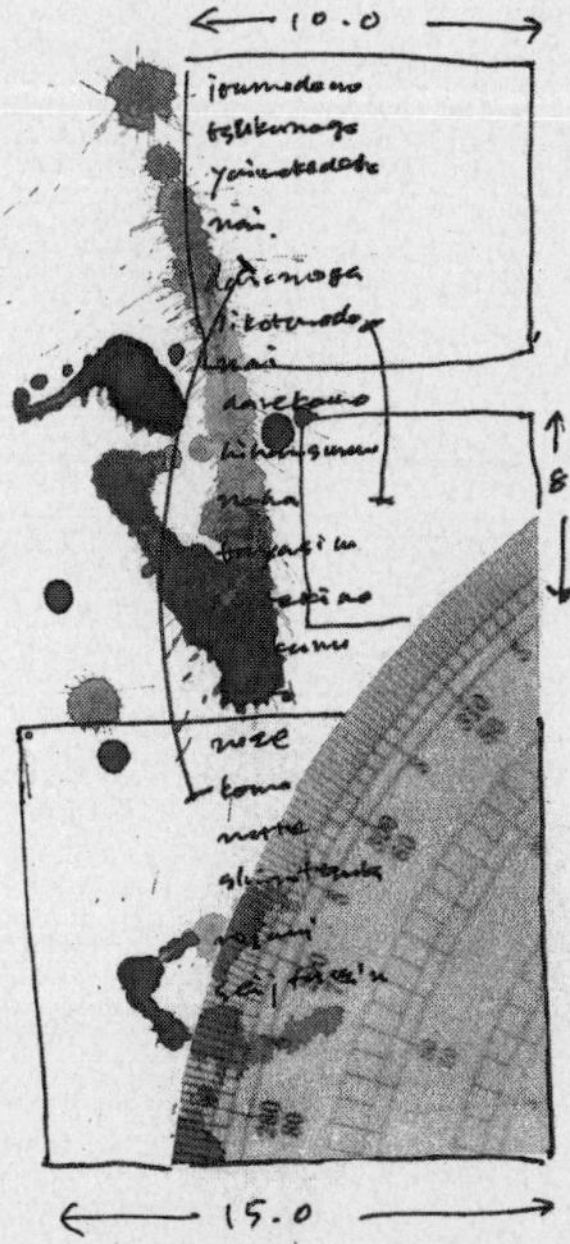

玄文社

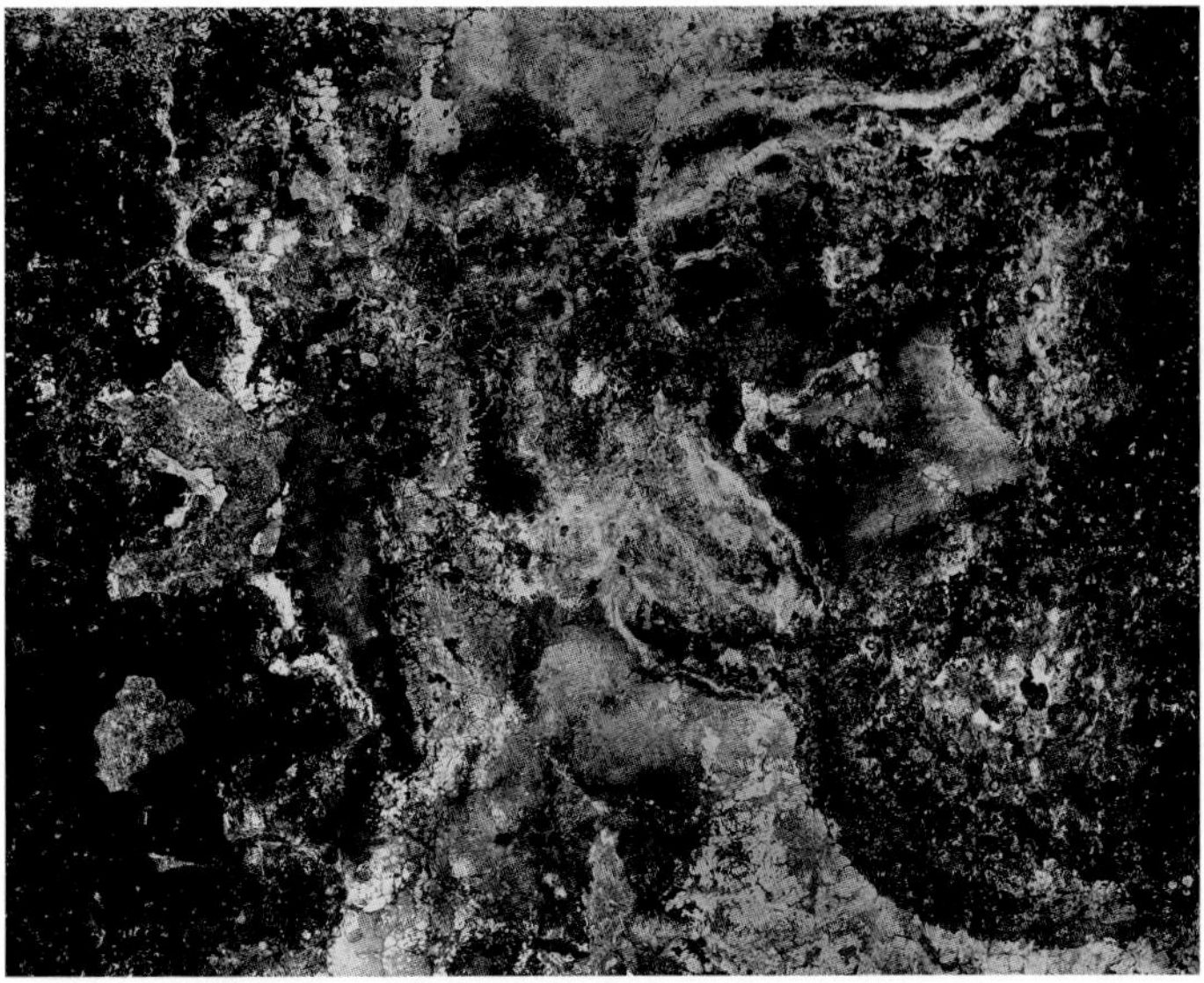

川田喜久治《原爆ドーム天井　しみと剝落》1959～1965年
© Kikuji Kawada/Courtesy of PGI

川田喜久治　写真集『地図』（美術出版社　1965年刊）

フランソワ・ビュルラン《深い闇の奥底》No.203　2008年　200.0×293.0cm
ミクストメディア　クラフト紙

古賀春江《サーカスの景》1933年　130.0×162.0cm　油彩　キャンバス
神奈川県立近代美術館

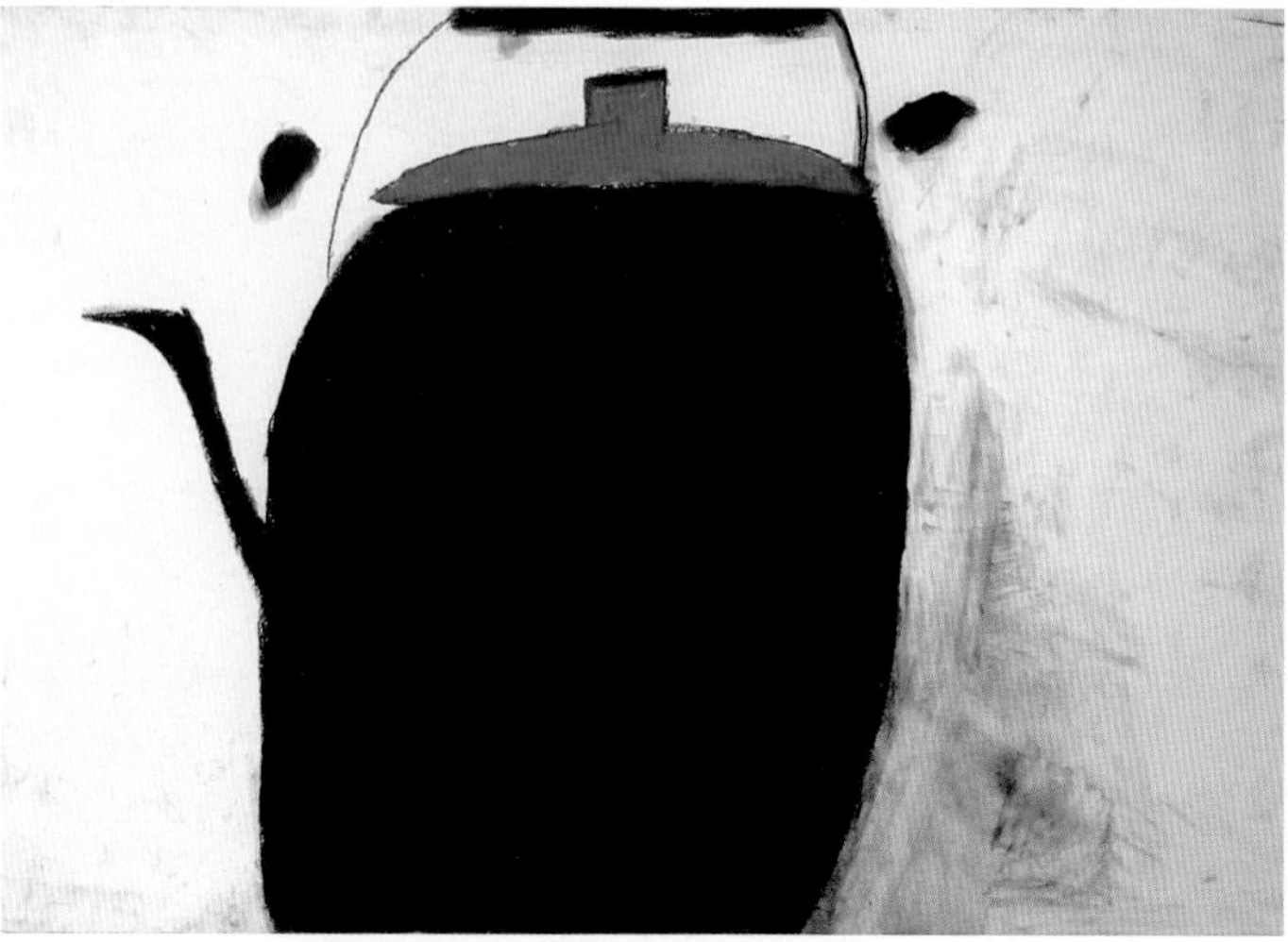

舛次崇《まつぼっくりとやかん》2005年　54.1×76.8cm　パステル　ワトソン紙

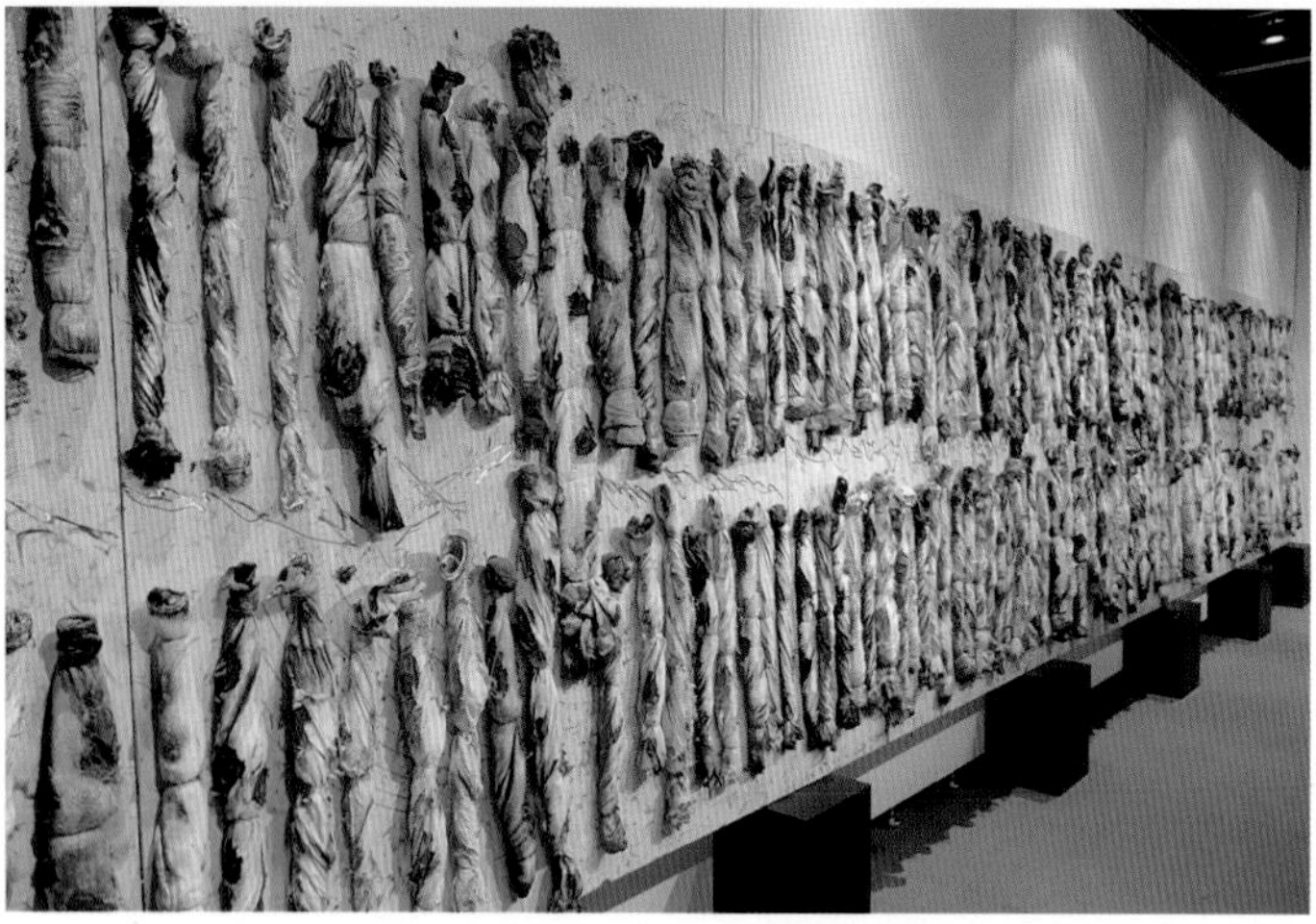

関根哲男《原生》2014年（2017年　池田記念美術館での展示）
写真提供：池田記念美術館

アンティエ・グメルス《THE LIGHT》2008年　250.0×150.0cm
ミクストメディア、ラインストーン、鏡、金、銀　キャンバス

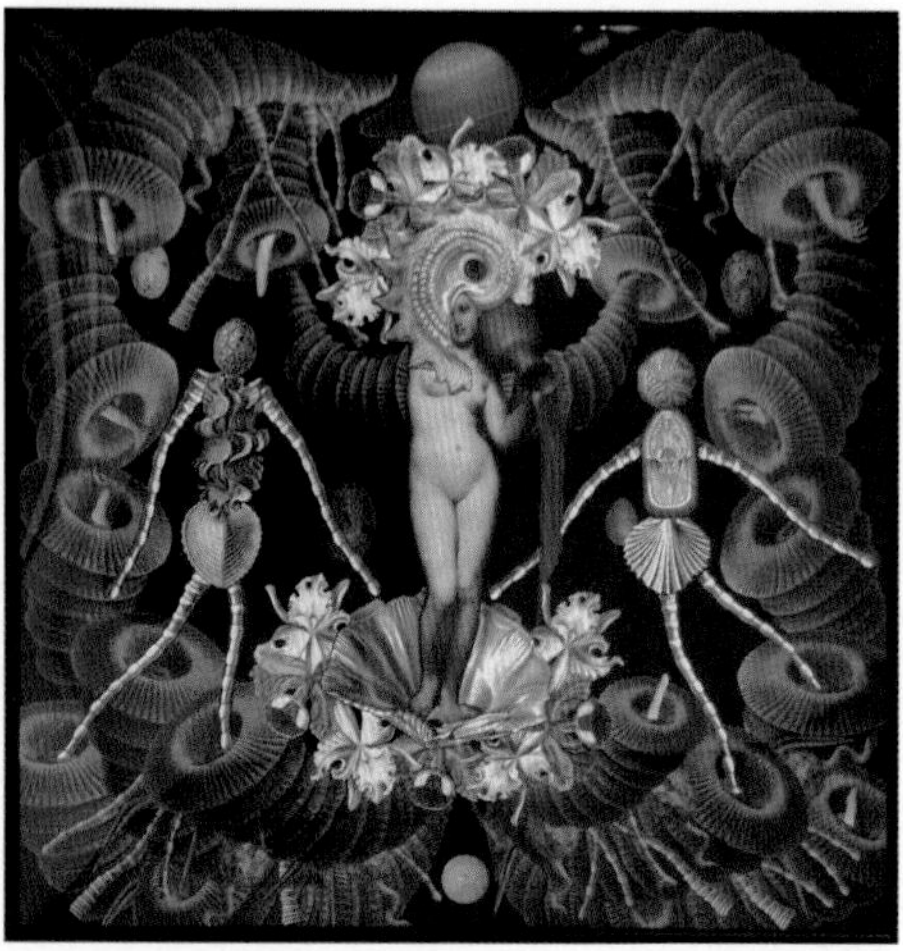

上原木呂《アングルとエルンスト・ヘッケルのための変奏曲10》
2010年　70.0×70.0cm　コラージュ

コイズミアヤ《行き方について》
内部画像
2005年　40.0×40.0×34.6cm　木

北條佐江子《風霜詩／ふうそうし―雨に負けぬ花》
2017年　130.0×162.0cm　ミクストメディア　板

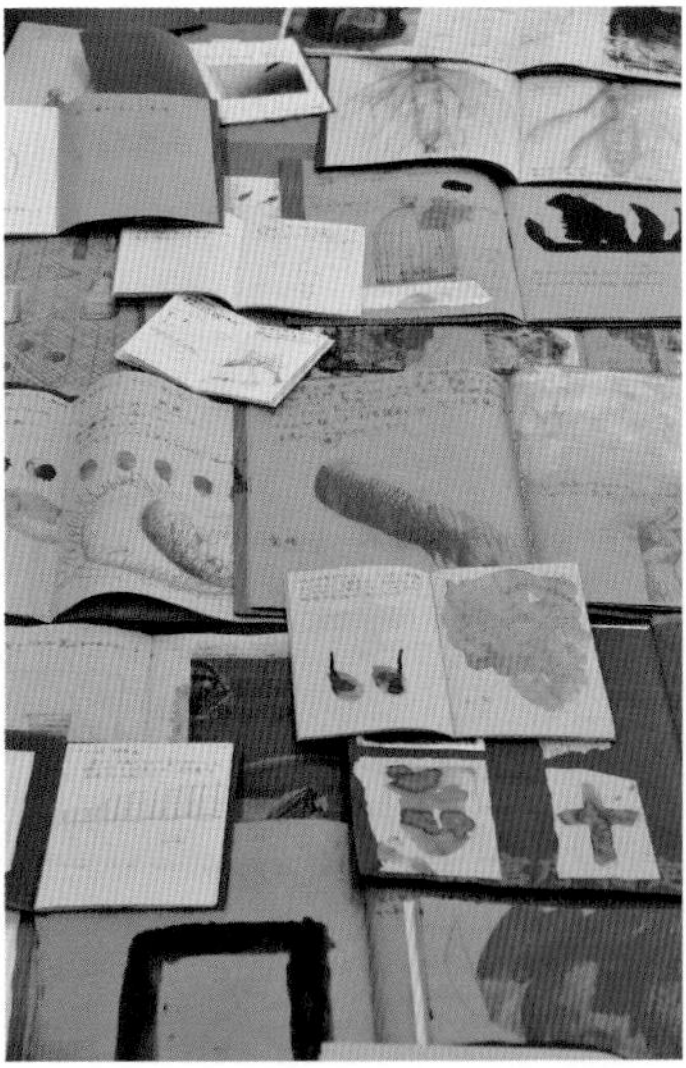

猪爪彦一　NOTE BOOK　撮影：今井伸治

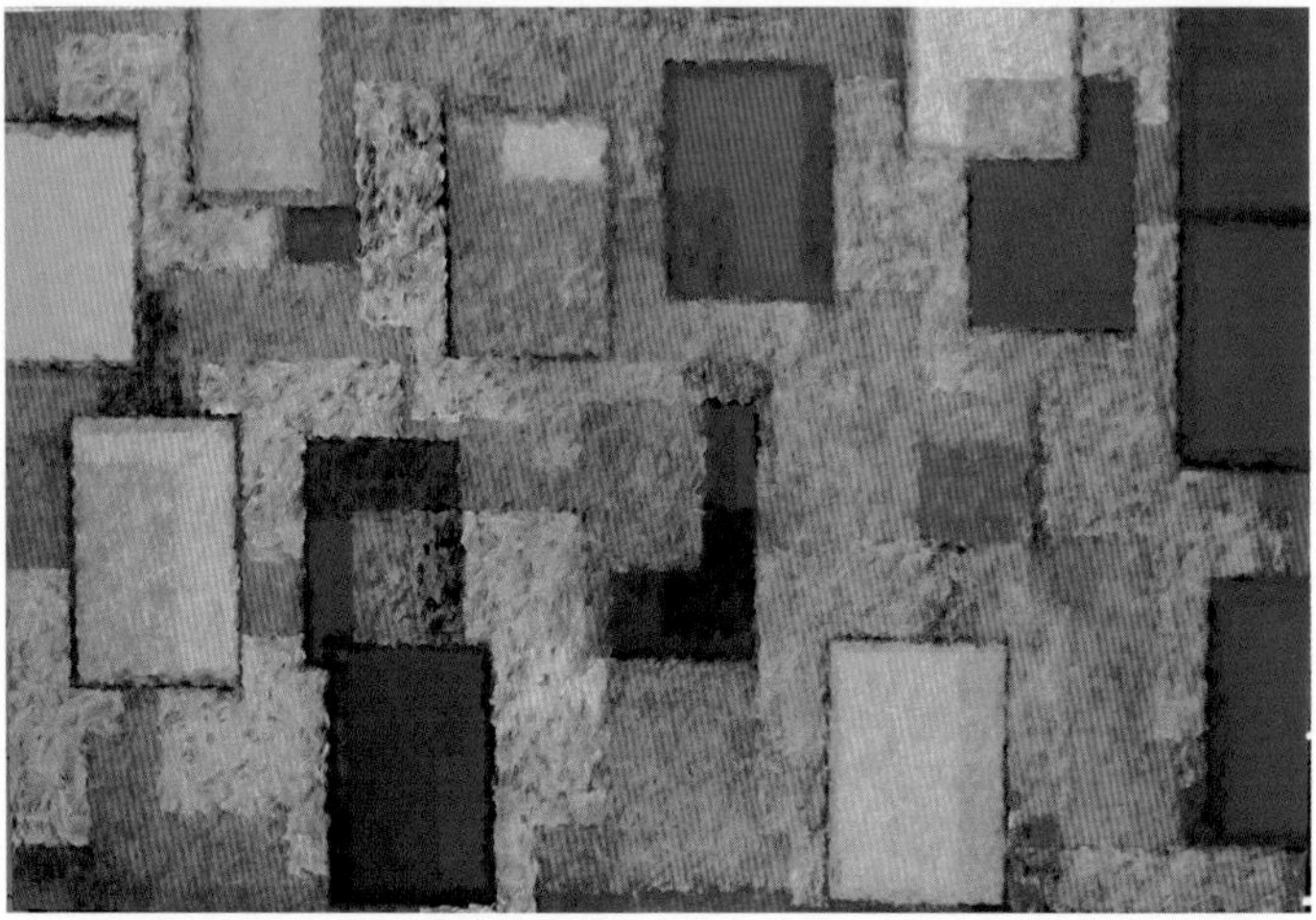

信田俊郎《光の場所2019年8月22日》 2019年　130.5cm×194.5cm
油彩　キャンバス

谷英志《フューチャーシティ》 2017年　68.0×142.5cm
鉛筆、色鉛筆、アクリル　紙　　撮影：室澤敏晴

地図への旅　ギャラリーと図書室の一隅で　目次

第四章　ギャラリーの一隅で

第五章　旅と美術

まえがき

浦田 憲治

霜田文子さんを知ったのは、七年前（二〇一三年）に、友人の紹介で柏崎の文学と美術のライブラリー「游文舎」を訪れた時だった。私は、「游文舎」の開館五周年記念講演会の講師に招かれ、「日経文化部の事件簿」というテーマで三十年の文化部記者体験について拙い話をさせていただいた。

「游文舎」は広々とした画廊に図書室を併設したユニークな施設だった。そこで出会った三人の企画委員はいずれも魅力的だった。俳人でもある最年長のK氏は、髭を生やし、もの静かな仙人のようだった。ローカル新聞「越後タイムス」（のち休刊）発行人、文芸同人誌「北方文学」編集長、出版社「玄文社」社主を兼任し、八面六臂の活躍をする元文学青年のS氏は、人懐こい笑顔でこころをなごませてくれた。

霜田さんは三人の中で最年少だった。初対面では、しとやかで控えめな女性に見えたが、話すと奥深い知性が感じられた。

彼女は美術作家だった。東大で美術史を学んだものの、絵は独学で、結婚して子育ての区切りがついた三十代後半から油絵を描き始めたという。現在では卵の壊れやすさ、孤独、閉鎖性をモチーフにした具象・抽象画、素描や、卵の殻を脳内地図に見立てたボックスアートを手がけ、新潟県内や東京で個展やグループ展を開いてきた。昨年暮にはパリで初めて日本人女性画家による三人展に参加している。

本書の第五章「旅と美術」の「パリの小さな美術館——師走のパリ旅行記——」を読むと、地下鉄などの公共交通機関がストップした大規模ストライキのさなかに、三人展が開かれ、いたく苦労したことや、真冬のパリの暗い街を黙々と歩いて、ヨーロッパ写真美術館などの小さな美術館を探し回ったことがつづられていてとても興味深い。

多和田葉子の小説やラテンアメリカ文学を愛好する霜田さんは、「北方文学」同人であり、編集長のS氏とともに同誌の有力な執筆者である。本書には「北方文学」に寄稿した文章を中心に、美術批評、展覧会評、書評、旅行記が収録されている。

読んで感じるのは、美術評論家や文芸評論家の本とずいぶん肌合いが異なっていることだろう。あたかも岸田劉生や小出楢重らの画家が書いた評論やエッセーを読むかのような、心地よい官能性がある。霜田さんのもつ明晰な頭脳、豊富な読書体験、旺盛な知的好奇心に加えて、美術作家としての柔らかで鋭敏な感受性を感じとれる。文学と美術が見事に共鳴し、美しい旋律を奏でている。

たとえば第一章「闇の奥へ」の中の「《サーカスの景》への道――古賀春江の「超現実主義」――」をみよう。霜田さんは、古賀春江は晩年になると、アンドレ・ブルトンが重視した夢、狂気、無意識の領域へと近づいたと考えている。古賀の絶筆となった絵「サーカスの景」を見て、「もし、この画家がもう少し永らえていたならば」と、古賀の三十八歳での夭逝を惜しみ、悲しんでいる。ブルトンが主導し、エリュアール、アラゴン、タンギー、エルンストらを巻き込んで文学と美術が共振したシュルレアリスム運動との接点を探っている。

独学で美術作家となった霜田さんらしく、「アウトサイダー・アート」や「アール・ブリュット（生《き》の芸術）」と呼ばれる、正規の美術教育を受けない、知られざる天才画家の画業に多くの頁をさいていることにも注目したい。第一章「闇の奥へ」の中の「原始の闇への遡行――フランソワ・ビュルランの絵画世界――」では、スイスの独学の画家、ビュルランの絵に、バルガス＝リョサの『密林の語り部』やコンラッドの『闇の奥』といった文学作品と通底する「呪力が支配する世界」や「記憶の奥底の原始の夜」を読み取る。

地図が大好きな霜田さんは人口十万人にも満たない柏崎に住みながら、日本を飛び越え、地球の裏側や世界の隅々に視線を向ける。たとえば第二章「図書室の片隅で」で取り上げている作家には驚かされる。中国の残雪、ナイジェリアのアディーチェ、メキシコのルルフォ、アルゼンチンのコルタサル、チリのボラーニョ、ポーランドのシュルツなど。ドナルド・キーン、川端康成、多和田葉子も登場するが、よほどの読書人でなければ目を向けない顔ぶれだ。

忘れてならないのは、「游文舎」が講演会の講師として「越境の文学」を担う作家や詩人を柏崎に招いていることだろう。日本語で小説を書いているユダヤ系アメリカ人のリービ英雄、ドイツ在住で日本語とドイツ語で小説を書く多和田葉子、日本語で現代詩を書く中国人の田原など。私はこうした企画に魅せられ、柏崎を毎年訪れ、「游文舎」の人たちと、坂口安吾の小説の舞台である松之山温泉につかり、長岡の花火を見物してきた。本書は、文学や美術などの芸術が「知性や感性の冒険と遊び」であることを教えてくれる。

（元日本経済新聞文化部編集委員）

二〇二〇年十月吉日

地図への旅　ギャラリーと図書室の一隅で

第一章　闇の奥へ

写真の想像力
——川田喜久治の写真集『地図』——

「不在」の風景

幻視者の描いた斑紋のような白黒写真の前に立ちすくんだ。抽象画のようでもあり、とぎれとぎれの線を追えば何かの図形が読み取れそうにも思う。写真家・川田喜久治が一九五九年から六五年にかけて撮影した連作《地図》の中の一点で、《原爆ドーム天井　しみと剝落、広島》*（口絵i）と題されていた。広島に原爆が投下されて十数年が過ぎた頃、原爆ドームの地下天井にどこからともなく巨大な黒いしみが現れたという。あたかも犠牲者の痕跡が時を経てしみ出てきたようで、血の滴りのようで、しかも目の前でさらに広がっていきそうで、観るほどにざわざわとした気分を掻き立てられた。二〇一〇年四月十日から五月三十日まで新潟県立近代美術館で開催されていた「日本の自画像」展で、川田喜久治の写真を観て以来ずっと、原爆ドーム壁面のしみ

《原爆ドーム壁面　しみと剥落》1959〜1965年
© Kikuji Kawada/Courtesy of PGI

は、まるで生き物のように私の脳裏に蠢き続けている。

＊「日本の自画像」展キャプションより

この展覧会を企画したのは、パリ在住の日本写真史研究家・マーク・フューステル氏である。国際関係を学んでいたフューステル氏は、破滅的な敗北からわずか二十年で世界の経済大国に成長した日本に興味を持ち、写真によってこの時代に光を当てようとした。氏によって選ばれた木村伊兵衛、土門拳、濱谷浩など十一人の写真家は、名実共に日本を代表する写真家であり、彼等の、一九四五年から六五年までの二十年間の作品百六十八点は、まさに戦後日本の自画像であった。そんな中でも川田喜久治の《地図》シリーズ十五点はとりわけ異彩を放っていた。
今にもぼろぼろと剝がれ落ちそうな原爆ドーム天井を写した三点をはじめ、川田の写真にはどこにも人がいない。少なくとも生きている人間を正面から写すことは、決してない。九十歳の老人は白く長い顎髭からしか写していない。コラージュされているのも被爆死した人の背面の写真だ。二〇世紀初頭、パリの人影のない街路の風景を捉え、後にヴァルター・ベンヤミンがシュルレアリスム写真の先駆者と言った、ウジェーヌ・アジェを思い出す。広場にも、公園にも、喫茶店のテラスにも、どこにも人のいないパリ。一切の情緒を排しているにもかかわらず、帰るべき場所を失ったかのような不安と孤独感が漂う。
川田の写真もまた、静止した、無音の、暗鬱な世界が、観る者の心をわけもなく不穏にする。ぽっかりとあいた深淵のような〝不在〟。どこまで深く、どこまで続くのだろう? 川田は言う。

壁に残った「しみ」は、証言するものの不在の意味を克明に語るが、写真の想像力は、不在をこえた謎に向かうことが出来るかも知れない。

（写真集『地図』二〇〇五年版）

川田の幻視のような光景までもが写真に込められ、観る者に浸透していくような気配。垣間見える理不尽なもの。私の中で、未視のものと既視のものとが混在し始める。

写真集『地図』

川田喜久治は一九三三年、茨城県に生まれた。写真家として活動を始めた一九五〇年代はフォト・ジャーナリズムの転換期であり、川田自身、土門拳に啓蒙されつつ、土門に代表されるリアリズムに限界を感じていたという。同様に新たな方法を模索していた若手写真家六人が集まって写真家集団〈VIVO〉を結成したのは一九五九年。その中で今展で展示されていた作家は川田の他、奈良原一高、東松照明、細江英公であった。

一九五七年、土門拳の助手として初めて広島を訪れた時の衝撃が、後年の《地図》シリーズの契機となった。《地図》シリーズはまず一九六一年十一月、写真展として発表され、その後六二年から六三年にかけて写真雑誌に発表されるなどして、原爆投下からちょうど二十年目にあたる一九六五年八月六日、写真集『地図』として美術出版社から刊行された。

新潟県立近代美術館に展示されていた写真集『地図』を手にし、《地図》シリーズをもっと見たいという思いと、何よりも本の美しさに惹かれ何とか二〇〇五年版を古書で入手した。一九六五年版は品切れ絶版となり、二〇〇五年に月曜社より新装復刻されたものの一千部限定だったためである。ところが後日、なんと游文舎・小谷文庫で一九六五年版を発見したのである。改めて故・小谷寛悟さんの炯眼に驚いたのは言うまでもない。

〝緻密に作りこまれた写真集の出版を写真家としての活動の重要な柱としてきた〟川田の作品世

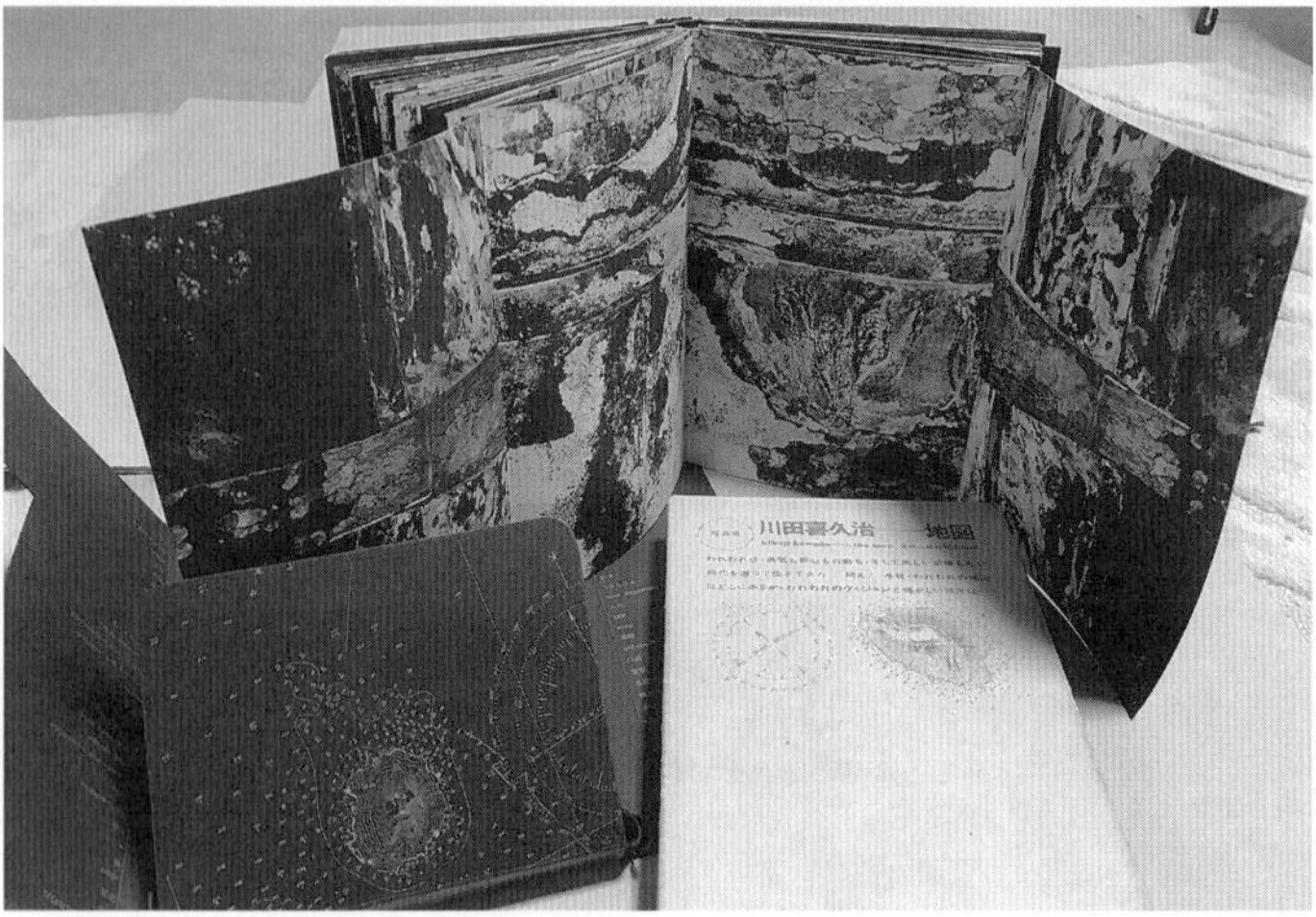

写真集『地図』（美術出版社　1965年刊）

界を伝えるため、工芸品のような一九六五年版の写真集を紹介したい（口絵ⅰ）。

本は段ボールのスリップケース、ついで黒い厚紙のタトウ式ケースの、二重のケースに入っている。風呂敷を広げるようにしてケースを開くと大江健三郎の跋文が印刷された茶色い紙があり、これを取り除いて初めて写真集を手にすることが出来る。パッケージデザインは石尾利郎、ブックデザインは杉浦康平である。段ボール函には「問え！　今日・われわれの地図はどこにあるか」といった文章が書かれ、タトウ式ケース裏側には円環状に写真の内容を連想させる「武運長久、夏服上衣、逆転、反逆、可逆」等の言葉が連なっている。

本体は、暗黒の時代のメタファーのように黒を基調とし、全ページ観音製本になっている。したがって、普通に見開きとなった写真の次には、扉を開けるようにして四ページにわたるパノラマ写真を見ることになる。観音製本のページを開くと封印された時代のうめき声が聞こえてくるようだ。本の作り自体が直接イメージに訴えかけることを狙っていたのである。

それにしても奇妙な本である。ノンブルもキャプションもない。〝しみ〟が浮き出た壁面の写真は、展覧会での予備知識がなかったら何が写っているのか全くわからなかっただろう。しかし、ケース裏に連ねられた呪文のような言葉と、特攻隊員の遺影や遺品、廃墟となった要塞、踏みにじられた国旗、ケロイド化した女性の皮膚などによって少しずつ時代や背景が明らかになっていく。にもかかわらずこうした戦争のモニュメントと、経済成長を謳歌する町工場の鉄屑やコカコーラの空き瓶、原爆ドームの落書きなど撮影当時のモニュメントを、一枚の写真の中で、あるいはページの配列によって、シュルレアリスムでいう〝デペイズマン（転置）〟のように配置し、再び思考は停止させられる。そして記憶をフラッシュバックさせるかのように、原爆ドームの〝しみ〟の写真が執拗に挟み込まれる。静止した、不在の闇の中で、あたかも蚕が桑の葉を食むように〝しみ〟だけが無秩序な浸潤を続けている。〝しみ〟は戦争という暴力の象徴なのである。

「地図」が示すもの

小学生の頃、地図帳に夢中になっていた時期がある。初めて地図帳を手にしてすっかり虜になり、すぐに物足りなくなって高校生の姉の部屋に忍び込み、後ろめたさを感じつつ、姉の地図帳に見入っていた。私が特に注目していたのは、人口密集地が赤く塗られた拡大都市地図や、世界の工業出荷額などの統計である。そこでは急速に発展し、世界で確固たる位置を占めつつあった日本の姿が一目瞭然だったからだ。

私にとっての「地図」は、輝かしい未来のヴィジョンを明確に指し示していた。一九六〇年代半ば、ちょうど写真集『地図』が刊行された頃にあたる。一方、一九三三年生まれの川田喜久治は、少年時代を戦争末期に過ごしたことになる。日本が侵略と戦争で版図を最大に拡げていた地図になじんでいたことだろう。それが敗戦によって一気に自国までも失ってしまう。一瞬にして二つの都市を壊滅させてしまった原爆。伝え聞いたキノコ雲や被爆者の惨状が少年の心に棲みつき、苦しめ、幻影さえもつきまとっていたのではないかと思う。一九六五年版写真集の段ボール函に書かれた「われわれは・勇気も野心も行動も・そして美しい記憶もない時代を漂って生きてきた」という文が、戦後の指針を見失っていた状態を彷彿とさせる。

原爆投下から十二年後の一九五七年、川田は初めて広島を訪れる。心の中に描いていた被爆地のイメージ。ところが降り立った都市には、想像のよすがとなるものさえほとんど残っていなかった。この時のことを川田は、実に奇怪な文章で書き留めている。

灰色の町から現れてくる人のなかには目の悪い人が多かった。（中略）（タクシーの）料金を払うとき運転手がふり向いたら、彼もまた目が悪かった。ホテルの部屋で鏡に向かい自分の目を見ると瞳孔が開きかけていた。見ることが出来なくなる恐怖に初めて出会ったのもあの大閃光と重なる陽射しの強い広島であった。

（写真集『地図』二〇〇五年版）

夕暮れ、原爆ドームに忍び込み、天井の〝しみ〟を見つける。「数十人が地表四〇〇〇度を超す閃光熱線の中に消え去り、続いて降った黒い雨と長い時間のなかから忽然と現れた「しみ」に、自身の原爆の生《なま》のイメージを見出したのだった。風化しかけていた深層の〝地図〟を抉り出すように、「見ることが出来なくなる恐怖」に抗うように、夢中で撮り続けたに違いない。

今展の図録（二〇〇九年）の中でも、川田は次のように述べている。

建物の中にいた数十人の人が瞬時に消えてしまったのです。（中略）それが時間という風雪の中で廃墟となったドームの天井一面にしみとなって現れたのです。巨大な暴力の地図が世界を覆っているようで（後略）

それにしても、本当に瞬時に消えてしまった人たちの痕跡が〝しみ〟となって現れたのだろうか。そもそも四千度もの熱線で蒸発した人たちの痕跡が残るものなのだろうか。

しかし、そんな問いをあざ笑うかのように〝しみ〟はいつのまにか私の中にも浸潤していたのである。何よりも、ほとんど私的な感覚にこだわり続けている作品が、なぜ半世紀を過ぎてなお生々しく迫ってくるのか。なぜ色褪せることがないのか。かつてこういう写真に出会ったことがあっただろうか。

「〝非〟原爆写真」論

鈴城雅文『原爆＝写真論』（窓社　二〇〇五年刊）は、ヒロシマ・ナガサキの写真を歴史的に追うことで、見ること・語ることの可能性・不可能性を論じたものである。

鈴城は一九五八年に刊行された土門拳の『ヒロシマ』を、戦後「原爆写真」の〈基点〉と見る。大江健三郎が「いかなる文学作品も一九五八年にこの写真集より現代的であることは出来なかった」と評した写真集が、初めて被爆地の写真を集大成したものであることや、その後の影響力を考えると大江の評に異論はない。そしてそれに対比させているのが東松照明の『〈11時02分〉NAGASAKI』である。さらにそれに続く世代として石黒健治や土田ヒロミらを論じているが、土門と東松の間に入る川田喜久治がなぜか対象になっていない。「戦後日本の写真表現の記念碑的作品」(長谷川明『写真を見る眼』青弓社　一九八五年刊)である川田の『地図』に触れていないのは不可解だが、そのことが逆に川田の位置を示しているのだともいえよう。

鈴城は土門の『ヒロシマ』を「「揺るぎないヒューマニズム」に支えられている」という。そして「ヒロシマ」という「物語」を仕立て、さらに物語のイデオロギー化に向け、被爆者に「一般国民のまなざし」による二重の被爆を強いたという。ここで鈴城は、戦前の土門の「国のための正義」と、戦後の「『ヒロシマ』での正義」とが「構造的に密通している」というが、これについては今は問わない。しかし次世代の写真家たちが「揺るぎないヒューマニズム」と距離を置きたがるのは、常にファナティックな気配が随伴していることを知っているからだろう。

一方、一九六六年に刊行された東松照明の『〈11時02分〉NAGASAKI』は、『ヒロシマ』の被爆者が「ヒューマニティへの罪」の告発という「大儀」に奉仕させられたことへの反発からか、被爆者よりも事物の「痕跡」に主眼を置く。しかし『ヒロシマ』の被爆者とは別の形で、撮影者の「想像力」による二重被爆を強いたこと、人であれモノであれ被爆のイコンとしてしまったことで、『ヒロシマ』とほとんど裏返しの「物語」にしてしまったという。

結局、土門と東松は「閉じられた円環」の中にいたという時、明らかに川田はこの円環の外に位置づけるべきであると断言出来る。川田の写真は特定の誰かを弾劾するのでもなければ、ヒューマニズムの道具としているのでもない。川田が東松同様、土門のリアリズムに反発していたことは既述の通りだが、川田と東松の資質の違いも大きい。『〈11時02分〉NAGASAKI』

の撮影者がたとえアンチ・ヒューマニズムの立場に立とうと、イメージの喚起力に訴えようと、社会や人間への接近は否定しようがないのだ。川田は、目の前の世界を自らの内に取り込んだ途端、ほとんど反世界、非現実の方向へと突き詰めていってしまう。それは『地図』以降の全作品に一貫している。東松との大きな違いであるばかりでなく、これほど作風が一貫している作家を、日本で他に見ることは出来ないのではないだろうか。原爆の痕跡や死者の記憶が「暴力の地図」へと収斂していくことによって、川田はいつのまにか「閉じられた円環」の外に立っていた。それが『地図』をドキュメントやイベント、あるいは物語的な「原爆写真」にとどめなかったのだと思う。

しみのイリュージョン

一九九五年に刊行された川田喜久治写真集『ラスト・コスモロジー』の中の《雲》などの作品を、川田はアメリカの写真家、アルフレッド・スティーグリッツ(一八六四〜一九四六)の〝イクィヴァレント〟へのオマージュであると述べている。

〝イクィヴァレント(equivalent =等価物)〟は、スティーグリッツが、一九二〇年頃から、雲や空などの自然の風景に、自己の内的な感情や経験を照応させたシリーズで、写真によって対象の

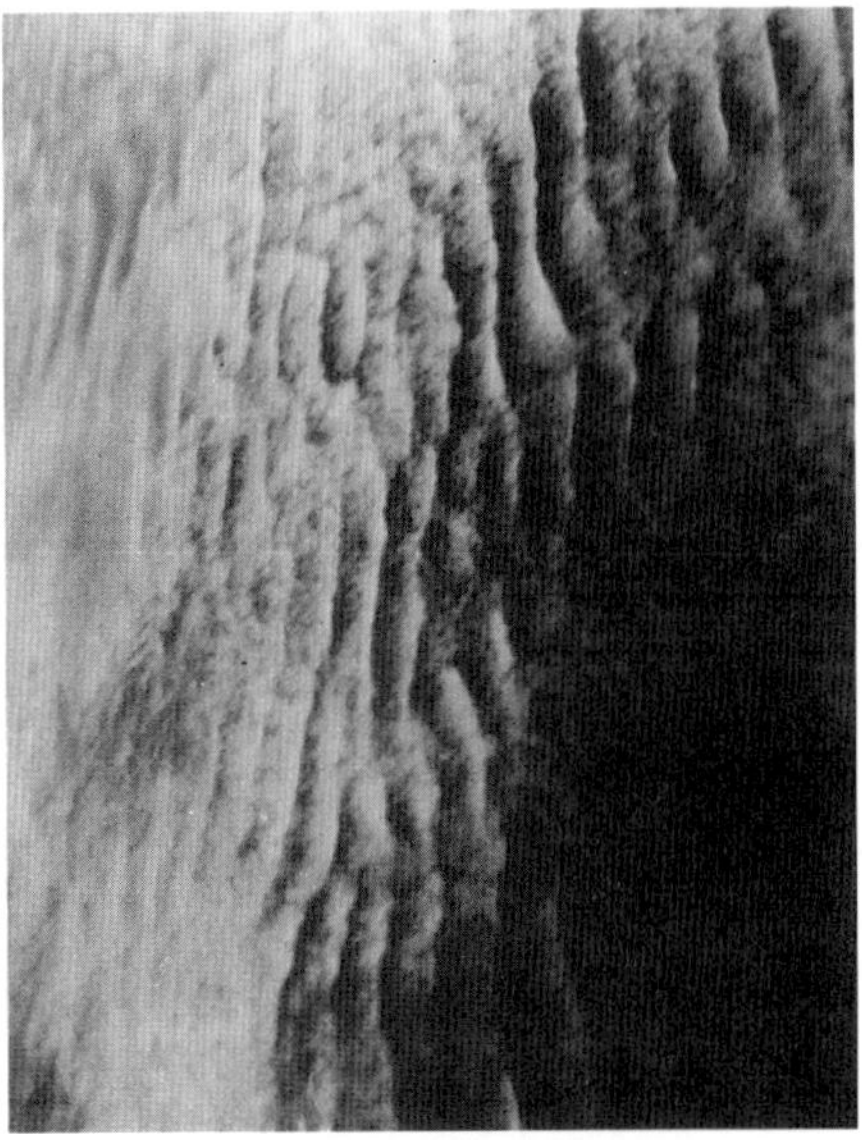

アルフレッド・スティーグリッツ
《イクィヴァレント、永遠なる花嫁》1930年

持つ潜在的なイメージを引き出そうとしたものである。

川田がそれまでのリアリズム写真に批判的だったことは再三述べたが、当時からスティーグリッツや、彼の影響を受けたマイナー・ホワイト（一九〇八〜一九七六）らを意識していたことは想像に難くない。マイナー・ホワイトも〝シークエンス（連続性）〟シリーズで、岩や流木をクローズアップし、形状や肌理を特定のムードや感情の比喩とした。主題は岩でも流木でもなく、いわば「カメラによる自我の発見」であり、写真が何を描写するかよりも、何を暗示するかを重視したのである。川田もまた、写真の持つ象徴性をもっとも自覚的に行使したひとりであることは間違いない。

ところで『ラスト・コスモロジー』に収載された以下のような文章を読むと、めくるめくようなイメージの連鎖に驚かされる。

青空をバックに白い雲と黒い雲がどこからともなくふわふわと現れ互いにからみついたり、抱き合ったりしているうちにそれは怪物のようになってしまった、（中略）頭は二つにも三つにも分かれ、渦となって追いかけてくる、渦のどこかに、えたいの知れない感覚器官がかくれていて、こちらの反応を敏感に見ぬいているらしい、（後略）

『地図』ではデペイズマンを採り入れているように、〈ＶＩＶＯ〉発足当時、デペイズマンやオートマティスムなど、シュルレアリスムの手法をいかに展開させるか模索していたというが、私にはむしろ、こうした幻視者的な資質がシュルレアリスムとの一番大きな接点に思える。特に『地図』での、素朴で荒々しく地を這うような想像力は、アンドレ・ブルトンやマックス・エルンストがデ

《怪鳥》1987年
（写真集『ラスト・コスモロジー』491　1995年刊）
© Kikuji Kawada/Courtesy of PGI

レオナルド・ダ・ヴィンチ《大洪水》 ウィンザー12378 1517〜1518年頃

カルコマニーやフロッタージュによってオートマティスムを実践する際に言及したピエロ・ディ・コジモやレオナルド・ダ・ヴィンチを思い出させる。

ピエロ・ディ・コジモ（一四六二（?）〜一五二一）は、病院の患者たちが唾を吐きかける習慣になっていた壁をじっと見つめ、汚斑から騎馬戦や、幻想的な町や、かつて見たこともない素晴らしい風景を作り上げたという。

またレオナルド・ダ・ヴィンチ（一四五二〜一五一九）は『絵画論』の中で、次のように述べている。

さまざまなしみやいろいろな石の混入で汚れた壁を眺める場合、もしある情景を思い浮かべさえすれば、そこにさまざまな形の山々や河川や巖石や樹木や平原や大溪谷や丘陵に飾られた各種の風景に似たものを見ることができるだろう。さらにさまざまな戰鬪や人物の迅速な行動、奇妙な顔や服装その他無限の物象を認めうるにちがいないが、それらをば君は完全かつ見事な形態に還元することができよう。（中略）そしてその響の中に君の想像するかぎりのあらゆる名前や單語が見出される鐘の音のようなことがおこるのである。

（杉浦明平訳『レオナルド・ダ・ヴィンチの手記』岩波文庫　一九五四年刊）

川田の視線は決して壁を離れることなく、その周囲を執拗に這い回り続ける。壁はまるで原始美術のように、凝視する視線で埋め尽くされていく。そして写真には、剥落しかけた壁面を隅々までなで回した手触りさえも写し込まれていく。まどろみの時でさえ付きまとい、どこまでも浸潤する〝しみ〟と、川田の視線とはもはやほとんど同質化している。こうして川田自身の偏執狂的とも暴力的とも言える視線を通して、〝しみ〟はいっそうグロテスクで禍々しい形相を帯びる。ついにはそれこそが美であると言わんばかりに！

それにしても、と繰り返し思う。本当に瞬時に消えてしまった人たちの痕跡が〝しみ〟となって現れたのだろうか。そもそも四千度もの熱線で蒸発した人たちの痕跡が残るものなのだろうか。しかしこれは、まぎれもなく川田にとっての〝真実〟なのだ。時に幻視までも既視感と重なり、写真という媒体を通してリアリズム以上のリアリティを持って迫ってくる。〝しみ〟は観る人の心にも巣喰い、無限に増殖を続けることだろう。

写真が過去の記憶を呼び起こし、現在を写し出し、未来をも描き出すことを期待されているとしたら、川田喜久治の写真は自身の暴力性までもさらけ出し、人間の根源的な暴力を突き詰めることによって超時間性を獲得したと言える。

記憶の中の時間は連続して、規則正しく流れているわけではない。川田は、そこにも暴力的にモニュメントをつきつける。第二次大戦のモニュメントと、撮影当時の都市で拾い集めたモニュメンタル・オブジェの並置は、記憶を揺さぶり、ますます時間を錯綜させる。過去は現在に混入し、未来までも侵す。未来は既視のように過去の相をまとう。そんな中で壁の〝しみ〟だけが粛々と時を刻み続けているように見える。〝しみ〟は不確かな記憶を強引に歴史の時間に引き戻す。ある日突然、壁を大崩壊させるであろうという予感を伴って。

写真集『地図』が、レオナルド・ダ・ヴィンチの《大洪水》のような黙示録的光景を指し示しているのだとしたら、せめて前のめりにカタストロフィに向かうことがないよう祈るしかないのだろうか。

原始の闇への遡行
―フランソワ・ビュルランの絵画世界―

夢はわれわれを人間文化のずっと以前の諸状態へとふたたびつれもどし、その状態をいっそうよく理解する手段を手渡してくれる。

（ニーチェ『人間的、あまりに人間的』池尾健一訳）

（1）

パブロ・ピカソはアフリカの仮面や彫刻がもつ呪術性に着目し、芸術活動とは「呪術」行為にも等しいという、自らの理念とそれが合致している事に気づいた。だから部族美術の表現の背後にある、強烈な感情や悪霊からの解放といった概念を読み取り、その造形を自らの不吉な予感や恐怖を具体化する視覚表現として用いた。一九〇七年に描かれた《アヴィニョンの娘たち》は最初の悪魔祓いの絵画でもあった。ではピカソは呪力自体を信じていたのだろうか。呪術師のようでありたいと思っていただろうか。芸術家なら誰でも多少なりとも呪術師になりたいと願ったことがあるだろう。しかしフランソワ・ビュルランという作家ほど、呪術師であろうとする人を私は知らない。

スイスの画家、フランソワ・ビュルラン。未知の作家だった。画集やチラシで作品を目にし、どうにも気にかかり、日ごとに存在が大きくなっていき、直接じっくりと向き合わなければ気が済まないまでになっていた。

初めての出会いは二〇〇八年、たまたま手にした『アウトサイダー・アートの極致』(二〇〇八年刊)という画集においてであった。編集発行したのは京都の画廊、ギャルリー宮脇である。海外のセルフトート・アーティスト(正規の美術教育を受けずに独学で制作を始めた人)十三人の作品が集められていた。個人的な物語世界が原色で、無彩色で、奔放に、稠密にそれぞれの手法で描かれている。その中でもとりわけビュルランの作品が目を惹いた。観る者に挑みかかってくるような、凶暴で、それでいてどこかユーモラスでもある架空の動物たち。不敵な笑みを浮かべた異形のヒト。爬虫類や魚や鳥や不可思議な記号が円環をなして浮遊している。闘っているのだろうか、戯れているのだろうか。そこは魔境なのだろうか、楽園なのだろうか。対極的なものが平然と混在し、強烈なエネルギーを放っている。

しばらく後、新潟県立近代美術館のインフォメーションコーナーで、暗鬱な風景画のようなものに出会った。ギャルリー宮脇の「螺旋階段」というリーフレットだった。黒いインクをぐいぐいと塗り込んで偶然のようにできあがった森や河のようなものと、人工的な線で歩道橋のようなものが描かれた画面。空中楼閣か、廃墟か、軋み音が聞こえてきそうな危うい、ぎりぎりの架橋か？　その下をかいくぐるようにして、視線は奥へ奥へと引き込まれていく。沈黙の画面を作り出している作家、フランソワ・ビュルランという名前が、先の画集の作者と一致するにはしばらく間があった。結局この双極性がずっとつきまとうことになったと言ってよい。

二〇一〇年、ギャルリー宮脇を訪問する機会を得た。決してアウトサイダー・アート専門のギャラリーではない。むしろそういうジャンルを超えた、あるいは分類不可能な、本能の発露としての芸術活動に早くから目を向けていたのだった。螺旋階段を上り、三階の常設展示室に行く。内なる世界を独自の手法で表出した作品の数々が並ぶ。そんな中からビュルランの、伸びやかで猛々しい絵が眼に飛び込んできた。暗褐色の風景画に引き寄せられた。向かってくる絵。ひたすら引きずり込もうとする絵。どちらもビュルランそのものに違いない。小品でありながら存在感は際立っていた。

二〇一一年十月、文学と美術のライブラリー游文舎で「フランソワ・ビュルラン展――深い闇の奥底――」を開催することになった。ギャルリー宮脇で企画担当されている宮脇豊氏に監修をお願いした。游文舎は四年前、私を含め有志で立ち上げた図書室とギャラリーの施設である。有

フランソワ・ビュルラン展　会場風景

名無名を問わない。独自の世界を追求し、観る人に感動として伝わること──展覧会ではこれを基準に作品を選んできた。ビュルランについても、ただの鑑賞者ではいられなかったのである。作者の経歴や作品の背景などはほとんど知らないままだった。日頃作品至上主義と言ってはいるものの主催者として不安がなかったわけではない。しかし杞憂だった。ほとんどの人が作者の経歴にこだわったり、作品の絵解きなど求めたりしなかったからだ。ひとりで、また来場者と共に作品に囲まれ、予見なく作品と向き合う喜びをこれほどまでに感じたことはなかった。

主体となったのは二〇〇八年に描かれた《深い闇の奥底》というシリーズである。小品から、高さ二メートル幅三メートルの大作まで十六点、ほとんどが本邦初公開であった。そして二〇〇七年制作の《Sphinx》一点、二〇〇九年制作の《Jardins》（庭）と題された、前述の風景画シリーズ五点も参考出品された。

《深い闇の奥底》シリーズ十六点はすべて紙面を横長に使い、ほとんど同じ構成である。二人ないし数人の呪術師（ビュルランの作品に繰り返し現れる）が向かい合い、山羊鬚を引っ張り合い、口元から爬虫類や魚のような、それも極めて原始的で奇怪な生き物が次々と吐き出され、画面からはみ出さんばかりに跳梁跋扈している。タブロイド判新聞紙を支持体にした《Sphinx》もまた、《深い闇の奥底》シリーズに似た荒々しいタッチで野獣が描かれた小品である。

一方《Jardins》シリーズはいずれも縦二〇～三〇cm、横四〇～五〇cmの、動きを止められた、無音の世界である。インクを塗り込んで空と森のようなものが描き分けられているが、とても庭と呼べるようなものではなく、手つかずのままの森であり、太陽も月も照らすことのない茫漠たる空と大地だ。それらの風景に拮抗するように書かれた青や黒の直線や文字は、まるで太古のフィールドに取り残された未来からの遺物のようだ。皺が残るほどに塗り込んだ筆圧に、暴力的な画面と相通ずるものを感じはするが、わずかな期間での《深い闇の奥底》シリーズとの大きな違いを眼前にして、ビュルランという作家の魅力と謎はいっそう深まっていった。

謎と言えば、支持体がすべて他の用途で使い古された紙であることもそれに輪をかけた。《深い闇の奥底》シリーズに使われているのは小麦粉の紙袋である。紙袋を切り開き、無造作にテープで貼り合わせ、描き上げると折り目も厭わず畳んでおく。異質の時間を刻み風化した支持体が、作品の持つ原初的な雰囲気をどれだけ増幅させていることだろう。《Jardins》シリーズは、なんと設計図に使われたトレーシングペーパーに描かれたものであった。絶妙の幾何学的な線や文字は、元々紙に書かれていたものだったのだ。シュルレアリスムでいうデペイズマンのような意想外の組み合わせによって、イメージや時間が層状化されると共に、本来ならばミスマッチというべき画材と支持体との組み合わせが描画の痕跡を際立たせ、視線を強引に誘い込む。

(2)

フランソワ・ビュルランは一九五八年、スイス・ローザンヌに生まれた。学校教育や社会規範になじめず、孤独な少年期を過ごしていたが、読書好きであったことや、二人の祖母がお話好きであったことにより豊かな想像力を育んだ。十七歳でセルフトート・アーティストになることを決意した。一九八八年からはサハラ砂漠を旅行し、トゥアレグ族*と親交を持つようになった。

*トゥアレグ族　アフリカ・サハラ砂漠を中心に活動する遊牧民

ギャルリー宮脇編『アウトサイダー・アートの極致』などによって得られた、ビュルランについての情報は以上の通りである。展覧会などで紹介される作家のプロフィールの域を出るものではないが、物語性の高い、荒々しく原始的な画面の拠ってくるところを想像することはできよう。しかしまた、ドラマティックな経歴故にそれにとらわれすぎないよう、細心の注意を払わなければならないとも思う。

ギャラリーでは照明を落とし、野性的な画面を損なわないようあえて額装をしないまま展示した。折り皺が複雑な陰影を作り出し、赤褐色から黒褐色までの階調を基調色とした画面はますます表情豊かになり、洞窟壁画に囲まれているような空間となった。そこで改めてじっくりと《深い闇の奥底》シリーズ全体を見ることにする。

ほとんどが左右対称に近い構図を持つ作品の中で一点、非対称の、やや趣を異にするものがある（口絵ii）。№２０３、最も大きな作品だ。右側に呪術師の上半身が大きく描かれているが、左側に同じ顔をした、四本足で翼と長い尾をもった半人半獣の生き物が描かれている。しかも左側の半人半獣の尾の先は右側の呪術師の髭とつながっていて、これもまた呪術師によって生み出されたものであることがわかる。呪術師とは実は神とも人とも動物とも分かちがたい生き物であり、自在に生き物を生み出すものでもあったのである。その口から生まれた胎児の象徴のような魚や、トカゲや鳥の原型のようなものたちが、たった今最初の息を吐き出し、回遊し始めたかのようだ。無数に散らされた気泡のような斑紋が美しい。構図こそ異なってはいても、同じモチーフで描かれた一連の作品は、宇宙の誕生、創世の物語であったのだ。「闇」とは天も地も、神も人も分かたれていない始源の闇だったのである。未分化で未成熟な生き物たちが蠢き、変容し続けている世界なのだ。しかもその表現は「原始的な」というよりも「原始美術そのもの」と見まがうほどである。その先駆を一体どこに求めることができるだろうか。
「原始的な」と言えば、まずプリミティヴ・アートが思い浮かぶ。自らのアイデンティティーを非西欧の〝野蛮人〟に見出し、南太平洋に渡ったポール・ゴーギャンを出発点に、二〇世紀初頭のヨーロッパでは既存の美術の殻を打ち破るべく、アフリカやオセアニアの部族美術の仮面や彫刻に目が向けられた。それらは当初はフォルムの借用にとどまったが、次第に精神的なもの、概念からもインスピレーションを受けるようになった。ピカソがその呪術性に着目したのは冒頭に書いた通りである。

一方、縄文を〝発見〟した岡本太郎は、縄文土器のダイナミズムと優れた空間感覚を賞賛し、世界中の呪力と神秘に満ちた遺物や作品に惹かれた。

現代美術においては、例えば最もコンテンポラリーで、ポップアートのようにも見える黒田アキ(1)のSF的世界にあっても、象徴的に用いられた神話のモチーフが、画面を思索的で奥行きある時空間にしている。また、しばしばアール・ブリュット作家として紹介される坂上チユキ(2)は何億年も前の太古の海に自身の出自を置き、その内面世界を抽象画のように表現する。このように意図的に原始への回帰や表現を試みる作家だけでなく、本質的に〝原初的な〟イメージを滲出させている作家は枚挙にいとまがない。それぞれが方法も意識も異なり、一括することなどできないが、それらのいずれともビュルランの世界が異なっていることは明らかだ。特に原始美術に深い理解を示し、呪術性や精神性と造形との密着性を見抜いたピカソや岡本太郎にしても、自身の創作の発想源という形をとったが、ビュルランは呪力に支配された世界そのものを描いているのである。しかもここまで深く始源へと遡った例が見当たらないばかりでなく、その表現までもが原始美術を思わせるのがビュルランの特異なところでもある。

ビュルランの世界が創世神話であってもモデルを特定するのは難しい。おそらく既存の神話を絵画化してなどいないだろう。画面からはギリシャやエジプトはじめ様々な神話や神秘主義、アフリカやオセアニアの部族美術やアニミズムなどの影響が窺える。さらに幼い頃から親しんだ昔話や古典文学などを底流にして独自に創造した物語があり、それが脳裏に具体的なヴィジョンとなって立ち現れているのではないか。夥しく繰り返される創作行為のうちには、どこからが現実でどこからが幻想か次第に分かちがたくなってもいただろう。中にはほとんど忘我あるいは脱魂の状態で描かれたようなものもある。それらのヴィジョンを描かなくてはいられないという切実な衝動に駆られるように制作しているのではないだろうか。だからこそ大作から小品まで、部分とか細部とかいうことはなく、すべて同じ構造を持ち、一点ごとにヴィジョン＝創世の物語を描き切って、完結させなければ気が済まないのだろう。

このような神話的な作品にあっては、モチーフは換喩的に使われていることが多い。幾何学的な図像は、太古の人々が可能と信じていた、世界と交信する暗号のように思える。しかしすべて解読する必要は全く感じない。本能から迸り出たような作品を受け止めるのに何ら支障はないからだ。

ただ呪術師の口や目をつなぎ合わせるようにして引かれた白い線には注目しなければならない。部族美術を思わせる画面と相まって思い出されるいくつかの非西欧の神話の中に、言葉を連想させるものがあるからだ。

例えば、アフリカのドゴン族の神話では、宇宙は創造神アンマの言葉から生じたとする。そして単語はほとんど分節されず、息吹のようなものだったと伝える（マルセル・グリオール『水の神―ドゴン族の神話的世界』一九四八年　坂井信三、竹沢尚一郎訳　せりか書房　一九八一年刊）。

またバルガス＝リョサ『密林の語り部』には、リョサの創作も交えてであろうが次のような神話が挿入されている。

（最初の語り部）パチャカムエは言葉からたくさんの動物を創りだした。動物に名前を選び、唱えると、男も女も彼が言ったものに変わった。

（一九八七年　西村英一郎訳　岩波文庫　二〇一一年刊）

このように白い線は言葉が息吹のように口から出ていることを示しているに違いない。そして神のような力を持った半人半獣＝呪術師（語り部とは呪術師でもある）が自在に生き物を産みだし、変容させているのも言葉によってであることを思わせる。これはまさに新約聖書のヨハネ福音書にある「はじめに言葉ありき、言葉は神と共にありき、言葉は神であった」と同様、宇宙の始まりにはまず言葉があったことを意味しているのではないか。

しかもこの白い線が画面をいっそう神秘的にし、いかに躍動感と深い奥行きを与えていることか。最後に一気に引かれた線によって物語と作品は同時に完結するのだ。恐るべき構成力である。

(3)

二〇〇五年に制作された、学校かどこか開放的な空間での個展やワークショップの映像を見た。これほど奥深い原始の世界を描いた作家はいない、というよりもこのように始源へと遡ろうとする作家を知らないというべきかもしれない。この頃の作品は過去とはいえ人類のいる「原始的な」ものであり、明るい色や原色を用いた作品もあるからだ。

モスクのような建物の間に、サイケデリックな色彩で人間の骸骨や動物がいくつも描かれた作品は、骸骨に神秘的なシンボルを見ることも可能であろうが、SFの戦闘シーンのようでもある。騎馬民族と動物が闘っている作品もある。さらに《AU NOM DU PÈRE（父＝神の名の下に）》と記された一点を含む四連作がある。とりわけこの連作は不気味で不可解だ。棺に横たわる人の周囲で半人半獣が、頭部が三つに分かれた化け物と闘ったり、頭部を切られた首からいくつもの蛇が生え出ている怪異な生き物がいたりする。ギリシャ神話の、切っても切っても頭が生えてくるヒドゥラと闘うヘラクレスを思い出させる光景でもある。英雄神話だとしたら棺に横たえられた人は一体誰なのか。まるで何かが父＝神に成り代わって創造主たらんとしているかのようだ。

このように天地開闢以降の神話や、寓意が込められたものが描かれていた。ところが次第に色彩は絞り込まれ、人と動物は分かちがたくなり、さらに時間を遡行していく。しかもほとんどすべてが攻撃的である作品群は、あたかもビュルラン自身が何かと闘い続けているようだ。それが始源へと向かわせる原動力であるに違いない。なぜ始源へと向かうのか。なぜ闇へと向かうのか。

あの河をさかのぼるのは、世界の一番初めの時代へ戻るのに似ていた。（中略）陽の輝きには歓びがなかった。物の影一つない河の流れは長く延びて、遠い陰鬱な暗がりの中へと入り込んでいた。

（コンラッド『闇の奥』黒原敏行訳　光文社文庫　二〇〇九年刊）

今、私は闇の深淵へと向かうビュルランの時間軸の旅を、イギリスの作家ジョセフ・コンラッドの小説『闇の奥』に重ねている。「深い闇の奥底」は原語（フランス語）で「Au cœur des

の奥』(Heart of Darkness) は一八九九年に書き上げられた。フランス語訳『闇の奥に』(Au cœur des ténèbres) が出版されたのは一九二六年のことである。したがって人種差別的な表現を問題視されたこともあるが、ここでは触れない。船乗りマーロウが過去の体験を語るという形をとった『闇の奥』のあらすじは以下の通りである。

マーロウはかつて象牙交易商社員として、コンゴ河を遡上し、アフリカ奥地へと向かった。重病となった奥地出張所の責任者・クルツを救出するためである。ところがクルツは武力を行使し、象牙を略奪し、現地に私的に王国を築き、神のように君臨していた。マーロウ一行はクルツを連れ戻すが、帰途、船上でクルツは息絶える。

マーロウがコンゴ河を遡上する旅は地球の奥底に行くような旅、まさに地獄下りである。西欧的な知識や倫理や秩序が全く通用しない。何を企んでいるか窺い知れない圧倒的な沈黙。夜になってどこからともなく響く太鼓の音。文明という皮膜が一つずつ剝ぎ取られていくような行程だ。それはおそらく想像しうる限りのもっとも原初の光景、記憶の奥底の原始の夜に違いない。マーロウは突然現れる原住民を〝怪物的な〟と思いつつ、自分の中にもそれに呼応するものがかすかに残っていることを自覚し始め、おぞましさを覚える。それを無限に拡大したのが、闇の心臓部に自らの王国を作ったクルツの狂気ではなかっただろうか。文明の束縛から解放されながら、得体の知れないものの影に怯え、常に緊張感にさらされ、結局は〝西欧的暴力〟によってそれを鎮めていたのではないか。

小説のタイトルとの一致は偶然でしかないかもしれない。ビュルランの作品は小説から一世紀以上経ているし、親交のあるトゥアレグ族の拠点は、湿潤な密林奥地ではなく砂漠地帯である。そもそもビュルランの作品は特定の時間や場所を必要としてはいない。発想源は多様だ。それでも重ねてしまうのは、呪物崇拝的で潜在的に闘争本能を感じさせる世界への旅——たとえ夢想の旅であっても——とは必然的に野性への回帰と時間の遡行を伴うものであり、ビュルランの創作欲を駆り立てているものを探ることができるのではないかと思うからである。

ところで「アウトサイダー・アート」とは、ジャン・デュビュッフェが定義した「アール・ブリュット（生の芸術）」を英訳したものである。近年我が国でも広く知られるようになったが、知的、精神的障害者のアートとみられがちである。しかし本来は正規の美術教育を受けず、生来的な創作衝動によって制作されたものを言う。ビュルランも障害者ではない。規範になじめず、自らアウトサイダーを選んだ人である。それは同時に絶対的な孤独を引き受けることでもある。既存の芸術に抗い、闇をまさぐるような創作活動であったはずだ。

独自の創造をするために、意識して自分の〝本質的なるもの〟に接触しようと、自らの源泉を辿ることはひとつの有効な手段だ。ビュルランもまた最も反逆的な逃避として、内面へと向かっ

《深い闇の奥底》No.205　2008年　148×293cm
ミクストメディア　クラフト紙

たのではないか。〝退行〟ではない回帰、本能に向き合おうとするビュルランの意志を、執拗に登場する半人半獣に見ることができるのではないか。それは人間と動物の本能がせめぎ合う象徴としての半人半獣であり、呪術師でもあり、ビュルラン自身に他ならない。そして野性や獣性がむき出しになっていく。ちょうど、マーロウが原住民の心の中を「時という外套を剝ぎ取られた真実」というように。さらに自身の中にもそうした野性が潜んでいることを自覚し始めるように。こうして時間と意識の遡行が同時進行していく。

『闇の奥』の翻訳者たちを最も悩ませた〝horror〟〝wilderness〟こそ、ビュルランにとっては創造を駆り立てるものであっただろう。horror——クルツがコンゴの奥地で無意識の深奥に発見した、言葉で表現しがたい何か。wilderness——魔的な闇のような大自然。近年の訳者、藤永茂、黒原敏行氏は、前者をそれぞれ〝地獄〟〝怖ろしい〟、後者を共に〝魔境〟と訳しているが、いずれも日本人だけではなく、文明人にとって把握しがたい概念だろう。しかし野性を回復しようとするビュルランにとっては決して異質のものではないはずだ。むしろ子供のような好奇心を持ってそれを覗き込むのがビュルランの本性に思える。原始の闇の奥とはまさにそうした世界を突き詰めていくことではないか。一つ一つ文明の薄皮を剝ぎ取っていくこと、即ち、その都度〝神＝創造神〟殺しをして、さらにもっと奥の無秩序の、闘争がそのまま生存であった時代、半人半獣たちが偉大な呪力を持っていた世界へと向かっていく。ビュルランが目指していたのは超自然的な呪力に最も恵まれていた〝始源の時〟なのだ。ようやくたどり着いた闇を、彼は開放しようとはしない。レヴィ＝ストロースの言うように神話とは自然が与える混沌たる事実に知的意味を与えるものであるならば、ビュルランにはむしろ神話的秩序に組み込まれまいとする、混沌であり続けようとする意志さえ感じられる。呪術師たちは言葉によって喜々として秩序を攪乱する。なぜなら呪力とは自然を意のままに支配するものであり、混沌とは創造力の源なのだから。そして原始の洞窟壁画を描いた呪術師たちのように、ビュルランもまた記憶の奥底に眠っていた影像を呼び覚ますのだ。彼が描いたのは孤独の遡行の果てで、実際に「見た」ものなのである。

(4)

フランソワ・ビュルランはヨーロッパを代表するヴィジョナリー・アーティストである——展覧会のチラシにもそう記した。Visionary Artとは、アメリカ・ボルチモアにあるヴィジョナリー・アート・ミュージアムの定義によれば「正規の教育を受けない独学の個人によって生み出された芸術作品であり、内なるヴィジョンの中から現れた創造的な活動」である。アール・ブリュットと重なる部分も多い。ビュルラン自身がそう言っているわけではないし、そもそもそうしたジャンル分けが必要か、という疑問もないわけではない。しかし、とりわけ〝内なるヴィジョン〟という点において、ビュルランほどふさわしい人はいないと思うし、幻想的で神秘的な画風からも納得がいくだろう。そのヴィジョンであるが、ビュルランについて言えば、幻想や想像ではなく、幻視であり、さらには妄想に近いと言ってもよいかもしれない。当然ながら論理的な説明は困難だ。初めからそれを承知でなぜこうして書いてきたのかと言えば、ビュルランには〝幻視〟にいたる〝道筋〟のようなものが見える気がするからだ。決して唐突に神の啓示のように現れるのではなく、内的衝動にしたがって眼前にないもう一つの現実を見つめようとする意志——それは創造の闇の奥底に向かおうとする強力なベクトルであり、それこそが観る人の心を動かすものに他ならない。ビュルランが「見ている」のはその先端に立ち現れたヴィジョン、いわば限界体験での〝幻視〟なのだ。時には〝妄想〟であったとしても、それは野性をとりもどした人間によって引き出されたもっとも内なる部分ではないかと思っている。ローザンヌのアール・ブリュット・コレクション初代館長、ミシェル・テヴォーの言うように「人間とは本来妄想たくましい狂人である」という意味において。

しかし、もし《深い闇の奥底》シリーズだけに取り囲まれていたのだとしたら、私もまたアール・ブリュットの作家の作品を見た時と同様、あえて言葉にしようなどとは思わなかっただろう。二〇〇九年に開催した「無心の表現者たち（アール・ブリュットin柏崎）」展で圧倒的な感動を覚えながら、それを言葉にすることの不可能性を痛感したからだ。彼らの作品は批評を拒絶する。今展でも来場者の中には「子供のように無邪気な作品」という感想があった。あるいは原始美術のように素朴なタッチや色彩に「心安らぐ」という感想もあった。それもすべてビュランである。それでよかったのかもしれない。自身「コンセプトはない」と言い切る作品に何か付け加える必要があるのか、と。作品は観る人それぞれの心に共振すればよいのだから。

その一方で聖と俗、光と闇、暴力と融和、自由と束縛、そうした対極的なものが未整理のままに奔放に混在した画面からは、挑発されるようなざわざわするものを感じてもいた。そして直後に（時には同時進行かもしれない）描かれた《Jardins》シリーズを見て、ほとんど畏怖のような感覚を覚えたのである。

《深い闇の奥底》シリーズは二〇〇八年に描かれたものだけでも二百枚を優に超える。一気呵成に描かれた同じ構造、同一場面の執拗な繰り返しは、ほとんどトランス状態で描かれたようにも見えるが、一方でわざわざ別の用途で使われた紙を貼り合わせて描くという迂遠な方法をとっており、むしろ一定の手順を踏んだ儀式を思わせる。この夥しい反復によって時間の意識は失われ、始源の時との合一を果たすであろう。しかし完結したものは増殖することができない。反復を繰り返すだけだ。その反復が、その累積が、沸騰しかねないような飽和状態になった時、現実の座標を引き裂き、意識という別の次元に行ったのではないか。それが《Jardins》シリーズの、夢遊のような風景ではなかっただろうか。

《Jardins》2009年　29.5×41.5cm
ミクストメディア　トレーシングペーパー

《Jardins》は既述のように、とても「庭」と呼べるようなものではない。手つかずの太古の風景を思わせ、コンラッドの『闇の奥』同様、物影一つない河の流れが、遠く陰鬱な地平の中に没していく。まるで先史時代の秘境へと続いているようだ。同時に人類が滅亡した後の漠とした光景をも思わせる。人工的な線や文字が、骨組みだけになった廃墟やメモの断片であるような。一気に描かれたはずの刷毛目やインクを拭い取った痕跡が、凝縮された時間を重く押し込めている。どこかで見たような光景だとしたら、それは始まりでも終わりでもない、夢の世界＝意識の暗がりだからだろう。同時進行していた時間と意識の遡行は、こうして意識の底＝無意識の世界にまでもたどり着いてしまった。ここでは人もものも過去も未来もすべてつながっている。私が畏怖を覚えたのも、この作品の持つ磁力が観る者を無意識の世界へと引きずり込んでいくからに違いない。

（5）

個人的神話を作り、それを幻視し、描いた作家といえばまずウィリアム・ブレイクを思い出すだろう。しかしブレイクがかなりの美術教育を受けていたこと、同時代作家たちとの交流があり、彼らの作品を参照したものも多いこと、そして特に版画作品は自身の詩の字義解釈に近いことなどから、ここでは取り上げなかった。

だからといって、私はアール・ブリュットかどうかを厳密に区別しようとは思っていない。分類すればするほど、マージナルな領域を生じさせるのではないかとも思っている。ビュルランについてはたまたま〝アウトサイダー・アーティスト〟として集められた本で初めて知っただけだ。いずれにしても類例のない作家であることは既に述べた。ただその別格の独創性は、紛れもなく自らセルフトート・アーティストの道を選び、既成の美術教育の外で獲得したものである。彼の作品は絵画だけではない。版画やオブジェ、写真などもある。私はごく一端を知っているだけに過ぎないが、そんな中で、現実を写したはずの写真作品の方が曖昧模糊としているのは興味深い。それぞれの作品は、時代の呪力の強度を反映しているように思うのは、始源を描いた作品の磁場があまりにも大きすぎるためであろうか。

イヴ・タンギー《無題》1930年　81×65cm
油彩　キャンバス

私は「自らの根源を問うこと」が「世界の始まりを問うこと」につながるという言い方に、これまでずっと違和感を覚えていたことを告白しなければならない。それは個人の記憶の底と世界の始源との間に広がる、膨大な空白あるいは闇を埋める作品にこれまで出会わなかったことが大きな要因だったと思う。わずかにイヴ・タンギーの、太古の海に過去や未来の断片が浮遊しているような作品や、ウィフレド・ラムの、原始人と樹々や動物や精霊たちが同化するような画面にそれを見ていたが——ラムがブードゥー教の呪術や供犠になじんでいたというのも肯ける――それでもビュルランほど原初の光景を思わせるものではない。

ビュルランは時間を遡行しながら、人間の手にかかったものを一つ一つ剝ぎ取っていき、自らの創造へと塗り替えなければならなかった。その結果、人類以前の世界、無意識の世界にまでたどり着いてしまった。それは「胎内回帰」とはほど遠い、無秩序で攻撃的な画面にならざるを得なかった。

その過程をもう一つの面から見ると、言葉によって制約され秩序づけられていた世界から逃避したビュルランは、言葉が秩序を破壊する世界へと向かい、ついには言葉のない世界へたどり着いたとも言えよう。それは絵画が言葉から解放される過程でもある。ここに、ビュルランが人類以前の時代にまで遡行し得た、より大きな要因が潜んでいるようにも思うが、それについては未見の大量の作品群を見る機会が訪れるのを待つことにしよう。

注
（1）黒田アキ（一九四四～）
京都府出身。パリに渡り、現在はヨーロッパを中心に活動する画家。美術文芸誌を創刊するなど、異種混合的な芸術活動も積極的に行っている。
（2）坂上チユキ
文学や音楽からも着想を得て、主に青を基調とした太古の微生物を思わせる微細な線や点で埋め尽くされた作品を描き続けている。作品はローザンヌのアール・ブリュット・コレクションに収蔵されている。

《サーカスの景》への道

——古賀春江の「超現実主義」——

はじめに

瀧口修造の自筆年譜一九三二年（昭和七）の項に、次の記述がある。

古賀春江からブルトンの『超現実主義と絵画』の訳を読んだ感想をのべた手紙を貰う。一度訪ねるが不在、ついに会わずじまいであった。

瀧口がアンドレ・ブルトンの『シュルレアリスムと絵画』を翻訳出版したのは一九三〇年（昭和五）六月、フランスで出版されてからわずか二年後のことである。ヨーロッパの諸潮流が怒濤のように流入してきた時代の、とりわけ先端的な思想と目されていた超現実主義への関心の高さが窺える。図版が豊富なこの本が、日本の画家たちに大きな影響を与えたであろうことは想像に難くない。

《海》1929年　130×162.5cm
油彩　キャンバス　東京国立近代美術館

それにしても、当時最もシュルレアリスムに接近していた古賀と面識がなかったのは意外な気がする。三十種もの文芸誌や美術雑誌を購読していたともいい、新たな動向にアンテナを張り巡らせていた古賀が、特異な「超現実主義私感」を発表したのは瀧口が翻訳本を刊行する半年前の一九三〇年一月、美術雑誌「アトリエ」新年号の「超現実主義研究特集号」においてであった。古賀は多くの詩を書き、随想や批評めいたものも書き残しているが、『超現実主義と絵画』については何も記していない。古賀はどのような感想を書いたのだろうか。必ずや強い反応があったと思うが、はたして作品に反映されただろうか。それというのも古賀が生涯を閉じるのは一九三三年（昭和八）九月、感想を書き送った翌年のことだからである。三十八歳の若さであった。

古賀春江については、モダニズムの象徴のような《海》《窓外の化粧》、一方で抒情的なクレー風の作品という、「リアリズムではない」という共通点以外は対照的な二通りの作品の作家、というイメージが強かった。しかし二〇一〇年（平成二二）、神奈川県立近代美術館葉山で「古賀春江の全貌」展を観て、それまで思い描いていた古賀像は大きく変わった。作風の変遷はめまぐるしく、全く異質の作品を同時に描いたりもしている。初めて観た、対照的な作風の間で揺れ動いているような作品と、絶筆にあたる《サーカスの景》を観たとき、思わず「もしこの作家がもう少し永らえていたならば」という、理不尽な思いに駆られたことを思い出す。

瀧口の翻訳よりも早く、原著の図版だけでも目にしていた可能性を考えるならば、やはり大きな転機があったのではないか。「理解」ではなく「何かを感じ取り」、瀧口の翻訳によってさらに深まったことがあるのではないか。そう思わせるものが古賀春江には確かにあるのだ。洋行もせず、瀧口と無縁の、日本で最初の「シュルレアリスム画家」古賀春江。彼のシュルレアリスムとはどのようなものだったのだろうか。(1)

モダニズムの中で

一九二九年（昭和四）の二科展に一気に五人の作家によって「超現実主義」と呼ばれる絵画が発表された。中川紀元、川口軌外、東郷青児、阿部金剛、古賀春江である。それらは新傾向の作家として総称されたもので、《超現実派風の散歩》と題された東郷の作品にしても、ヨーロッパのシュルレアリスムとは異質の幻想的なものだ。その中で今日でもシュルレアリスムの作家とみなされているのは古賀だけである。その古賀にしてもクレー風の幻想的な《素朴な月夜》《題のない画》と、荒々しい《漁夫》、そして雑誌などからイメージを再構成した《海》《鳥籠》と、それぞれ異なる作風の絵を出品している。そして翌年には《海》と同じ手法の《窓外の化粧》《単純な哀話》《涯しなき逃避》など五点を出品している。

《漁夫》1929年　90.9×72.7cm
油彩　キャンバス　福岡県立美術館

古賀の代表作、いや代名詞のようにいわれる《海》《窓外の化粧》だが、「古賀春江の全貌」展で初めてそれ以外の作品を観、さらにそれ以降の作品を観て古賀に対するイメージが一変したのだった。特に《漁夫》は、体のあちこちが穿たれた、力強く、しかもユーモアもある異様な人物らしきものが画面いっぱいに描かれている。白黒図版で見たであろうマックス・エルンストの《猟師》の影響が指摘されていた（森山秀子「古賀春江の全貌」展図録）が、以後こうした作風が追求されることはなかった。また《涯しなき逃避》の、抽象化され屈曲した人物像はプリンツホルン著『精神病者の造形』に掲載されている絵をもとに制作されたという（森山同）。

ここで、モダニズムについて整理しておきたい。一般的には二〇世紀初頭、世界同時的な現象として、文学・美術・音楽といったジャンル横断的に発現した芸術傾向である。ダダ、シュルレアリスムを中心とする欧米の芸術思潮に対する呼称としてのモダニズムが定着するにつれ、日本でもそれに対応する芸術が展開されるようになった。

共通する理念は自然主義、観念主義を超えて精神の自由な表現や、既存の秩序、慣習、倫理、言語などの価値観を修正ないし改革することによって、新しい思考方法を追求するものである。シュルレアリストの中には、シュルレアリスムとモダニズムを分けている場合があるが、ここでは次々に流入してきた文学、美術の諸潮流と、それに対応した日本の動きを総称していう(2)。

ただ、日本の場合、同時期の活発な西洋文化の導入により生まれた新たな都市大衆社会の成立と重なっている。〝大正モダン〟〝昭和モダン〟と呼ばれる風俗的状況を含めた都市大衆文化である。

古賀春江が川端康成と親交を持っていたことはよく知られている。晩年の二年間のことだ。新感覚派としてモダニズム文学の先頭にいた川端と、前衛を追い求めていた古賀とが意気投合したのは不思議ではない。狂死に近かったという古賀の最期を看取り、葬儀委員長まで務めた川端は、古賀の〝最大の理解者〟と言われることもある。川端は古賀の没後、多くの文章を書いている。『末期の眼』（一九三三年）では次のように書く。

私がシュウル・リアリズムの絵画を解するはずはないが、古賀氏のそのイズムの絵に古さがありとすれば、それは東方の古風な詩情の病のせいであろうかと思われる。理知の鏡の表を、遙かなるあこがれの霞が流れる。理知の構成とか、理知の論理や哲学なんてものは、画面から素人はなかなか読みにくいが、古賀氏の絵に向かうと、私は先ずなにかしら遠いあこがれと、ほのぼのとむなしい拡がりを感じるのである。虚無を超えた肯定である。（中略）古賀氏は西欧近代の文化の精神をも、大いに制作に取り入れようとはしたものの、仏法のおさな歌はいつも心の底を流れていたのである。朗らかに美しい童話じみた水彩画にも温かに寂しさのある所以であろう。その古いおさな歌は、私の心にも通う。けだし二人は新しげな顔の裏の古い歌で、親しんだのであったかもしれぬ。だから私には、ポオル・クレエの影響がある年月の絵が最も

《美しき博覧会》1926年　38.4×56.5cm
水彩　紙　久留米市美術館

早分りする。

この頃、川端はシュルレアリスムや心理学を取り入れた『水晶幻想』を書いており、シュルレアリスムにも高い関心を示している。「理知の構成」とは、古賀が持論にしていた「精密な理智的計算のもとに構成する」を踏まえての言葉である。そして川端の所有する古賀作品の質の高さは、川端の鑑賞眼の確かさを示している。このように古賀に対する深い理解の上での文章なのである。

これが川端との交友自体も含めて、古賀を極めて文学的な画家であり、前衛性の一方で、東洋的な抒情が一貫して流れているというイメージを作り上げたように思う。さらに出自と相まって（古賀は寺の息子で一時は僧籍を継ぐつもりであった）仏教的無常観が底流にあり、芸術至上主義的なイメージをも作り上げたのではないか。

確かに、白黒図版を見て模写し、着彩したものが原画とほとんど同じ色だったというほど（速水豊『シュルレアリスム絵画と日本』）、クレーは体質に合っていたようだ。めまぐるしく変化していった作風は、主にキュビスム風→クレー風→シュルレアリスム風と分けられるが、初期の水彩による写生や静物画が、次第に色面構成だけのようになっていき、クレー風に変わっていくのはごく自然だったし、シュルレアリスム風の作品を描いていてもクレー風の絵は晩年まで描き続けている。

しかしクレー風の絵にもなお、クレーほどの厳しさがなく、前衛的な絵に対しても、福沢一郎をはじめ多くの作家が、毒やセクシュアリティーのなさを指摘する。だからこそ古賀は、ほとんど無個性とも言える《海》のような作品を作ったのではないかとも思えてくる。

作品からは、政治や思想と無関係に思える古賀であるが、画家・阿部金剛を介して、一九二九年頃から詩誌「リアン」を主宰する竹中久七を知り、その思想の影響を受けるようになっていた。詳しくは後述するが、竹中はブルトンの超現実主義を「空想的」として批判、「科学的超現実主義」を標榜していた。〈芸術革命から革命の芸術へ〉を志向し、後には地下活動に入った急進的な思想家である。美術評論家・中村義一によれば、竹中は古賀への追悼文で、その死を「「リアン」を誰よりも正しく理解しながらコミットできないブルジョア知識人の〈崇高な最後の苦悶〉による政治的死」と扱っているという（「もうひとつのシュルレアリスム　超現実主義論争」『コレクション瀧口修造』別巻所収)。古賀の描くコラージュ風の作品とは、竹中が「ポエジィ・ド・グラフィック」として高く評価するものでもあったのだ(3)。

瀧口修造は竹中の思想を異端として、ほとんど無視していたらしい。それが瀧口と古賀の接点がなかった原因の一つであったかもしれない。しかし結論から言えば、竹中の感性と古賀のそれとは全く異なるものだったと思う。古賀のシュルレアリスムとは、二つの作風の振幅の中でもがき、模索されたものではなかっただろうか。

〝それぞれのシュルレアリスム〟の時代

古賀は一九三〇年に「我国の新しい絵画と画壇に就いて」という文章を書いている。そこで当時の状況を、次のように的確に述べている。

日本に移植された超現実主義の理論も各人稍々異なっている。詩壇における竹中氏、春山氏、上田氏、渡辺氏、西脇氏等それぞれの説が多少ずつ異なっているようである。絵画に於ては昨年の二科展に出品された中川紀元氏の「空中の感情と物理」という作品や、東郷氏の「超現実主義的散歩」阿部金剛氏の「リアン」野間仁根氏の「ザフールムーン」等を超現実派として一般からは評されたが作家は各々異なった理論と方向とにあるように思われる。

また、この文中には北川冬彦訳の「超現実主義宣言」や、原研吉訳の「超現実主義第二宣言」の一部も引用紹介されている。それぞれ一九二九年、一九三〇年に、いずれも「詩と詩論」(4)に掲載されたものだ。

「第二宣言」からは、「超現実主義はヘエゲル体系の(偉大な堕胎)から出発する点に於て少なくとも史的唯物論との行動力の類似を示すだろう。結局否定、また否定の否定に。」といった部分が引用されているのも興味深い。それらを読み込み、自らの理論を組み立て「超現実主義私感」が書かれたことがわかるが、そのため各人の論を折衷したような奇妙で不可解な部分も多い。古賀のシュルレアリスム論に入る前に、我が国のシュルレアリスムの受容過程とその特質について述べておかなければならない。

フランスで「シュルレアリスム宣言」が発表されたのは一九二四年のことだが、その端緒は一九一九年に遡る。アンドレ・ブルトンとフィリップ・スーポーが「理性に管理されない思考の書き取り」を「エクリチュール・オートマティスム＝自動記述」と名付けて実践し、一九二〇年に《磁場》という〝作品〟として発表した。第一次大戦によって未曾有の荒廃に直面し、近代文明や合理主義への懐疑から、人間性の回復、奪還のための手法として、無意識の領域や夢や狂気に着目したのである。シュルレアリスムの運動にはポール・エリュアール、ルイ・アラゴン等詩人や作家だけでなく、フランシス・ピカビア、マン・レイ、マルセル・デュシャンや、マックス・エルンスト、ホアン・ミロ、イヴ・タンギー、アンドレ・マッソン等の画家が加わった。パリ・ダダのメンバーだった人も多い。

「シュルレアリスム宣言」が翻訳されるより早く、それを日本に本格的にもたらしたのは、一九二五年（大正一四）年末にヨーロッパから帰国した西脇順三郎である。翌一九二六年（大正一五）慶応大学の学生だった瀧口修造、上田敏雄、佐藤朔らとシュルレアリスムなど、ヨーロッパの新詩運動を語るサークルを作ったり、詩論を発表したりした。一九二七年（昭和二）には、佐藤朔編集による日本初のシュルレアリスム・アンソロジィ『馥郁タル火夫ヨ』が出版され、西脇は散文詩による序文「馥郁タル火夫」を書いている。おそらく西脇の、最もシュルレアリスム的な詩であろう。

ここでは古賀に特に影響を与えたと思われる西脇、上田そして竹中久七の論を中心に、日本独自のシュルレアリスムについて考えてみたい。

西脇順三郎はイギリスに留学していて、ヨーロッパの文献を読みシュルレアリスムを知った。だが、夢や無意識を重視するブルトンよりも、意識する思考を重んじるイヴァン・ゴルのシュルレアリスムを支持していた。そして「自分としてはシュルレアリスムの運動として出てくる作品の多くは好まぬものであるが、しかし理解して行きたい興味がある」と述べている。

一九二九年、三〇年に刊行されたそれぞれ『超現実主義詩論』『シュルレアリスム文学論』はシュルレアリスムの解説書ではない。むしろボードレールとの出会いによって確立した自らの詩論を中心に、超自然的傾向の詩について論じたものである(5)。

西脇は超自然主義について「経験を表現するのではなく経験と相違する若しくは経験に関係なきものを表現の対象として表現すること」「その対象と正反対なる対象を以て表現すること」とし、それを「イロニィ」と名付け、自らの詩学の原理とした。それは「聯想の最も遠い経験」や「相反するもの」の結合等、言語間の新たな関係性を創出することでもあった。西脇にとって「超自然的な詩」とは「脳髄の中にすべて確然たる意識に還元できない広漠たる意識の世界を創ること」即ち「何らの意識を構成し得ざる混沌たる意識の世界をつくること」なのである。

この中で「超現実」とは「客観の意志（主観の世界即ち現実を破り完全になろうとする力）を表現の対象に置くこと」と述べ、「超現実主義の詩とは人間の何処までも生きんとする盲目の意志が現実の世界を突き破って完全にならんとするエネルギーを表示する努力の詩である」と解釈している。

ブルトンのシュルレアリスムについては「心象と心象との聯想上の因果関係を破って単に不明なる意識の世界をつくるのみならず、その意識の世界に含まれている心象と心象との内に電位差を起こして美しい火花の放散を作らんとするものである。」と、「シュルレアリスム宣言」を、ほぼ正確に捉えている。

一方で夢や無意識については「夢は人間の経験である。無意識は無意識の経験である。」とし、狂気についても「ノオマルの神経系統を有する脳髄には不自然であってもアブノオマルの人には自然であり得る」のでこれも経験であるとして斥けている。

さらに「無意識的な自動的な表現はどの点まで可能であるか」と疑問を呈し「自動的記述をせんとする場合は、最早や意識的な行動である以上は無意識の記述とは結局根本的に無意識にはならない。」と言う。

西脇のサークルにいた上田敏雄も「私は今日「シュルレアリスム」とケァテゴリを等しくしないことを認定する」と、ブルトンのシュルレアリスムを否定する立場に立つ。その上で、「ハイポスィシス（仮説）の世界」という、現実を超える純粋な芸術世界を仮構する。「創造の世界つまり芸術の世界は nihility である」ことを前提にした、西脇以上に現実＝日常から隔絶した絶対的な純粋主義といえよう。その論理展開は極めて難解かつ観念的である。ここでは一九二九年に、いずれもアフォリズム風に書かれた、「私の超現実主義」「L'ESPRIT NOUVEAU」（いずれも「詩と詩論」）から抜粋する。

芸術とはエスプリの運動の束縛を受けない運動の方法である。従って必然にメクニズム或いはハイポスィシスを含有する。

ハイポスィシスの世界は活動力及び運動に「関係しない」世界である。

「ハイポスィシスの世界」は芸術上唯一の真実或いは善の世界である。

精神は自然なり。運動も自然なり。自然は存在せず。自然は芸術とならず。

芸術上の運動は精神を用いざる運動なり。

芸術とはハイポスィシスの世界即ち運動の存在せざる世界を作ることである。

竹中久七は、一九〇七年（明治四〇）生まれと、古賀よりかなり若い。慶応大学で経済学を学び、ボート部の主将という異色の経歴だ。佐藤惣之助の主宰する「詩之家」に入家、〝端艇詩人〟と言われていた。一九二九年詩誌「リアン」を創刊、超現実主義とマルクス主義の批判的統合による科学的超現実主義を唱えた。一九三〇年に発表された「科学的超現実主義者の弁」「超現実主義とプロレタリア文学の関係」からその論を見てみよう。

竹中にとって超現実主義（超自然主義）者とは従来の感情的詩作ではなく観念的詩作を目指す

前衛的詩人たちである。ブルトン流超現実主義は「フロイドの精神分析を借り、白日夢と称し芸術の極致とする（中略）客観的（科学的）方法に依らずして感情的詩作に対する本能的反発に留まって」おり、これを空想的超現実主義と批判する。

竹中は唯物弁証法に立ち、芸術史を「現実主義（浪漫主義、叙情主義）」、「反現実主義（神秘主義、象徴主義）」「超現実主義（抽象主義、理智主義）」への発展過程と見るが、ブルトンの超現実主義を感情的創作により現実主義に復古しつつあると見る。この点では西脇がシュルレアリスムをロマン主義的創作理論と見ているのに近い。

科学的超現実主義は、従来の「何を如何に表現するか」という唯心論的なものではなく、「何を如何に組み立てるか」という理知的、唯物論的なものであり、表現とは符号化、具体化つまり「抽象的現実に立つ具体的現実」である。ここに至って「所謂芸術家らしき芸術家は存しなくなる(6)」。

以上、古賀の超現実主義観に関わりそうな部分を取り出してみた。次章で比較検討する。それにしても彼らの、特に上田、竹中の難解さには辟易する。いやむしろ悪文としか思えず、しかも高踏的なこと甚だしい。例えば上田の「私の超現実主義」の書き出しは以下の通りである。

この論文を通俗的に書く。私と私の友達の必要の為に書くのではなく、他の低い目的の為に書くのである。私はこの野蛮な行為を自ら遺憾に思う者である。

もちろん通俗的どころか、相変わらずカタカナ語を多用した理解不能な論理が展開されている。こうして取り上げるのは、悪文をあげつらうためではない。どれだけの人が正しく理解できたか疑問である、と言いたいのだ。

そもそも北川冬彦訳の「超現実主義宣言」は、書き出しと終わりの部分だけを、生硬で奇怪とも言える日本語で訳出したもので、肝心の定義の部分が含まれていない。

そして「(詩は)経験しないことを表現する」という西脇にとって、夢や狂気も経験や実感の世界であるとしてことごとく否定され、自動記述も否定されている。しかし西脇の豊かなヨーロッパ文学の知識は、シュルレアリスムをも批判的に(あるいは無意識に?)取り入れながら、自在な詩作活動へとつながっていく。

だがその周辺にいた上田や、さらに傍流の竹中は悲惨である。当初から自動記述への道を遮断され、シュルレアリスムとはほとんど無縁の、あるいは過激な理論へと至った。それ以上に、上田の詩は理論とは遠く、竹中の詩は理論同様、私には何とも空洞化した言葉の羅列にしか思えないのである。

日本のシュルレアリスムとブルトンのそれとの決定的な違いは自動記述を受け入れなかったことだ。自動記述とは、第一次世界大戦を体験して、それまでの価値観が崩れ去った中での、書くことそのものへの問いかけではなかっただろうか。したがって第一次世界大戦への抵抗や虚無から生まれ、言葉自体をも破壊するダダと連動できた。

ダダが日本に入ってきたのは一九二〇年（大正九）、その三年後に関東大震災が起きた。北川冬彦が「震災がもたらしたダダ的雰囲気」と言い、「関東大震災が与えた衝撃こそが本格的な詩作に向かわせた」と言うように、世界の崩壊感覚は共有し得たはずである。しかし戦争と自然災害はやはり違う。ダダが消滅しかけた頃、日本に〝降ってわいたようにもたらされた〟シュルレアリスムは、ヨーロッパのシュルレアリスムが批判の対象としたものを持っておらず、ダダと連動することもなかった。シュルレアリスムはあくまでも文学の方法論の一つで、他のモダニズム諸流派同様、文明批判、合理主義批判の精神に乏しかった。したがって「夢や無意識を方法化し解放することで科学性、合理性、理性一辺倒の社会に改革を求めていく」思想に無理解だったのである。

こうして「核」を持たないまま、怒濤のようなモダニズムの流入の中で各自が〝それぞれのシュルレアリスム〟を展開していったことについて、私はどうしても西脇の責任を問いたくなる。シュルレアリスムを紹介した西脇の功績は大きいが、それはあくまでも西脇の詩作のための解釈を経由したものであったからだ。そして西脇や上田は第二次世界大戦中沈黙を守り、竹中は地下活動に向かった。おそらく〝本能的〟にシュルレアリスムの本質をつかんでいた瀧口や、パリで直接それに接した福沢一郎は一九四一年（昭和一六）、逮捕投獄された。

私はそれぞれの理論の是非を言っているのではない。ヨーロッパでもシュルレアリスムという統一された様式があったわけではないし、離反や除名も繰り返した。その中でブルトンや瀧口だけが「正しい」とか「正統」であると言うつもりはない。ただ、現実に向き合い、そこから必然的に生み出された言葉としての詩を考える時、改めてブルトンのシュルレアリスムの理念に立ち戻りたいのである。

「超現実主義私感」を読む

古賀にとってのシュルレアリスムとはどのようなものか、一九三〇年に発表された「超現実主義私感」(以下「私感」)を中心に検討してみたい。

古賀は一九二八年、「至上主義者の弁」を発表している。ここでは「超現実」という言葉は使われていない。「至上主義者」とは当時台頭してきたプロレタリア芸術と一線を画すための、古賀なりの言葉である。現実から遊離せざるを得ない芸術家の立脚点を明言するものだ。ここで古賀は「芸術の窮極に於ては自己は無い」とし、それを「我々を支配する力(筆者注・宇宙のメカニズム)そのものの中に融合する事に依って達せられる自己撥無の境地」と述べている。

「私感」はこれを土台にしつつ、「リアン」同人で精神科医の中野嘉一が「古賀の遺稿に西脇、上田、竹中の著作のメモ書きがあった」（『古賀春江―芸術と病理―』金剛出版）と言うとおり、西脇を中心にこの三人を折衷したような理論である。注目したいのは程度の差こそあれ、いずれもブルトンに批判的な立場であることだ。

古賀は芸術を「現実をより完全なる未来へ方向づける」もので、超現実とはそのための方法であるとする。現実と芸術は常に超越し合う、即ち芸術と現実とは弁証法的に無限に進展していくものであり、したがって超現実主義芸術とは、それ自身として永久に終結することのないものである、とする。古賀にとっての超現実主義とはこのように、本来的な芸術の前衛性であり、純粋芸術への志向性であった。

そのためには経験的世界、実感世界を消滅させなければならない。自我もまた現実であり、これも消滅させなければならない。さらに個人としての自己消滅により個人我から社会我へと進展する、と述べる。

したがって超現実主義とは、すべての現実的価値形式を切断させるための意識的合目的的な消滅への方法となる。それは理智的計算に基づく構成の技術へと帰せられる。ここでは空想の芸術、夢の芸術は経験的現実であり、無意識状態もまた斥けられる。

夢や無意識も経験世界であるということは西脇論の踏襲であり、現実を通してより完全な未来をめざす、という解釈も西脇に近い。また「自己消滅」についても西脇の詩論の「純粋芸術は経験意識の世界即ちモア（moi）の世界を消滅せしめる一つのメカニスムである」の影響と思われる。西脇はこの状態を「自我と宇宙が合体し、無限の形態を取ること」としている。これは古賀の「至上主義者の弁」での「自己撥無」に近い。しかし「私感」では、西脇の言葉を借りつつ、「個人我」や「社会我」等の言葉が現れ、理知的構成など、その方法論は竹中の科学的超現実主義に近づいている。(7) そして最後に以下のように結んでいる。

斯く対象としての現実的表象がその意味を持たなくなった所から芸術は始まる。作者の影も同様に薄くなる。ここに作者がいると思わせる作品はまだ純粋ではないのである。

純粋の境地――情熱もなく感傷もない。一切が無表情に居る真空の世界、発展もなければ重量もない、全然運動のない永遠に静寂の世界！

超現実主義は斯くの如き方向に向かって行くものであると思う。

この部分は上田敏雄の仮説の論理からイメージされる世界に近い。また古賀は同時期「文藝春秋」に寄稿した随想の最後に、これとほとんど同じ文章を書いている。やや厭人的で無常観を感じさせる文脈で使われている。上田が当時仏教に関心を持っていたこともあり、中野嘉一や、『写実と空想』の編者・古川智次はこれを仏教的無常観と見る。しかしそれだけだろうか。ここまでの冷静な理論からは、メカニカルで主知的で非情な世界にも見えるし、あるいは西脇の、宇宙と融合するような境地とも取れる。このように多様に解釈できる曖昧さをそのまま古賀自身も抱え込み、揺れていたのではないかと思えてならない。

それでは古賀の理論は絵にどのように反映されているだろうか。一九三一年（昭和六）第一書房より『古賀春江画集』（以下『画集』）が刊行された。生前唯一の画集である。一九二四年（大正一三）から一九三一年（昭和六）までの絵画三十一点と、それぞれに付された解題詩が収載されている。詩の方は一九三〇年から三一年にかけて一気に書かれたらしく、絵との時間的なずれがあり、絵と詩の密着度に差違がある。独立した詩として読めるものや、詩の方が優れているものもあり、そこがおもしろいところでもある。

「私感」と同時期に描かれた《海》《窓外の化粧》は、当時古賀の方法論を実践化した、最も前衛的＝超現実的なものであったはずだ。この二作は解題詩が書かれた時期とも比較的近い。作品はいわば絵画によるコラージュである。モチーフの発想源は当時の写真雑誌や科学雑誌、グラフ誌などであり、森山秀子、速水豊の前掲書によってほぼ特定されている（注(1)参照）。《海》のモチーフは、背景の海と、魚、水着を着た女性、燈台、潜水艦、帆船、飛行船、そして港湾内の工場と機械と、いずれも海を連想させるもので、しかも近代都市社会を切り取ったものばかりである。また《窓外の化粧》にしても高層ビル、モダンガール、汽船、パラシュート、鉄塔、クレーン、機械と、近代都市のイメージで一貫している。こうしてみると手法こそコラージュだが、シュルレアリスムにおける「異質のものの組み合わせによる意想外のイメージの偶然的な発生」とは全く異なる意図の元に描かれており、シュルレアリスムに限らないヨーロッパ前衛美術や、フォトモンタージュの影響と言うべきものだろう。しかも、ビルの上でポーズをとる女性は非現実的だが、全体には極めて安定した構図のもとに整然と配置されている。これらは古賀の言うところの「精密なる理智的計算」による。決して偶然性に委ねてはいない。《窓外の化粧》の自作解説で古賀は次のように書いている。

《窓外の化粧》1930年　160.5×128cm
油彩　キャンバス　神奈川県立近代美術館

ビルディング、人物、手、海、機械の如きもの、パラシュート――一つの観念のためにこれ等を素材として描いたものであります。機械の如きものや人物があるとしてもそれ等は所謂機械的形態美とか人物の客観的運動美とか云われるものでなく、それ等から独立した一つの存在であります。自然の感覚美でなく一つの観念の素材として使われた形であるに過ぎません。即ち具体を抽象したものでなく抽象を具体化したものであります。

これは竹中の「抽象的現実の上に立つ具体的現実」に対応する。それではここから読み取れる抽象＝観念とは何か。解題詩を見てみよう。

晴天の爽快なる情感、蔭のない光。
過去の雲霧を切り破って、
埃を払った精神は活動する。
最高なるものへの最短距離。

潑剌として飛ぶ―急角度に一直線を。
計算機が手を挙げて合図をする。

気体の中に溶ける魚。

世界精神の絲目を縫う新しい神話がはじまる。

近代文明の表層を切り取って、全く批判がない。高らかな調子。ここにどのような形而上の意味を読み取れるだろうか。これまでの作風と一変し、新たな作風に向かうことの晴れやかさのようなものしか感じられない。《海》も同様で、これらは科学的超現実主義の理念そのものを具体化したのではないだろうか。「私感」には「現実とは経験世界の埃っぽい概念の集積以外の何物でもない」とある。解題詩中の「埃」とは止揚すべき現実のことであり、さらに前衛を目指す手法であることの自覚であろう。

翌一九三一年に制作された《現実線を切る主智的表情》という作品が、もし竹中の言うように「天皇制批判の寓意」だとしたら、これらと全く表裏の関係即ち現実批判という意味で、やはり理念を具体化したものとなる。

古賀は一九二八年（昭和三）「至上主義者の弁」、一九三〇年「現代絵画の動向について」で、プロレタリア絵画を「ポスター如き漫画の如き作品のみでは政治的社会的角度よりの価値であって芸術的美的価値ではない」と批判している。画家として極めて正当な批判である。それなのになぜこのようなプロパガンダ的な作品を作ったのだろうか。プロパガンダという意識はなかったかもしれない。しかしほとんどポスターのような作品だ。ここでは「理智的に構成する」ことによって、理念を表現することと、芸術的美的価値を持つことの両立が可能だと考えられていたの

《素朴な月夜》1929年　116.5×91cm
油彩　キャンバス　久留米市美術館

ではないだろうか。確かにデザインとして非常に斬新で、現代でも決して古びてはいない。そして既成のイメージを使い、あえて無個性にしたのも竹中の言う「芸術家らしき芸術家は存しなくなる」に添っているだろう。ここに作者がいないようにすること、「個人我」より「社会我」の、おそらく成功作と思っていたのだろう。

しかし古賀の理論を締めくくる「全然運動のない永遠に静寂の世界」はどうなるのだろうか。《海》や《窓外の化粧》の詩にも、絵にも、明らかに情熱も時間の推移も運動性も込められている。だからこそ、古賀は同時に違った作風のものを描いているのではないだろうか。《素朴な月夜》の、幻想空間に潜む不安感。現実に抗うように屹立する《漁夫》。《黄色のレンズ》の、哲学的瞑想に誘うような画面。《単純な哀話》の静かな詩情。同じ展覧会に出されたものだ。いずれにも一瞬の静止、沈黙の気配がある。そして消そうとしても消しきれない作者の影が覗く。《海》《窓外の化粧》を理論的に最も前衛的と思いつつ、迷いがあったのではないだろうか。
こうした様々な作風の間で揺れ動く心情を垣間見せるように、人格が分裂したかのような詩も散見する。

街を曲って見つけたものですが
陶器製の人間がポツンと立っていました
頭の真上から太陽の光りの釉薬です
彼のなだらかな肩に手をかけて
私は彼に話しました
（中略）
私は気がつくと自分の両肩を抱いて
一人でしゃべっていたのでした

（無題　一九二九年）

我々は空虚を見る。

空虚を歩く。
遠くへ、遠くへ、
どこまで行っても依然として真暗いトンネルだ。
現実が後退りする。

膨大なる脳髄を抱いて一人で抱き合う。
（後略）

（「黄色のレンズ」一九三〇～一九三一年）

僕は一人の男を後ろから見た
路が曲りくねった山の小路であった
不思議な事には
この男に何かの暗示を与えるように
僕はこの男のする通りな身振りでやっているのだ
（後略）

（「病床にて」一九三三年）

古賀の絵と詩と理論は接近し、乖離し、複雑にもつれる。丁寧に読み解かれなければならない。

不安の共振

電車・自動車・オートバイの爆音　ラジオの声　工場のサイレン等等の耳を聾するばかりの狂
噪楽
ビルディングの直線とアスファルト舗道の直線の交錯　起重機の突き上る斜線　眼に見えぬ電
流の唸り
群衆の喚声　体臭　熱　光
渦
渦
小さな個人の思想や感情は轢殺され白い気体となって四散する

それ等都会の凡ての沸騰する喧騒を侮蔑する如く澄んだ清朗なる上空に不感無覚の如き表情の
孤独の彼女！　それはこの上もなく軽快で高貴で美しく魅惑的でさえある
それは地上を天へ繋ぐ桃色の幻影の鎖であろうか？

（「広告風船」一九三一年〜一九三二年）

《窓外の化粧》を思わせる都市の光景だ。起重機、高層ビル等、共通したモチーフも多い。しかしより現実的な大衆社会の喧噪や体温があり、その上で「小さな個人の思想や感情は轢殺され」とは、微塵も疑念なく都市文明を謳い上げた《窓外の化粧》との、何という違いだろうか。

古賀の絵からは思想性や政治性が全くといいほど窺えなかった。しかしそれは「ここに作者がいると思わせない」よう、下絵を重ね、理知的に構成し、周到に避けていたためであって、単なる芸術至上主義でないことは「私感」などから納得できた。それに対して詩は、それ自体として、あるいは絵の発想源として、気軽に書きとめられていたようだ。だから詩のほうが率直で、時には、はっとするような表現に出会う。詩歴は長い。一貫した理論やスタイルはなく、もともと同郷の北原白秋になじんだこともあって、基本的には抒情詩が多いが、無機的な言葉を並列しただけの詩や、意味性を拒んで連想のままに書かれた散文詩などシュルレアリスム的なものも見られる。

『画集』の《牛を焚く》（一九二七年）の解題詩では白日夢のような光景が展開する。長いが引用する。

冬の囲炉裡の傍で、
戸外の面白い景色を見た。

《牛を焚く》1927年　15.6×21.5cm　水彩、インク　紙

大きな人間が、
厳めしい審判官の前で、
牛を焚くのを。

牛はぼうぼうと燃える焚火の上に乗せられて、
楽しそうに何か喰べていた。
山の上であった。
あたりには大木が繁って、
いろいろな動物や鳥等も楽しそうに飛び廻っていた。
何かの祝祭ででもあったろうか、
牛は完全に黒焦げになったが、
矢張り莞爾と笑っていた。

非情に凡てのものが動いていたが、
ものの音は一つも聞こえなかった。
凡てが無音の運動であった。

（「牛を焚く」一九三〇年〜一九三一年）

生け贄のようでもあり、異端審問のようでもありながら、不思議にのどかな光景である。そして完全に黒焦げになった牛が、なおもにこやかに笑っているのである。夢とも現実ともつかない世界が共存する。最終連の動きもまるで夢遊病者のような動きにしか感じられない。「私感」の、「永遠に静寂の世界」とは、このようなものではないかと思わせる。モチーフそれぞれの関係性や意味は失われ、ただそこに〝在る〟のだ。

また、古賀は一九三〇年《涯しなき逃避》で、プリンツホルン著『精神病者の造形』に掲載されていたアウグスト・ネターの絵をもとにした人物をモチーフにしている。西脇によって斥けられた夢や狂気であるが、古賀自身の理論とも裏腹に、古賀はその領域に踏み込んだのである。しかも単なる幻想や空想に留まらず、現実の中に

《涯しなき逃避》1930年　116.6×91.2cm
油彩　キャンバス　石橋財団アーティゾン美術館

こともなげに入り込んでいる。超現実が現実に内在する世界、夢と現実が境界を持たない世界が描き出されているのである。
一九三〇年頃から梅毒による進行麻痺を発症した古賀は、「死」と向き合うことになる。一方、一九三一年には満州事変が勃発し、一九三三年には小林多喜二が拷問死している。マルクス主義への傾斜を強める竹中の周辺にいて、不穏な気配を感じないはずはない。個人の不安と社会の不安が共振するように、『画集』中には、抒情的な詩の合間に、現実を切り裂くような詩が挟み込まれるようになる。

窓に過熱の風がある。
（中略）
中心は依然中心にあるべきであるか
彼等は上下前後に眼まぐるしく振動する
彼等は一瞬にして静止する
彼等は彼等の秩序を破壊しない
光る粉末を放散する中で
一線の鋭い警笛の叫びを聞かないか

（「樹立」一九三〇年～一九三一年）

（前略）
錆のついた感覚機械で
いつもすれちがった人達だ。
光線を手で撃って見て
精神の位置がわかるだろうか。

（「窓外風景」一九三〇年〜一九三一年）

いずれも絵の方は一九二七年に制作されており、イメージはかなり異なる。そして『画集』最後の《感傷の静脈》では、「抑圧された希望」とまで書く。絵の制作は一九三一年、詩もほぼ同時期だろう。《涯しなき逃避》もそうであるが、この頃から、背景は暗く沈んだ深海のようになり、空間が拡がり、植物とも動物ともつかない流動体のようなものが浮遊するようになる。一九三二年から三三年になるとモチーフはさらに抽象化され、空とも海ともつかない空間が拡がり、一層不安定になっている。モチーフはブルトンの『シュルレアリスムと絵画』などによって白黒ながら図版に触れる機会も多くなったからだろう、エルンスト、ミロの影響を強く感じる。特にブルトンの著書に掲載されていた、ミロの《鳥に石を投げる人物》や《ばった》が、その後の空間構成に大きく寄与していると思う。また浮遊のイメージにはシュルレアリストではない

《そこに在る》1933年　23.8×33cm
水彩　紙　財団法人川端康成記念会

が、シャガールの影響も見える。

一九三三年の《そこに在る》《抽象》《鳩の唄》の三点の水彩画は、一見童画風でありながら、夢を超えた冥界のような不気味さがある。《そこに在る》は、犬と少女を中心に蝶や魚、星、それに一九三〇年頃から見られる精子のような流動体が空中に漂っている絵である。少女の足は消え入りそうで、眼は黒く塗られ、死の予兆のようにさえ見える。モチーフのそれぞれは、関係性を失い、ただそこに放り出されたように〝在る〟。詩「牛を焚く」を思い出す。同様に《抽象》と《鳩の唄》も、現実的な牛やヤモリと、奇怪な人物や、流動体とが同一画面に併置され、不気味さが輻輳する。

絶筆《サーカスの景》（口絵iii）は、一九三三年の万国婦人子供博覧会でのハーゲンベックサーカスの絵はがきをもとに構成したものである。「何となくしーんとしたぼんやりとした感じ」を表そうとしたという通り、ブルーとグリーンを背景にキリンやアシカや虎を配しながら、不思議なほどの静けさに包まれている。サーカスの緊張と興奮と熱狂は一体どこに消えたのだろう。それぞれの視線が交錯することはなく、関係性のないままにそこに漂っている。
病気とはいえ、古賀は最後まで、下絵を描き、構成しているので、これらが幻覚状態のままということではないはずだ。しかし一九三二年の二科展に出品された、植物や星などを構成的に配置した《音のない昼の夢》という作品とは全く異なる。同じ無音の白昼夢のような世界ではあっても、現実の中に忍び込む幻視のような世界なのである。
一九三三年七月、入院直前に書かれた「新傾向絵画と二科」で古賀は次のように書いている。

ブルトン等はその始め、フロイドの精神科学などに基礎を置いていた者もあったがそれは現代になって全然否定されている。超現実主義とは今になっても依然夢の芸術の如く理解されていることが多いけれど実はそんなローマンチシズム的な現在ではないのである。

執拗に自分の影を消すことを自らに課しながら、その絵には一層、古賀以外の何物でもない何かがにじみ出てくるのである。

終わりに

古賀の「自己消滅」とは、最も前衛的なるもの＝科学的超現実主義の手段であり、それを現出したのが《海》《窓外の化粧》であった。しかしそこに納まりきらないものが詩に託され、絵画からも自己を消し去ることが出来なかった。晩年の古賀作品の浮遊感とは、不安と詩情の表れではなかっただろうか。

川端康成の見方は正しい。やはり最もよく知っていたと思う。クレー風の色彩やフォルムは、古賀の本質に合致していたのだ。(8)〝夢のようなとりとめのないもの〟を描きたいという古賀とクレーとの出会いは、ごく自然なものであったに違いない。もしそれだけで通すことが出来たらどんなに幸運なことだったろう。しかしあくまでも〝クレー風〟だ。真の創造者たり得ないことを自覚していたと思う。写実を否定すること自体が、前衛だった時代でもある。前衛とは常に創造され、更新されなければならないものなのだ。

理念と資質、言い換えれば、理知と抒情との間隙に生まれたのが、最もシュルレアリスム的な作品だったと言って良いだろう。模索の果てにようやく手がかりをつかんだ「古賀のシュルレアリスム」であったが、興味・関心の在処がシュルレアリスムの本流に、驚くほど一致するのだ。まぎれもなくエルンストやミロの感性と通底する。それは、古賀の死の前後から瀧口・福沢が逮捕されるまでの、日本のシュルレアリスム絵画の多くがダリ風だったのとも異なる、独自の世界でもあった。

そういえば古賀が、浮遊するイメージとして影響を受けたシャガールについて、ブルトンは後に次のように書いている。

長い間シャガールをじゅうぶんに評価しないでいたことは、ひとつの重大な欠落だった。詩人たち自身、彼には多くを負っている。（中略）前々からランボーが準備していた空間的プランの転覆を完了させるために、同時にまた物体を重力や引力の法則から解きはなつために、四元素や自然三界の境界を打ちたおすために、シャガールにおけるこの隠喩は、みずからの造型の支えを、一挙に入眠時のイメージと直観的（あるいは美学的）イメージのうちに発見する。

（「シュルレアリスム芸術の発生と展望」一九四一年　巌谷國士訳（瀧口修造、巌谷國士監修『シュルレアリスムと絵画』(9) 人文書院　一九九七年刊）所収）

それにしても、古賀は瀧口にどんな感想を書いたのだろうか。古賀の手紙に応えるかのように書かれた瀧口の、「古賀春江遺作展」評を引いて、拙稿を締めくくりたい。

古賀春江の名は日本現代絵画史の中の美しい燈火の一つである。（中略）
彼の歌った詩を僕達が再び歌うことは殆ど不可能らしい。しかし従来の絵画表現の認識から一歩踏み出して時代的な詩を呼吸しようとした彼の意図は全く未来のものである。彼の死期に近い「抽象」さえも（いわゆる抽象派の絵と異なり）彼流の形容詞を以てすれば「素朴な」抒情味をもった「答案として一応可」なる印象詩である。

（「国民新聞」一九三五年八月一日『コレクション瀧口修造』別巻より）

注

（1）古賀の詩や文章のほとんどは一九八四年（昭和五九）に刊行された『写実と空想』（古川智次編・中央公論美術出版）に収録されている。本文ではすべてそこから引用した。ただし現代仮名遣いに改めた。また瀧口修造についてはすべて『コレクション瀧口修造』（みすず書房　一九九一〜一九九八年刊）から引用した。デッサン帳の分析やモチーフの発想源については、私の及ぶところではなく、ブリジストン美術館の森山秀子（「古賀春江の全貌」展図録）や、兵庫県立近代美術館の速水豊（『シュルレアリスム絵画と日本』NHKブックス　二〇〇九年刊）の詳細な研究があり、全面的に参照した。

（2）例えば鶴岡善久「モダニズムから逸脱するシュルレアリスムの要素」（『日本シュルレアリスム画家論』沖積舎　二〇〇六年刊）といったように。

（3）「リアン」同人の中野嘉一によれば、古賀の死の一年ほど前から、古賀と竹中の間で、二科会を離退しない限りブルジョア芸術家を清算することは出来ない、といった議論が交わされていたという。そして古賀の死を竹中は、その苦悩による死で、レーニンの認めたような自殺に等しいと述べていたという。（『古賀春江—芸術と病理—』）古賀は死の直前にも二科会二十周年を祝す文章を書いており、信じがたい部分もあるが、中村義一は古賀と竹中の関係を、竹中が言うところの「現実存在（芸術作品）と本質存在（芸術的文化）との弁証法的関係」のようなものと見ている。（「もう一つのシュルレアリスム超現実主義論争」『コレクション瀧口修造別巻』所収）

また「ポエジィ・ド・グラフィック」とは、「ポエジィ・ド・ロマン」などと同様、竹中の科学的超現実主義に基づく、言語を詩的立場的記号として用いて構成された絵画のことをいう。

（4）一九二八年九月創刊、季刊で一九三一年まで別冊を含む全十五冊が刊行された。編集者は詩人でもある春山行夫で、安西冬衛、上田敏雄、北川冬彦、近藤東、竹中郁、三好達治、西脇順三郎、吉田一穂、瀧口修造ら、当時の新進詩人を広く集めた。シュルレアリスムを軸にして、文学におけるモダニズムの定着に大きな役割を果たした。

（5）巖谷國士『シュルレアリスムとは何か』（ちくま学芸文庫　二〇〇二年刊）によれば、「シュル」を「超」という日本語に訳すと「超越する」というニュアンスになるが、「シュル」という接頭語は「超える」だけでなく、「強度の」「過剰な」という意味もある。そうなると「超現実」とは、現実を「超える」「超越する」だけではなく、むしろ「強度の現実」「現実以上の現実」とも考えられる。したがって「超現実」とは現実と全く別の世界、非現実ということではなくて、現実に内在しているものということになる。そして「シュルレアリスム」とはレアリスムを超えるというのではなく、「シュルレエル＝超現実」に至ろうとする「イスム」であるという。

西脇の「超現実」とは「主観の世界即ち現実から自由になること」（「詩の消滅」）、つまり現実を「超える」ものである。また、詩とは経験しないものを書くこと、と言う西脇にとって、現実も自然も経験の世界であり、超現実主義、超自然主義、超経験主義の使い方は包括的かつ曖昧であるが、同義と考えてよいだろう。そもそも『超現実主義詩論』というタイトルにしても、西脇は『超自然主義詩論』のつもりだったが、編集者・春山によって付けられたものだという。「超現実主義」とは「現代の最前衛」

という意味でもあった。

（6）「何を如何に表現するか」を唯心論的というのは奇異な感があるが、竹中は従来の創作は方法を持たない感覚的創作であり、ブルトン流超現実主義もまた感覚的衝動的なものにすぎないということから唯心論的と言っている。それに対して、科学的超現実主義における形態化・作品化とは符号化・具体化であり、「透明な観念の正確なる組立て」である。これを「芸術哲学的意味の新即物主義」と言っている。

（7）一九二八年の「至上主義者の弁」では、「現実的な意味を持たない芸術――それは宇宙のメカニズムに包摂された「一つの存在」である（中略）（その自己がある間）このメカニズムは了解されないだろう。これこそ輪廻の「業」である。それは我々を支配する力そのものの中に融合する事に依って達せられる自己撥無の境地である」と書いている。これは西脇の「詩の消滅」にある「純粋芸術は経験意識の世界即ちモア（moi）の世界を消滅せしめる一つのメカニスムである。モアの世界が消滅することはこれを通俗の言葉で説明するときは、自我の消滅即ち自我の無限に拡大したことになる。自我と宇宙が合体し無限の形態を取ることとである。」に近い。この論考を含む『超現実主義詩論』は一九二九年の刊行だが、「詩の消滅」は一九二七年「三田文学」に発表されている。古賀が「三田文学」を読んだかどうかは不明。一九三〇年の「私感」では経験世界、実感世界を消滅させ、自我も消滅させることは西脇と同様だが、自己消滅は「個人としての自己消滅」であり、「芸術の中の個人は個人では無くなる」として、「社会我」へと進展する。一九二九年頃から始まった竹中との交友によって、古賀の思想が大きく変わっていることがわかる。

（8）パウル・クレーについて、ブルトンは「シュルレアスム第一宣言」の中で、シュルレアリスト的な画家の一人として挙げている。そしてクレー自身も一九二五年、パリで開催された第一回シュルレアリスム展に参加している。しかし以降は参加せず、緻密な造形や色彩理論による作画方法もシュルレアリストとは根本的に異なり、シュルレアリストとみなされていない。古賀はそうした経緯を知るはずもなく、クレーの作品そのものに感応したわけで、その意味ではシュルレアリストと同じ嗜好であったと言えよう。

(9) アンドレ・ブルトン『シュルレアリスムと絵画』(一九二八年)を含む『シュルレアリスムと絵画―増補改訂新版、一九二八―一九六五』(一九六五年刊)の翻訳書である。

＊本文中、西脇順三郎については『西脇順三郎コレクション』(慶應義塾大学出版　二〇〇七年刊)、竹中久七については『日本シュールレアリスム8　竹中久七　マルクス主義への横断』(本の友社　二〇〇一年刊)を参照した。

第二章　図書室の片隅で

「発見」の喜び

――ドナルド・キーン『日本語の美』など――

「（佐々木信綱の『上代日本文学史』の）国粋主義的な論調が嫌いで（中略）、われわれは自分たちのために別の日本文学史を書かなければならないと結論した」（『日本語の美』）――かつて『上代日本文学史』について厳しい書評をしたドナルド・キーン氏は、自ら二十五年かけて十八巻にも及ぶ日本文学の通史をひとりで書き切った。当時これを「ライフワーク」と言っていたが、脱稿して二十年近く経た今も、旺盛な好奇心と研究・著作活動は衰えることを知らない。

大著『日本文学の歴史』の序文で「私が初めて教鞭を取った四十五年前に、日本文学は外国ではほとんど知られていなかった」と述べているとおり、日本文学を世界に知らしめたドナルド・キーン氏の功績は計り知れない。膨大な著書のごく一端に触れただけの私には〝この一冊〟を選び出す資格などないのは承知の上で、ここに『日本語の美』を取り上げたのは、信頼する翻訳者を得て、ほとんどの原稿を英語で書いているドナルド・キーン氏が、日本語で書いたものばかりを集めていることに興味を持ったからである。

特に第一部は、「中央公論」誌に日本語をテーマに二年間エッセイを連載するにあたり、自らがその特質を見つけ、確認し、噛みしめるように日本語で書いているのである。実は少し前に水村美苗の『日本語が亡びるとき』を読み、インターネットの普及などで英語が世界の普遍語となる中で、日本語の「書き言葉」の危機、ひいては日本文学が衰退するのではないかという危機感を煽られていたのだが、そんな不安がひとつひとつ取り除かれていくような気がした。キーン氏は日本語に対する自在な視点と距離で、時にユーモアや皮肉を交え、独自性を浮かび上がらせていく。同音異義語による言葉遊びを楽しみながら「日本語ほど洒落の可能性のある国語は先ずなかろう」といった文章に出会うと、水村が偏愛する日本近代文学が、「思想」や「歴史」を背負う言葉よりも、むしろ話し言葉や落語のリズムや面白さに発想源があったことを思い出させた。

ただし、水村も言うように「日本語は絶対大丈夫」という思い込みは厳禁だ。日本人は、他民族の侵略に次ぐ侵略という過酷な歴史の中で生きてきたヨーロッパ人とは異なり、自分たちの国を「発見」することを怠ってきたのだから。そんな中で、ドナルド・キーン氏は日本語、あるいは日本文化を海外に紹介するだけでなく、我々日本人にも、自国にあって全く気づかずにいた多くの「発見」をもたらしてくれた。『ブリタニカ百科事典』で日本文学は「世界のもっとも主要な文学の一つ」で、「英米文学に匹敵する」とまで評価されたことは、日本人にとって大変光栄であると共に、世界文学における日本文学の位置を我々もまた、初めて知ることになったと言ってもよい。そして、ここにはキーン氏自身が日本文学の素晴らしさを「発見」したことの喜びまでもが込められているように思う。

そういえば私の好きな『日本人の西洋発見』は、能う限りの努力をしてヨーロッパの知識を「発見」した本多利明ら徳川時代の日本人と、そういう日本人がいたこと、ここから新しい時代が始まったことを知ったドナルド・キーン氏と、大学の書棚でキーン氏の本を見つけ「我が意を得たり」と感動し（そして先を越された悔しさも感じつつ）翻訳した芳賀徹の、三様の「「発見」の喜び」が生き生きと伝わってくる名著である。

また『日本文学の歴史』の序文では、その特徴を「叙事詩や長編の物語詩が全く発達しなかった」ことや、「センテンスからセンテンスへの移行には注意を払うが全体的な構造はなおざりにしがちである」と、鮮やかに看破している。日本人による文学や歴史の通史では、これまでほとんど各時代の専門家が分担してきたことも、全体よりも部分を重視しがちな日本文学の特質と関係があるのかもしれない。そう考えると、ドナルド・キーン氏がひとりで通史を書き切ったことは、キーン氏の文学観に貫かれた壮大な叙事詩のようにも思えてくる。

『日本語の美』に戻ろう。

宮廷文学に限らず、芭蕉、西鶴、近松や、より庶民的な狂言まで、日本の文学作品には方言が極めて少なく、日本の作家が方言の楽しさを発見するのは、文部省が標準語を定めてからではないかということ。カタカナという〝焼き印〟があるおかげで、外来語はなかなか日本の国籍を取得出来ないこと等々、日本語の「発見」はまだまだ続く。

一方で「日本人は自分たちが神秘で不可解だと信じるようになってから日本のことを説明する労力を惜しむことが多い」「もっと規模の大きい小説を書いてくれる作家がいたらありがたい」と、厳しい面も忘れない。

第二部は安部公房や三島由紀夫などの作家論的なエッセイを中心に構成されているが、中でも三島由紀夫の『芝居日記』を読み解いた「『芝居日記』の底に流れるもの」が圧巻だ。少年時代から歌舞伎になじんだ三島が十七歳で書き始めた『芝居日記』に、単なる歌舞伎通に留まらない、劇評家としての並々ならぬ資質を読み取る。そこにはもちろん、キーン氏の奥深い歌舞伎理解がある。しかしキーン氏の複眼的な視線と政治への一貫した姿勢は、戦時・終戦直後の為政者に翻弄されながらも、しぶとくしたたかに生き延びた歌舞伎とそのファンをも見逃さない。それは同時に三島の特異なまでの芸術至上主義もあぶり出す。三島との強い信頼関係があってこその冷静で緻密な分析であろう。

本書の終わり近くで、キーン氏は自分の生き方を〝ずっと逃亡してきた〟と振り返っている。二つの大戦に挟まれた時代に少年期を過ごしたキーン氏にとって、映画も、離島への憧れも、漢字や東洋思想への傾倒も確かに現実逃避であったのだろう。まして日米開戦直前に『源氏物語』を読み耽るなど、逃亡以外の何ものでもない。しかし一九四〇年に英訳の『源氏物語』を「発見」したこと、その行き着いた先が日本研究であったことは、日本人にとって何という幸運であったことだろう。

『日本語の美』（中央公論社　一九九三年刊）
『日本語が亡びるとき』（筑摩書房　二〇〇八年刊）
『日本人の西洋発見』一九五二年（芳賀徹訳　中公叢書　一九六八年刊）

鏡の向こうの水先案内人

――ドナルド・キーン・センター柏崎と著作集に寄せて――

だいぶ前のことになる。ラテンアメリカ文学のアンソロジーの月報で、安部公房の一文を読んだ。安部がガルシア＝マルケスの『百年の孤独』を知ったのは、ドナルド・キーン氏に「この本はあなたが読むために書かれたような本だ。ぜひ読みなさい。」と勧められたからだという。読んですぐ、一世紀に一人か二人というレベルの作品だと思ったという。『百年の孤独』を二〇世紀最高の小説だと思っている私はとてもうれしく、何よりもキーン氏の炯眼に驚いた。ただ、どうしても氏には日本の古典文学研究者というイメージが強く、キーン・安部・マルケスという組み合わせはちょっと意外な気がした。

しかしその後、安部公房との対談集『反劇的人間』（中公新書　一九七三年刊）を読み、全くの認識不足であったと思い知らされた。キーン氏は文学の大冒険者であり、発見の名手であり、相当のアヴァンギャルドなのだ。対談は、ギリシャ悲喜劇から能・狂言、ベケットやピンターをはじめ、古今東西の戯曲、詩、小説などを自在に引き出し、知的で、スリリングで、それこそ即興の二人芝居の感があった。しかも国際基準の日本・日本人論が展開されていた。

このほど、新潮社による『ドナルド・キーン著作集』の刊行が始まった。全十五巻、大著『日本文学の歴史』を除く主要な著作や講演録などが収録されるらしい。さっそく昨年末に刊行された第一巻を購読した。古典から近現代までを通観し、興味を惹かれた人たちの間に分け入り、逍遙し、思わぬ発見をする。その楽しさが生き生きと伝わってくるが、比較文学に裏打ちされた、詩や文章の分析は客観的で緻密で明快だ。

この巻には『エンサイクロペディア・ブリタニカ』二〇一〇年版に執筆された日本文学の項目も収められている。世界で最も権威のある百科事典に「その質と量において、日本文学は世界の最も主要な文学の一つ」であり、「英文学に匹敵する」と書かれていることを知ったのは、水村美苗の著書『日本語が亡びるとき』によってであった。英文のままの掲載であり、解読は覚束ないが、やはり本巻に収録されているブリタニカジャパン二〇〇七年版国際年鑑の「日本文学の国際性」を併せ読むと、日本文学・文化が世界で重要な位置を占めていることを確信できる。それを鏡に写すように日本人に示し、世界の人々に知らしめたのはキーン氏に他ならない。

キーン氏の日本文学研究・紹介の幅広さ、深さを重々承知の上で、私は同時代作家たちを見出し、世界に紹介した功績に特に注目している。なぜなら、今、生きている日本人を知ってもらうことなのだから。そして同時代文学が海外に評価されなければ、これからの日本文学は衰滅するかもしれないのだから。

キーン氏が日本で暮らすようになったのは一九五三（昭和二八）年のことだが、それまで、当時存命の日本人作家で名前を知っていたのは谷崎潤一郎だけだったという。日本文学で翻訳があるのは古典だけ、という状況だったのだ。戦争中、漢字の魅力にはまり、源氏物語に耽溺し、戦後、日本の古典に向かったことは、長い戦争の後の、厭戦的な現実逃避でもあったのではないだろうか。そんなキーン氏を現代文学に向けたのはいったい何だったのだろう。そして「翻訳に値する文学」とはどのようなものだったのだろう。

昨年十二月、ドナルド・キーン・センター柏崎設立発表記者会見で、氏は「終戦直後の日本文学は元禄時代に劣らない黄金時代だった」と語っていた。芭蕉、西鶴、近松ら、キーン氏を惹きつけてやまない作家たちの時代に劣らない文学が花開いたのだ。それらを翻訳したり、出版したのは、太平洋戦争中アメリカの情報局で徹底的に日本語をたたき込まれた優秀なアメリカ人たち、キーン氏やエドワード・サイデンステッカー、翻訳文学の出版社・クノップの編集主幹を務めたハロルド・シュトラウス等なのである。キーン氏の研究、翻訳作業は日本の近現代文学が国際性を獲得していく歴史そのものなのだ。

三島由紀夫からキーン氏に宛てた書簡が、当時の様子をよく伝えてくれる。

ストラウス氏よりも来信あり、「近代能楽集」を来年七月ごろ、「金閣寺」をそのあとで出すことに決定した、と云つて来ました。「近代能楽集」がクノップから出るのは、全く貴下の美しい御飜訳のおかげ（以下略）（昭和三一年一二月一一日）

（『三島由紀夫未発表書簡　ドナルド・キーン宛の九七通』中央公論社　一九九八年刊）

飜訳を「自分のもの」にすることは一等大切なこと（中略）キーンさんが僕の小説を「自分のもの」として下さつたことは僕にとつてもこの上もない喜びです（昭和三七年五月二七日）。

（同）

また『近代能楽集』のフランス語訳（日本語からの直訳）が悪くてなかなかガリマール社から出されないと聞いて、キーン氏の英訳からの重訳を望んでまでいる（同　昭和四〇年四月六日）。いかにキーン氏の翻訳が三島の意に沿っていたか、その信頼関係がよくわかる。美しい文章にこだわれば当然、外国人にわかりやすい文章や内容を基準になどできない。その美意識は、最も親しかった三島に極めて近いものを感じる。

しかし『砂の女』を読んで感動し、安部の戯曲の翻訳を買って出たり、大江健三郎の『個人的な体験』を読んで興奮し、すぐにアメリカの出版社に翻訳権をとるよう打電したという感性や行動力は、それにとどまるものではない。三島が心酔した泉鏡花を、キーン氏は次のように高く評価する。

鏡花ほど時代の嗜好の変遷によって浸食されない作家も少ないことだろう。（中略）鏡花の文学には場所と時代を超越した神秘の響きがある。

（『日本文学史』近代・現代篇一）

三島は近代能を書くようになった動機を「自由な時間や空間の処理や、形而上学的主題」を生かせるからと考えていたという。鏡花を含め、古典から前衛作家まで、キーン氏を揺り動かす作品とは、時間や空間を超えた生の規模、そしてそれを支える構造にあるのではないだろうか。『源氏物語』に「逃げ込んだ」氏は、そこに一千年を経ても色褪せない美の世界に息づく人たちを見たのだろう。芭蕉はわずか十七文字で宇宙を創造した。それはほんのささやかなことからでも可能だ。いや、それを可能にした文学が日本にはあった。近松門左衛門は凡庸な主人公を配しながら、「道行」という場面を通過させることで、崇高な永遠の悲劇に高めた。

頼山陽の不遇時代を支えた漢詩人・菅茶山については、美しく力強い文章でこう述べる。

控え目な言葉で世俗からの超越を表現する詩作によって、山陽よりもひろやかな情緒の動きを喚起する。それはほんのささやかな日常の些事によろこびを見いだすと同時に、また、宇宙の所在の暗示も孕んでいる作品である。

（同「日本文学散歩」）

そして安部の前衛性、匿名性の中に、国境を越えた普遍性と、夢幻能のような永遠性を見る。

『ブリタニカ』二〇一〇年版では、戦後の重要な作家として、上記の他、太宰治や大岡昇平、井伏鱒二ら、戦後生まれの作家では中上健次、村上春樹に言及している。中上は生い立ちを隠さず、それらを怒りを込めて激しく荒々しく描いた作家、村上は現実と非現実をもっともらしく混在させることのできる、完成度の高い物語作家である、と。

前述の水村美苗著『日本語が亡びるとき』では、インターネットの普及により、英語が世界を席巻し、日本文学が亡びるのではないかという危機感を大いに煽られた。それに反駁できる自信はないが、現在の、そしてこれからの文学に目を向け、発掘し、発信し続けていく場があれば少なからず有効だろう。ドナルド・キーン・センター柏崎がそのような場でもあることを願っている。

仮死で見る夢
――川端康成『名人』『眠れる美女』など――

(1)

「たちの悪いいたずらはなさらないで下さいませよ、眠っている女の子の口に指を入れようとなさったりすることもいけませんよ、と宿の女は江口老人に念を押した。」――川端康成（一八九九～一九七二）が『眠れる美女』を書き始めたのは一九六〇年、六十一歳の時である。有閑老人の秘密クラブの会員となった江口という男が、一糸まとわぬ眠ったままの少女と一夜を共にする。但し決して交わったりしてはならない。人形を賞翫するように、だ。彼は五夜、六人の少女に添い、半睡の中でかつての恋人や自分の娘や母の記憶を辿ったり、悪夢を見たりする。多様な作風を試みた川端康成であるが、通底している無垢な少年少女崇拝、頽廃美、遍在する死の影などが凝縮された作品である。すべてが深淵を覗く暗喩めいていて、じっとりとした空気がまとわりつく。それがいっそう、少女たちの瑞々しさをくっきりと浮かび上がらせる。少女を秘仏にたとえるのは、遊女を普賢菩薩の化身とする謡曲「江口」からの連想でもあろうか。無音。無表情。ほとんど不動。まるで能面の表情を読み取るように、主人公は視線や妄念を巡らせる。反社会的で、倒錯した世界は決して開かれることなく、記憶を遡行し胎内巡りするだけだ。開かれるとしたら死しかない。

『百年の孤独』等で知られるコロンビアの作家、ガルシア＝マルケスはこの作品に触発されて『わが悲しき娼婦たちの思い出』（二〇〇四年　木村榮一訳　新潮社　二〇〇六年刊）を書いた。巻頭に、冒頭の『眠れる美女』の一節を引く。それにしても作家の資質によってこうも違った作品になるのだろうか。九十歳にして現役のコラムニストである主人公が「うら若い処女を狂ったように愛して誕生祝いにしよう」と考える。しかし男は眠っている十四歳の少女に恋心を抱いてしまう。事件があって、再会がかなう一年後の誕生日までの少女への想いは切実で狂おしく、ラブレターまがいのコラムさえ書いて物議を醸すが、主人公は生き生きと甦る。誕生日とは、個人的な象徴儀礼としての再生の日なのである。

いきなりとんでもない作品を掲げた。共にノーベル文学賞受賞作家である。マルケスのスケールの大きさ、語りのおもしろさ、構成力は川端の比ではない、と言わざるを得ない。しかしこの二作に限っていえば、私は『眠れる美女』に惹かれる。背徳的な世界は極私的な闇の中でこそ妖しく煌めき続けるのだから。

川端康成は一九六八年、日本人初のノーベル文学賞を受賞した。受賞理由は「日本人の心の真髄をすぐれた感受性をもって表現した」というもので、対象となったのは『雪国』『千羽鶴』『古都』であった。川端の著書の多くはエドワード・サイデンステッカー（一九二一～二〇〇七）が翻訳している。ドナルド・キーン同様、第二次世界大戦中に海軍で日本語を学び、戦後、日本文学を研究した人だ。日本的な作家というイメージの強い川端であるが、その創作活動が幼くして次々と家族を失った川端の最後の肉親である祖父の、死に瀕した日々を透徹した眼で綴った『十六歳の日記』から始まるとして、初期には「新感覚派」と呼ばれたように、ジョイスの〈意識の流れ〉やフロイトの心理学など、海外の新しい潮流を積極的に取り入れているし、晩年にも『眠れる美女』などの特異な作品を残している。

私は決して川端康成の熱心な読者であったわけではない。今でも限定付きの読者、というべきだろう。かつて読んだ『雪国』も『千羽鶴』も『古都』も、『雪国』の駒子以外、登場人物が生き生きと輝くということはなかったし、常套句が多くて語彙が豊富とも思えなかったし、尻切れトンボのようで、読後の印象は薄い。そんな私が改めて川端文学に向かったのは、質量共にとても一個人の収集とは思えない美術コレクションを知ったからである。

戦後、美術品が流出する中、川端が新聞社に借金してまでも買い集めたという話は有名だ。そこには二つの国宝――池大雅・与謝蕪村《十便十宜帖》、浦上玉堂《東（凍）雲篩雪図》――をはじめ、ロダンやルノアール、岸田劉生や古賀春江、鎌倉期の聖徳太子像など、さらには草間弥生がまだ無名だった二十五歳頃、個展会場で直接購入した《不知火》《草》の二点もある。草間によれば、無我夢中で一日に十枚も二十枚も描き続けていた、そんな自分を象徴的に表現した作品だという。目の確かさに注目したのだった。狂ったような蒐集の背景には「敗戦後の私は日本古来の悲しみのなかに帰って行くばかりである。私は戦後の世相なるもの、風俗なるものを信じない。現実なるものもあるいは信じない」(『哀愁』一九四七年)や、「美術品、ことに古美術を見ておりますと、これを見ている時の自分だけがこの生につながっているような思いがいたします」(『反橋』一九四七年)といった、虚無的で現実逃避とも思える思考がある。ただそれまでは美術品を小説の中に取り込むにしても、まるで装飾のようにぱらぱらと散りばめていただけだったのが、この頃から象徴的に、またはモチーフとしてより深化させた使い方をしているように思う。

(2)

川端康成がかねて気にかけていた浦上玉堂の《凍(東)雲篩雪図》を手に入れたのは一九五〇年のことである。購入資金は朝日新聞に連載を約束して前借りしたという。この頃、美術品の収集のため出版社や新聞社に借金していたこともあってか創作量が増え、通俗小説や構成を欠いたものも多い。そんな中できりりとまとまった佳作が『名人』と『山の音』だと思う。

一九三八年、川端は新聞社の依頼で本因坊秀哉名人の引退碁の観戦をした。『名人』は、そのとき書かれた観戦記をもとに、名人の死後、小説化を試みたものだが、川端の多くの小説と同様、一九四二年から書き始められ、書き継ぎ、改稿を重ねて完結したのは一九五四年だった。

碁風も私生活も対照的な若き挑戦者・大竹七段は、勝負どころで新しいルールである「封じ手」を巧く使い、あくまでも古い伝統の「芸」にこだわる名人はついに敗れる。終局＝死に向かって最後の光芒を放ったかのように、名人はそれからわずか一年余りで亡くなった。川端は、その死に顔を「一芸に執して現実の多くを失った人の悲劇の果ての顔」と書く。名人の体調不良による中断などもあって、一局に半年を要した。時は日中戦争のさなかである。

『名人』は、先の『眠れる美女』ばかりでなく、川端の全作品の中でも異色作と言われている。確かに勝負に賭ける男性を主人公とした、記録とも小説ともつかない独特の体裁であり、恋愛の対象になる女性が登場するわけでもない。しかし年齢以上に年老いた名人を冷静に凝視する眼は『十六歳の日記』を思い起こさせる。異質なのはむしろ、めりはりのある、しかも全体として高い調子の張り切った文体が持続していることだろう。その筆は、名人が死相を帯びるほどにくっきりと、鬼気迫るものになっていく。

観戦記者である「私」の姓は「浦上」である。しかし初めからこの姓が与えられていたわけではなく、改稿を経て「新潮」一九五一年八月号で初めて登場したのだという（谷口幸代「川端康成と浦上玉堂―『名人』論をめぐって―」）。玉堂への傾倒ぶりが窺える。

そもそも川端は「名人はこの碁を芸術作品として作って来た」と書くように、対局を水墨画に譬える。そして文章自体も白黒の盤面の周囲を、墨絵のような気象変化や影絵のような植物、黒い小動物など、モノクロームの世界で縁取る。しかし玉堂の影響はより深いところに潜んでいると思う。

ここで少し浦上玉堂について触れておく。玉堂（一七四五〜一八二〇）はもともと岡山藩支藩の鴨方藩上級藩士で、琴の名手として知られ、書画もよくした。妻の死からまもない五十歳の時、二人の子供を連れて出奔し、諸国を遍歴しつつ胸中の山水を描き続けた。作為を排して、心をそのまま写す「写意」を本意とし、様々な筆触を重ね合わせ、織り上げるようにして独自の豊かな画面を作った。

《凍（東）雲篩雪図》は六十代の、最も脂の乗りきった時期の作品である。濃淡の墨を塗り重ねた幻想的な雪景の中に、陰影をまとった木々が立ち上がり、震えるような筆致の枝々が雪山に溶け込む。わずかに散らされた代赭が画面に奥行きと香気を与えている。

玉堂自身は画面に「東雲篩雪」と認めているが、「東」は「凍」と音が通じ、「凍雲」とは冬の冷え冷えとした重く垂れ込めた雲、「篩雪」は篩いにかけたような粉雪が舞う様で、脱藩直後に住んでいた会津の雪のイメージではないか、として「凍雲」とされていた。国宝指定もこれに従っている。これについて川端は「「東雲」と書いてあるのは「凍雲」であるらしい」と、あれほど執着して入手した割にさらりと書いているだけで、私はちょっと肩すかしを食らったような気がしていた。タイトルなどどうでもよい、ということだろうか。いやむしろ納得していなかったのではないか。画集で見ていただけだった川端は、入手後「写真で見るほど実物の絵は「厳しく」はない」と言い、さらに「この絵を見て北国の人は北国の山の降雪の暗い気分にそっくりだと言い、玉堂の郷里の岡山の人は、子供の頃岡山県の山で見た粉雪の濃く温い降りにそっくりだという。おそらく温い粉雪がほんとうなのだろう」(『月下の門』一九五二年)とも書いているのだ。実際、近年は、そのまま「東雲《しののめ》」つまり早朝の雲で、雪も玉堂の故郷・中国地方の雪ではないかとも言われている。私も実物を観た印象では決して重苦しいものではなく、むしろ温潤でほのかな明るさを感じた。以降「東雲篩雪」と記す。

画中「酔作」と書き込まれているが、玉堂は酔っては描き、醒めれば筆を置き、また酔って描くということを何度も繰り返して仕上げていったという。田能村竹田(一七七七〜一八三五)が聞き書きした、この、酔夢の中で見た幻影を描き留めようとするかのような玉堂の描き方も、川端はもちろん知っていた。

さらに「山は男根の如く描くべし、谷は女陰のごとく描くべし、玉堂がそう言ったとかいつか聞いた時、私ははっと感に打たれたものだった。(中略)脱俗を志した南画家のなかでも最も脱俗の玉堂だから淫らではなく、もし言ったとすると、華国の古くからの陰陽の考えに出てくるのかもしれないが、孤独隠逸の琴士が寂寞漂旅のうちに、男根の山、女陰の谷を描いていたと思うと、私はさびしくおもしろかった。玉堂が十六歳の春琴と十歳の秋琴とをつれて岡山を脱藩し家出をしたのは今の私より一つ下の五十歳だった」（『天授の子』一九五〇年）と、画中の性的表現に言及すると共に、自らを重ねてもいる。前掲谷口氏もここに川端と玉堂の「エロスとの邂逅」を見ており、『みずうみ』や『眠れる美女』へと連なる重要な契機であると指摘している。

《東雲篩雪図》に、夢で楚の懐王と契った古代中国の巫山の神女伝説を読み取るのは、美術史家の佐藤康宏氏である（新潮日本美術文庫『浦上玉堂』一九九七年）。「『東雲』は（朝の）神女の化身であり、「篩雪」は彼女の酣する濁酒、夢で契った彼女の愛液、また（夕の）雨に変じた神女をも微妙に示唆する」という佐藤氏の文章を初めて読んだときは、大胆でエロティックな解釈に驚いたが、玉堂の教養と機知、他の作品も鑑みれば納得も行く。そして川端も、玉堂の酔夢の中の性を感じ取っていたに違いない。

『名人』の、秀哉名人は子供がなく、痩軀で、首から下がないような、育ち損なった子供のような体であり、大竹七段は体格がよく、大家族で子煩悩、家族思いだ。若く健全な挑戦者との対比、あるいは対局会場近くで見かけた新婚旅行客を見て名人は「面白くないだろうな」とつぶやく、それらをあえて書き留めるのも、そこに「一芸に執して、現実の多くを失った」名人の、老いや、男性としての屈折した感情を見ようとしているのではないだろうか。そして『名人』では書き得なかった「老い」と「性」を、『山の音』で書こうとしたのではないだろうか。『山の音』の執筆が始まったのは一九四九年、完結したのは『名人』と同じ一九五四年である。

(3)

川端の作品には多くの死が登場する。次々と肉親や知人を喪い、死が身近にあったせいだろうか、さりげなく死が語られ、死者に語りかけ、死者が記憶を呼び起こし、生と死、夢と現が同一の地平で往還し、時間を錯綜させる。短篇連作『反橋』（一九四七年）『しぐれ』（一九四九年）『住吉』（同）や、さらに短い作品集『掌の小説』（一九二一～一九七二年）中のいくつかは、そのような実に魅力的な作品だ。反面、長篇にはまとまりを欠くものが多い。しばしば行き場を失い、未完であることも多い。しかし『山の音』は、夢を効果的に使い、緻密に仕上げられた作品だ。『山の音』でも死が日常的に、あるいは夢の中で語られる。

あらすじは以下の通りである。

主人公・尾形信吾は、深夜ふと地鳴りのような「山の音」を聞く。死の予兆と恐れるその音は、若くして逝った、妻の美しい姉の記憶へとつながっていく。

家族は妻と、自分の経営する会社で働く戦争帰りの長男・修一と、嫁の菊子。修一には結婚間もない頃から戦争未亡人の愛人がいる。さらに長女が二人の幼子を連れて戻ってくる。家族の問題に心を痛め、唯一心を通い合わせる菊子に、同情とも恋情ともつかない思いを抱き、妻の姉の面影と重ねる。

一見脈絡のないエピソードが次々と出てくるのは、常に信吾の視点から語られているからだ。

だからすべて信吾の等身大の社会であり、心の動きであり、潜在意識なのである。したがって、家族の会話には認識のズレや時差も生じる。典型的なのは信吾も家族も、戦争で心に傷を負ったであろう修一に、なかなか思いが至らないことだ。敗戦後の日本の家族像を彷彿とさせる。

〈老い〉を、〈忘却〉と〈喪失〉と実感する信吾は、確実に死へと向かう現実と逆行するように、夢の中で死者に出会い、若い娘に触れ、情欲をたぎらせ、妻の姉の声を聞く。

信吾の夢には自己分析が加えられ、日常のエピソードを繰り込んでいく。そして過去へと遡行する時間軸となって、とりとめもなく水平的に広がる現実に垂直的に交差し、全体の構成を確たるものにしている。その交点に位置するのが菊子なのである。少女のように清らかな菊子への感情は、しかし、禁域を犯すことはない。

自らも老境に踏み込んだ川端に、〈老い〉は、〈個体の死〉とは異なる〈意識の死〉への恐れをもたらしたのではないだろうか。抑圧から解放された夢の中で見る、異性との関わりこそが生のイメージを駆り立てる。川端がこの作品を書き始めたのは五十歳の時、浦上玉堂が脱藩した年である。玉堂の代表作《東雲篩雪図》を入手したのはその翌年、そして先に紹介した『天授の子』の中で、「孤独隠逸の琴士が寂寞漂旅のうちに、男根の山、女陰の谷を描いていたと思うと、私はさびしくおもしろかった」と記しているのもこの頃のことである。

間違いなく川端の傑作の一つであり、過不足なく穏やかにまとまったこの作品に、それでもなお物足りなさを感じるのは私だけではなさそうだ。その最たる者が、他ならぬ川端自身なのである。直後に書き上げられた『みずうみ』（一九五五年）は、『抒情歌』（一九三二年）に対する『禽獣』（一九三三年）と同様に、『山の音』に対する陰画的な作品である。

『山の音』は、信吾が故郷の信州に紅葉狩りに行くことを提案して終わるが、『みずうみ』は、晩夏の信州から始まる。

主人公・銀平は美しい女を見ると後を付けずにはいられない男である。問題作や衝撃作であるばかりでなく、文体は乱れ、登場人物やプロットにも無理があり、特に結末は収拾がつかずに放り出されたようで、決して成功作とは言えない。それでもどうしても〈悪〉や〈醜〉に触れずにいられないのが川端なのだ。

銀平は「魔界の住人」とされている。川端のキーワードである〈魔界〉の解釈は困難だが、少なくとも銀平はその住人たり得ていない。〈魔界〉における〈悪〉や〈醜〉とは、単に頽廃や零落ではないはずだ。〈善〉や〈美〉と緊張関係を持って対峙し、それを超えて何かを創造し得るほどのものではないだろうか。川端も、闇を抱えたもっと複雑な人間を描こうと模索していたのではないか。

『みずうみ』では実際に夢を見るのではなく、夢の話のような展開の仕方をする。『山の音』の、整序された夢に抗うように、白日夢や幻想や妄想が現実世界に暴力的に侵入することによって、夢の領域や可能性を大きく広げている。この両極の作品があってこそ『眠れる美女』が生まれたのだと思う。

(4)

『名人』、『山の音』について述べてきたが、そろそろ最初に紹介した『眠れる美女』に戻ろう。晩年、特にノーベル賞受賞後、作品らしい作品を残していない川端にとって、六十二歳の時に書き上げたこの作品は完成度の高い傑作であり、特異な作品だからこそ、川端らしさの凝縮された代表作だと思うからである。

海辺の宿「眠れる美女」は、老人たちが夢想に浸り、眠りにつく場所である。前後不覚に眠らされた若い娘が、もはや男ではなくなった「安心できるお客様」を待つ。主人公・江口はまだそういうお客様ではないけれども、宿の禁制を破るつもりはない。深紅のビロードのカーテンに囲まれた部屋で眠る娘の若さ、美しさは、老醜への嫌悪や、禁を犯すことへの葛藤を生むが、過ぎ去ったいろどり豊かな記憶を生き生きと甦らせもする。

しかし五夜目、二人の娘に挟まれて眠り、死の予兆のような夢を見て目覚めると、娘の一人が死んでいた。狼狽する江口に、宿の女は「もう一人おりますでしょう」と、こともなげに言う。そこにはもう一人の娘が輝くような美しさで眠り続けていた。

三島由紀夫に「これほど反人間的な作品を読んだことがない」と言わしめたように、何とも冷酷で異様な結末である。

宿の女が左手で鍵を開ける動作や、帯の不自然な絵柄から生じる違和感。崖を打つ波の音が遠ざかるほどに募る閉塞感。眠っている娘を見て思わず「まるで生きているようだ」とつぶやいてしまう。秘密めいた世界に引きずり込む筆の運びが実に巧みだ。

回想のまにまに、江口がかつてはそれなりの社会的地位に就いていたことがわかる。ちょうど『山の音』の信吾のような地位であったろう。しかしここでは、それがむしろ幻影のように思えてくる。「どのように非人間の世界も習わしによって人間の世界となる。もろもろの背徳は世の闇にかくれている」という独白的文章は、『山の音』の、夫婦は「お互いの悪行を果てしなく吸い込んでしまう不気味な沼」という比喩を思い出させる。さらに、世俗的な成功者が必ずしも心の安泰者ではない、という自虐的な思いも社会的な意味での現実批判というよりは、価値の転倒を促していく。

六人の娘たちの執拗な細部描写はいかにも川端らしいが、顔立ち等の具体的な描写はほとんどない。何度も「老眼にはよく見えない」と、意図的に避けているのだ。だから匂いや肌の色や体格の違いを除けば、なめらかさ、あどけなさ、円みや張りといったものに集約されてしまう。まさに仏像のようだ。宿の娘たちは、確かに老人たちの心を癒やす生き仏のようなものだろう。若さ、美しさを永遠に留めたいという願望もあろう。しかしそれだけではない。処女であり娼婦であり、母性まで担わされているのだ。だから一人で全的であることは不可能であり、六人ではじめて全的な女性になる。その全体像を具現するためには観念的で象徴的である方が望ましい。そして、それぞれの違い――多くは匂い――が連想の契機となり、記憶の断片を呼び覚ます触媒のような作用をする。江口が自己遡及していくためには六人の娘が必要だったのである。

こうして娘の傍らで記憶を辿りながら眠りにつく。眠りは束の間の死、そして死からのひととき の自由をもたらす。老いという仮死、眠りという仮死の中で繰り返し見る夢によって、胎内に回帰するように死を受容していく。だからこそ、夢から覚め、死から取り残された江口の前に、なお、もう一人の娘が眠り続けている光景は、老人を救いようのない孤独へと陥れるのである。


ところで川端の、連想の赴くままに書かれた文章は、戦前は西洋モダニズムの影響と言われ、戦中戦後のいわゆる〝日本回帰〟の中では連歌・連句的とも言われるが、実験作を除けば区別は明確ではない。〈意識の流れ〉やシュルレアリスム的な表現は、戦後の作品にも潜在し、醸成され『眠れる美女』や、すべてが仮死の中で語られているような『片腕』(一九六四年)で再び開花したと思う。

川端康成の描く世界は小さい。現実に対してはほとんど無価値だ。構築力もない。しかし「文豪」とか「ノーベル賞作家」という冠を外したときに立ち現れてくる、隠微で、倒錯した、異端の作品こそが私を立ち止まらせるのである。

ひとときの「世界」

「創造者」＝「詩人」の内なる声
――ホルヘ・ルイス・ボルヘス『創造者』など――

「近いうちに、俺も行く。また、思い切り、働き、遊びたいものだ。では、その時まで。」――昨秋亡くなった義父に、旧制中学時代からの親友・O氏から送られた弔電が読み上げられた時、私は思わず体が震えた。そしてアルゼンチン作家ホルヘ・ルイス・ボルヘス（一八九九～一九八六）が、同国の代表的詩人ルゴネスを追悼した一節が頭に浮かんだ。「明日はわたしも死ぬ、わたしたち二人の時はない交ぜられ、年譜はかずかずの象徴の世界に消える」――一九六〇年に刊行された自選の詩文集『創造者』（鼓直訳　国書刊行会　一九七五年刊）に収められている。義父の病室で、文庫版（岩波文庫　二〇〇九年刊）が出たのを機に読んでいたのだった。

ボルヘスの小説世界の入り口はカフカだった。様々な事象が同時併存する、円環的な時空間はカフカと極めて近い（ボルヘス流には、カフカはボルヘスの先駆者、即ちボルヘスによって新たな読み方を付された、と言えるだろうか)。ただ、驚異的な博識によって知的に、巧妙に構築された幻想世界は、難解であるばかりでなく、カフカの作品が発する〝体温〟のようなものが感じられず、怜悧でよそよそしく思うこともあった。

しかし、ボルヘスが〝放擲してあった詩や散文を寄せ集めて取捨選択した雑纂〟と呼ぶ本書は、『自伝風エッセー』(『ボルヘスとわたし』所収、牛島信明訳、新潮社、一九七四年刊)で「短い詩文の一篇、一篇がそれ自体のために、内的必然にかられて書かれている。」というように、またこの頃既に全盲に近い状態だった作者の、心情を吐露したような詩文をいくつも見つけることが出来る(O氏も晩年、目がご不自由だった)。

すべての創造は神の企図のもとにあった、という芸術の営為の虚しさ。にもかかわらず言葉を刻み続ける詩人の孤独の営み。宇宙から王国、薔薇と、極大から極小までの比喩には、相変わらず目が眩みそうにもなるが、「書物と闇をわたしに授けられた神の巧詐」、あるいは「私の仕事道具は汚辱と辛苦である。/いっそ死んで生まれればよかったのでは。」と言い、「一人の人間が世界を描くという仕事をもくろむ。(中略)しかし死の直前に気付く、その忍耐づよい線の迷路は/彼自身の顔をなぞっているのだと。」と結ばれた一冊に、創造者=詩人の真率な声を聞く。ボルヘスへのもうひとつの入り口だった。

そこで読んだのが初期の作品『エバリスト・カリエゴ』(一九三〇年　岸本静江訳　国書刊行会　一九七八年刊)である。ブエノスアイレスの場末・パレルモの夭折詩人カリエゴの伝記だが、西欧的教養と文化を身につけたボルヘスがなぜ、決して一流とは言い難い地方詩人をとりあげたのだろうか。通奏低音のように頻出するミロンガ、タンゴ、ガウチョ、ならず者が否応なく郷愁を駆り立てる。それらと協奏し合うかのように、単調に繰り返されるカリエゴの日常は、ボルヘスの創作の根幹をなす〝永遠〟〝循環〟〝反復〟等の、最もささやかで原初的な姿かもしれない。いつしかカリエゴの詩も日常も、パレルモのあわいに溶け込み、「我々の運命の中にまぎれこんで生き続ける」と言う時、ルゴネスへの追悼文と重なり合う。

伝記の序章で、ボルヘスはパレルモの歴史や街並みを書き留める。しかし私は歴史を時系列で追うことを早々に諦める。そして街路のあちこちを彷徨うボルヘスを追いかけているうちに、というに道に迷っていたことに気づく。見回すとそこは世界のどこでもあって、どこでもない場所だった……。

何ということだろう。迷宮の世界を現前に描き出す小説家・ボルヘスは、類いまれなエッセイスト・ボルヘスは、そしてその詩的な言葉は、現前の街をも迷宮にしてしまうのだ。だから私はまた、不可思議な小説世界の扉を開けてしまう。

「開かれた物語」としてのアフリカ
――チママンダ・ンゴズィ・アディーチェ『半分のぼった黄色い太陽』――

目の前に大きな固まりがある。何百もの民族をつめこんだ〝ナイジェリア〟という固まり。一九六〇年、ナイジェリアは独立した。しかし六七年には南東部にイボ族の国・ビアフラが誕生した。三年間だけ存在した共和国も、〝飢餓〟という強烈なイメージだけを残して、固まりの中に埋もれてしまった。

本書はその固まりを内側から突き破る小説である。作者は一九七七年生まれのイボ族出身の女性。その新鮮さは、自国の作家が、いまだタブー視されている内戦の話を書いたことだけではない。重いテーマを、都会的なラブストーリーの中に書き切ったこと。小説内小説によって重層的に語るという巧みな構成も同様だ。タイトルはビアフラの国旗から来ている。

田舎から出てきた少年・ウグウは大学で数学を教えるオデニボのハウスボーイになる。オデニボは、美しく知的な女性・オランナと一緒に暮らす。いずれもイボ族だ。ここには多くの知識人が集まり、政治や文学を語り合う。

「ストーリーテラー」を自称する作者ならではの設定である。しかし、半世紀前にも確かに存在した富裕な知識層を描くことは、〝貧困〟〝飢餓〟〝無学〟といったステレオタイプのアフリカ像への批判でもあるだろう。同時に作者は、物語の語り手を注意深く三人に振り分ける。オランナとウグウ、そしてイボ文化に関心を寄せるイギリス人・リチャードである。さらに、より分析された政治や歴史が小説内小説で語られる。こうした多元的な視点で物語は進行する。

旧宗主国イギリスは、自国の権益のために、それぞれが多くの民族を抱え、宗教も教育程度も異なる北部と南部を統一国家として独立させた。既に小競り合いは始まっていた。一九六六年、イボ族が大虐殺されたのを機に、翌年、ビアフラが建国されるが、ナイジェリア政府はこれを認めず戦争となる。背景には南部の石油利権への執着があった。

独立前の一九五二年に書かれたエイモス・チュツオーラ『やし酒飲み』は、主人公が魔術を使い、生者の国から死者の町まで往復する冒険譚である。奇想天外で奔放なストーリーだが、主人公を案内する土地の人は、他の生物の土地との境界を決して越えない。多民族が共存するための不文律なのだ。

血なまぐさい戦争シーンも少なくない。しかし、いつの間にか戦争が激化し、次第に追いつめられ窮乏していくオランナ一家はじめ、避難民たちがより丁寧に描かれる。知識階級のオランナでさえ、大義があれば勝てると信じている。信じようとする。だから終戦後は敗北という感覚よりも、騙されたという感覚だけが残るのだ。

一方徴兵されたウグウは、全く訓練を受けず、モラルもないビアフラ軍を目の当たりにする。そんなビアフラがなぜ三年も持ちこたえたのだろう。〝飢餓〟がビアフラを存続させた、という逆説的な記述がある。メディアの格好のネタになり、世界の注目を集め、各国の政策に取り込まれたからだ。にもかかわらず各国の思惑はビアフラ国の承認を押しとどめた。

ラテンアメリカ同様、アフリカは政治と文学が切り離せない。前述チュツオーラの素朴な神話的世界は今なお魅力的だが、西欧文学を思わせる洗練されたスタイルで、世界に向けてアフリカを語る若い才能に瞠目せざるを得ない。

『半分のぼった黄色い太陽』二〇〇六年（くぼたのぞみ訳　河出書房新社　二〇一〇年刊）
『やし酒飲み』一九五二年（土屋哲訳　晶文社　一九七〇年刊）

虚空に書かれたおとぎ話
――残雪『黄泥街』――

パソコンが不具合になった。何かが侵入したのだろう。見知らぬ者に脳内を覗かれているような不快感や、得体の知れないものが増殖していくような不気味さを感じ、匿名の悪意に苛立った。

初めて読んだ中国の作家・残雪の作品にはそんな不穏な気配が充満していた。突然の侵入者、夢の中身まで知っている者、行き着けない目的地……。池澤夏樹個人編集の「世界文学全集」（河出書房新社）には表題作『暗夜』を含む中・短篇七篇が収録されている。現代中国作家の作品をほとんど読んだことはないが、残雪が中国のみならず、世界文学においてもとりわけ難解で特異な作家であることは間違いない。用語は平易で、淡々と進む。ところが、背景の事情や物語の土台となるべき事があまりにも欠けているのだ。事象はしばしば唐突な現れ方をする。人は次々と入れ替わり、言葉は置き換えられる。それでも引き込まれていったのは、いつかどこかで見たり、聞いたりしたことのような気がして、あるいは夢の中のことだったかもしれないが、夢もまた自らが作り出したものである以上、紛れ込んでいたとしても不思議ではなく、それらすべてを含んだものこそが現実のように思えてくるのだ。しかも、山や森の空気が濃厚に漂い、どこか民話的な、大人のおとぎ話のようでもあった。

それをきっかけに処女作『黄泥街』を読んだ。一九八四年（近藤直子訳　河出書房新社　一九九二年刊）の作品である。書き出しがとてもいい。

あの町のはずれに黄泥街《ホアンニーチェ》という通りがあった。まざまざと覚えている。けれども彼らはみんなそんな通りはないという。（中略）ひとつの夢があった。その夢は一匹の緑の蛇で、やさしくひんやりとわたしの肩にぶらさがってきた。

終わりもまたとてもいい。
わたしはかつて黄泥街を探しにいった。本当に長いこと探した――何世紀も経ったような気がする。夢のかけらがわたしの足もとに落ちている――その夢が死んですでに久しい。

黄泥街は灰が降り、汚泥にまみれ、炎暑で何もかもが腐っていく街だ。そこにある日「王子光」という物が現れる。「王子光のイメージはわれら黄泥街住人の理想なのだ」――しかしその実体はつかめない。「委員会」「自己批判」「迫害事件」「転覆活動」「悪性膿瘍」……住民は不確かな言葉に翻弄され、デマが飛び交い、黄泥街は混沌とし、朽ち滅びていく。

それにしても言葉とはなんと曖昧で、ご都合主義的なことか。かつて我が国でも四文字熟語や呪文のような言葉で、国民の思考を支配した時代があった。ごく最近も、未曾有の大事故を、あたかも軽微に見せるかのような言葉が次々と使われた。残雪は言葉を駆使して言葉の空虚を暴き出す。

住民たちの饒舌は、彼らが把握できる世界がいかに狭小かを露呈する。読者もまた、そこからしか世界を覗くことはできない。捉えようもないものの影に怯えているしかない。

残雪は一九五三年湖南省長沙に生まれた。幼い頃、両親が知識分子として粛正され、小学校までしか行けず、その後一人で暮らしていたという。暴力的で、悪夢のような想像力の原点を、そこに見ることができよう。現実と非現実が入り交じった独特の文体は、当初『黄泥街』をリアリズムで書こうとしたが行き詰まったために編み出したという。『黄泥街』での比喩は文化大革命に直接結びつくが、この手法によって、以後の作品の世界は大きく広がった。彼女は世界に遍在する黄泥街を描き出す。原因も結果も語られることのない、時間も空間も特定されないおとぎ話のように。

「緑の蛇」とは無意識の世界への案内人だという。

未知の世界を開く
——世界文学全集短篇コレクションより——

二〇〇七年から二〇一一年まで刊行されていた池澤夏樹個人編集の「世界文学全集」を読んでいる。百巻前後もあって、古典を読むだけで挫折しそうだったこれまでの文学全集とは異なり全三十巻、二〇世紀に限られている。これなら読破できそうだと思い折々買い求めて、全巻揃った。今春移転オープンする游文舎に収めるつもりでいる。しかし気に入った作家の他の本に次々と手を伸ばしたり、手に取りながらどうしても今読む気分ではないと後回しにしたりで、まだ三分の一近く読めないでいるけれど。

中にはなぜこれが選ばれたのか、と思うものもなくはないが、現在の世界文学の状況がよくわかる。世界と、その描かれ方の多様性、西欧中心だったこれまでとは文学地図が大きく異なっている。作家の世界観にぐいぐいと引き込まれながら読んだ作品の一方で、読み残されている巻の多くが、かつて文学の王道だったイギリス、フランスの作家であることは、ひとり私の嗜好のせいだけだろうか。

その多様性が凝縮されているのが全集最後にあたる第三集第五、六巻の短篇コレクションⅠ、Ⅱだ。もちろんそれぞれの作家を短篇だけで判断することはできないが、長篇では取り上げられないであろう辺境の作家もいて、編者の気配りと苦労——選択から外すということ——は想像に難くない。

私は短篇集をあまり好きではない。なかなか入り込めないままに終わってしまったり、印象に残ったいくつか以外は記憶に残らないことが多いからだ。だが、さすがにこの二冊にはそれはほとんどない。バラエティーに富み、それぞれの味がよく出ている（のだと思う）。読み終わったとき、とりわけ印象に残った作品を振り返ってみたくなった。編者によって厳選されたものからさらに選び直そう、ということではない。私は文学史的知識や、短篇作品としての巧みさといった判断基準を持ち合わせていないので、とにかく斬新な手法を見せてくれたり、未知の世界を開示してくれたり、これまでの世界観を解き放ってくれる作品が並びそうだと思ったからだ。

フリオ・コルタサル「南部高速道路」（木村榮一訳）

アルゼンチンの作家、コルタサル（一九一四〜一九八四）については代表作『石蹴り遊び』で、技巧に振り回されてつまずいて以来読んでいなかった。しかしこれは文句なしに面白い。短篇コレクション中でも屈指の作品だと思う。コルタサルは短篇の名手だったのだ。

八月のうだるような暑さの中、郊外からパリへと向かう高速道路で渋滞が始まる。ありふれた光景だ。しかし当初の楽観的観測はことごとく覆され、異常な、原因不明の、先の見えない渋滞となる。わずかながらも動く車から遠く離れるわけにはいかない。見えない壁に取り囲まれた閉鎖空間でもある。自然発生的にあちこちに共同体が組織され、互いを車種で呼び合う。一体どれだけの時間が過ぎたのか。次第に気温が下がり始め、雪が降り始め、雨と風の季節になっているのだ。自殺者や病死者も出始める。ところが突然、これまた理由もなく渋滞が解かれ、車は動き始め、ぐんぐんとスピードが上がっていく。同時にあの濃密な共同体——恋も生まれた——はみるみるうちに解体していくのだ。時間と空間移動の緩急の振幅の大きさ、描写の巧みさに唸りながら、現代文明の落とし穴、そして難民のような状況を思い浮かべずにはいられない。

フアン・ルルフォ「タルパ」（杉山晃訳）

短篇集『燃える平原』所収。メキシコの作家、ルルフォ（一九一七(八)〜一九八六）の登場人物はよく歩く。てくてくと、とぼとぼと、あるいは地を這うように。灼熱の太陽と乾いた土、暴力と血の匂いにまみれて。

生涯で二冊しか著作を刊行しなかったルルフォであるが、ラテンアメリカの文学に与えた影響は計り知れない。メキシコ革命のさなかに生まれ、引き続く内戦で父や親族を失い、母も早逝したルルフォにとっては、書くべき現実はそのまま小説世界でもあったはずだが、それらを凝縮させ、昇華させることに類いまれな想像力を発揮した。生者と死者が交錯し、時間の流れも自在に逆転する幻想的な作品『ペドロ・パラモ』（一九五五）は、中篇と言うべきであろうが、フォークナーの『アブサロム・アブサロム』に匹敵するほどの、長篇の密度がある（私はこの本をスーザン・ソンタグの、あの官能的な批評に触発されて読んだのだった）。

『ペドロ・パラモ』の二年前に刊行された『燃える平原』は、それに比べるとリアリズムに近く、とりわけて凝った構成ではないが、こうして単独で読んでみると、その重量感に改めて驚かされる。『燃える平原』は、このような傑作がぎっしりと詰まった短篇集なのだ。

病に冒されたタニーロを伴い、病を癒やすタルパの聖母への巡礼行をする妻と弟。もともとはタニーロの願いだったとは言え、旅は確実に死へと向かっている。いや、向かわせている。タニーロの死を望む二人は、彼を励まし、強引に先へと進ませるのだ。タニーロはようやくたどり着いた聖母像の前で、大粒の涙を流し、祈り、息絶える。妻と弟はタルパの墓地の土深くに兄を埋めるが、悔恨の情に囚われ、互いをも恐れるかのように無言で帰途に就く。どろりと粘り着くようなタニーロの腐臭と共に、タルパの聖母が執拗低音のように彼等を苛むことだろう。ひたすら何かに追われ、歩き続けねばならないかのように。

タルパにたどり着いたタニーロががらがらを握り、人々の踊りの輪に加わり、倒れた後も体をしきりに波打たせているという光景が鮮烈だ。いかにも土着的な踊りと聖母信仰とが結びつき、瀕死の人間の壮絶さを浮き彫りにする。それが残された二人の、後半の歩みの中にどれだけ刻印されていることか。珍しく革命や内戦はテーマになっていないが、かえって底知れない人間の業をあぶり出す。

チヌア・アチェベ「呪《まじな》い卵」（管啓次郎訳　本書のための新訳）

ニジェール川沿岸の町・ウムルは椰子油出荷港として急成長し、市場は大変な賑わいを見せている。町の成長は古き良き伝統を途絶えさせ、土地の神々をないがしろにする。それはまた疫病をもたらし、ついに邪悪な神・キティクパ（天然痘）が人々に捧げ物を要求する。

ミッション・スクールを出てヨーロッパ系貿易会社に務めるジュリアスには婚約者がいるが、界隈にキティクパが発生し、近所同士や村々の往来を途絶えさせ、会うことができなくなる。婚約者の母は熱心なキリスト教徒でエホヴァの神が事態を鎮めてくれると考えている。そんな中、ジュリアスは神に捧げられた卵を踏みつぶしてしまう。直後にキティクパの猛威が村の賑わいを一網打尽にし、婚約者も、その母もキティクパに斃れてしまう。

ナイジェリアの作家、アチェベ（一九三〇～二〇一三）はコンラッドの『闇の奥』の、被植民地の人間に対する人種差別的な描き方を強く批判したことで知られている。本作は、キリスト教文化対土着の文化、文明対非文明といった対比が明快だが、民話的、呪術的比喩は、そうした二元的見方を超えた深遠な不文律の世界を暗示する。川沿いの市場とは、かつては森の民（イボ族）と河の民とが決して侵犯し合わずに交易する場であったはずだ。沈む太陽の中、カヌーに乗った森の民が、大河に揺らめく影を残しながら森に帰る姿がとりわけ悠揚として美しく、映像のようにいつまでも心に残っている。

ガッサーン・カナファーニー「ラムレの証言」（岡真理訳）

九歳の少年の目を通して書かれた、半日足らずの出来事である。

パレスチナ人の住むラムレの街にユダヤ人兵士が侵攻してきた。住民たちは炎天の中で並ばされ、掠奪され、アブー・オスマン伯父さんの幼い娘が殺される。女性兵士によって、まるで玩具のように、気まぐれのように。次いで妻も殺される。その都度、まっすぐ前を見つめ続けていた伯父さんが、妻の埋葬後初めて少年をじっと見つめる。何かの意志を伝えようとするかのように。その後、彼は司令官の部屋で爆死する。爆弾を隠し持っていたのだった。伯父さんは、穏やかだが、信念のある人だ。少年の伯父ではなく、町のみんなにとっての伯父さんなのだ。

第一次大戦後、国際連盟によりイギリスに委任統治されていたパレスチナは、第二次大戦後、米英主導でユダヤ人に有利に分割され、一九四八年イスラエルが建国された。パレスチナの作家、カナファーニー（一九三六〜一九七二）は十二歳で難民となり、ダマスクスの難民キャンプで暮らす。一九六〇年ベイルートに移住し、ＰＦＬＰ（パレスチナ人民解放戦線）のスポークスマン、ジャーナリスト、作家として活動するが、一九七二年、車に仕掛けられた爆弾によって殺された。

短篇コレクションの中で最も衝撃的な作品だった。ユダヤ人兵士の残虐さがこれ程に描かれたものははじめてだ。パレスチナ側から描かれたものを読む機会が圧倒的に少なかったからだ。逆から見れば伯父さんはまさにテロリストだ。それはイスラエルのプロパガンダを利するものであると同時に、思考停止をもたらしかねない。

だが伯父さんがみんなの伯父さんだった所以はそれだけではない。床屋をしながら語ってくれた伯父さんの思い出話の数々とは「ラムレの住人のすべてに特別な世界を作ってくれ」るものだったのだ。

パレスチナ出身の思想家、エドワード・Ｗ・サイードは言う。

パレスチナ人の生活は、分散し、連続性を失い、その特徴をなすものは、中断ないし局所化された空間の作為的かつ無理強いされた配列、掻き乱された時間の転置《ディスロケーションズ》と共時化されない律動《リズムズ》といったところになる。

（『パレスチナとは何か』一九八六年　島弘之訳　岩波書店　一九九五年刊）

難民になることとは、共有する記憶や歴史を分断されることでもある。

半世紀以上前に書かれたことが、今のこととして違和感なく読めてしまうのが恐ろしい。確かなことは大国の思惑によって、民族や宗教に名を借りた抗争が拡大再生産され続けているということだ。

目取真俊「面影と連れて《うむかじとぅちりてぃ》」

女の一人語りである。女には不幸な死に方をした人たちの魂《まぶい》が見える。

彼女は学校でのいじめや家族からの疎外を受け、おばあと二人きりで暮らしていた。御嶽《うたき》の森の神女《かみんちゅ》であるおばあは、様々なことを語ってくれた。何でも詳しく。戦争のこと以外は。おばあの死後、スナックで働いていた女は海洋博の仕事で本土から来ていた男と心を通わすようになる。この男も魂が見えるのだ。しかし突然逃走する。海洋博に訪れていた皇太子襲撃事件に関係していたらしい。女も警察の強権的な尋問を受ける。

そんなある晩、家に誰かいるらしい気配に、あの男かもしれないと気を許した女は見知らぬ男たちに強姦され、心身の痛みをこらえながら森の奥の聖所に行き、あの男の、首を括った姿を見、おばあにも出会う。家に戻ると瀕死の自分がいた。そして自らに言う。「もういいよ」と。

女の魂の一人語りである。自分と同じように魂が見える少女に語っているのだった。作者・目取真俊（一九六〇～）同様、主人公は戦後生まれである。戦争については語られていない。おばあにとっても戦争は「語り得ぬもの」だったのだろう。戦争でもない、基地でもない、だからこそ沖縄の構造的な問題が見えてくる。海洋博とは、本土復帰記念というシナリオを取り繕うためのものだったのだろう。膨大な本土資本を投下し、建設工事に沸いた祭りの後は推して知るべしである。

それにしてもおばあは何とたくさんの話を聴かせてくれていたのだろう。現実も幻想も織り交ぜた、ちょっととぼけた語り口を想像させる。それを受け継いだ女の訥々とした語りは、自らの厳しい現実さえも寓話にしてしまうのだ。

これっきり、でも後味のおまけ
――追悼・ギュンター・グラス――

今月号の「すばる」（二〇一六年一〇月号）に、昨年四月に亡くなったギュンター・グラス（一九二七～二〇一五）の遺作詩画集『これっきり』について、飯吉光夫が「日常詩人ギュンター

・グラス」という評論を寄せている。この中で飯吉は、グラスがまず画家として出発した経歴を書いている。かつて来日した時も重い銅板を持参し、早朝からホテルの自室で制作していたという程に、グラスの活動の大きな部分を占めていたのである。詩集や小説のどれにも必ず絵が付されているということである。

グラスが当初美術家を目指していたことは、何かの本の訳者後書きで読んでいたのだが、『ブリキの太鼓』などの圧倒的な筆力のために、ほとんど記憶に留めることはなかった。それを思い出させたのが知人から游文舎に寄贈を受けた版画展の図録であった。一九八六年神奈川県立近代美術館別館で開催されたものである。

モチーフは蝸牛やなめくじ、ウナギ、魚の頭など。小説のテーマにも通じている。それらが顔や体や木にからみついたり、はいまわったりする。さらにはひからびた茸が、巨大ななめくじが、ぬるぬるとのたうつうなぎが、凶器のように人間の性器や頭部を貫き、同化し、妄執を生み出していくようだ。決して作家の余技ではないと思った。おそらくシンプルなエングレーヴィングであろう。刷りなどの技術上の巧拙はわからない。それよりも言葉になる以前のイメージをとにかく留めたいという切実さ、執拗に彫り込むほどに、微細な情景が立ち現れ、増殖していき、作家の本性をむき出しにしていく様が窺われるのだ。文学世界と版画世界がこれほどに密着している人も珍しいのではないか。

遺作集から飯吉が引いている「死の踊り」という詩に、次の一節がある。

何が僕を毎夏毎夏、乾燥したガマ蛙や青蛙の
無残な死骸の蒐集に駆りやるのか？

グラスの発想源を見ることが出来る。持ち帰ったそれらは早速写生され、「画用紙の上にそれらを不滅にする」（同詩より）のである。悪趣味と言えば悪趣味である。しかし死骸とは、生者と隣り合わせで、強烈な存在感を放っているものではないだろうか。そして死へと着地せざるを得ない生者を挑発し続けるのだ。頭部だけになった魚が凝視している作品もある。それらの視線を受け止め、見返す世界はなんと禍々しく、猥雑で、グロテスクで、滑稽なことだろう。

さて、遺作の詩である。ぎらぎらした観はないけれど、達観とは言えず、確実な近い死を自覚しつつも、まだある「今」に執着してもいる。相変わらず露悪的でもある。飯吉の言う「日常詩人」とはつまり、性も含めた本源的な生の描写の妙手だということだ。同じく遺作集から「後味のおまけ」の一節である。孫たちとクリスマス市にいるさなか、突然襲われた空虚感から書かれた。

（前略）デゥーラーの絵の憂愁の女神は人間にも、おそらくはまた動物にも微笑みかけるものなのだろう。彼女につきもののようにいわれる暗い性格はたしかに人間の心を暗くする、しか

し同時に洞察力を与え、深淵を明るませもするものなのだ。憂愁なしには芸術も存在しないだろう。憂愁は僕が足がかりを求める湿原の地面だ。（後略）

ダンツィヒ（現在のポーランド・グダニスク）に生まれ、ドイツの戦中戦後を生きたグラスの、少年期に由来するであろう抑鬱的なデーモンもまた日常の中に胚胎し、創造の源となっていたようだ。

なぜナチは生き延びるのか
――ロベルト・ボラーニョ『アメリカ大陸のナチ文学』――

ラテンアメリカには好きな作家が多いが、ロベルト・ボラーニョ（一九五三〜二〇〇三）は初めて読む。もっともボラーニョだから、ということではなくタイトルに惹かれてのことだ。主としてラテンアメリカの、架空のナチ文学者三十人の、辞典の体裁をとった小説である。

第二次世界大戦後、アルゼンチンには、ホロコーストの指導的役割を担ったアドルフ・アイヒマンが潜伏していたことはよく知られている。ラテンアメリカには戦後多くのナチ残党が逃亡していたのである。本書にも二人のドイツ系移民が登場するが、そのうちの一人はチリの〈再生コロニー〉の出身だ。実際、ボラーニョの生まれたチリには元ナチス党員のコミューンがあり、ピノチェト政権時、拷問施設として使われたという。

大戦時には連合国側として参戦したとはいうものの、地勢的に見てそれほど重要な位置を占めていなかったこともあろう。しかしそれ以上に、度々の軍事クーデターや独裁政治に見るように、ファシズムに共感する土壌があったのではないか。例えばアルゼンチンのペロンは、ムッソリーニに感化され、ぎりぎりまで親枢軸国だった。

ボラーニョは存在しない書き手の、存在しない著作を次々と挙げていく。さらにはそれを補強するかのように関連する人物や用語解説まで付す。架空の書物の書評や『幻獣辞典』を書いたボルヘスに先例を見ることが出来る。しかし、本書の特異性は、辞典の形を取りながら、その文体には統一感がなく、冷淡なまでにあっさりと書いているものもあれば、今にも作者自身が現れそうに親密な書きぶりがあったり、緊張感漲る書きぶりであったりすることだ。そしてついに三十人目のラミレス＝ホフマンに至って、抑えきれずにボラーニョ自身が語り手となり、格段の紙数を割く。

ところで「ナチ文学」というはっきりとした定義があるわけではない。登場人物にはもちろん、ヒトラーに直接感化されたり、スペインの「青い旅団」に加わってフランコ軍に協力した人もいる。だがそれだけではない。「日記」の中ですべての罪をユダヤ人と高利貸しに負わせる作家。

第四女性帝国を描く、神秘のオーラに包まれた美人作家。ドイツと日本に占領された一九四八年のアメリカの歴史を記す作家。精神病院に入退院を繰り返しながら、過剰な暴力や犯罪小説を書く作家。前述コロニー出身の若い詩人は、アタカマ砂漠に理想の強制収容所の見取り図を描く。反ユダヤ主義、アーリア主義などの排外的ナショナリズムや、カルト的なもの、神秘主義的なものが個人の底に潜んでいる限り、たいした毒にはならないが、文学には人に影響を与える力がある。マックス・ミルバレー他いくつもの異名を持つ剽窃の作家はいう。

文学は一種の秘められた暴力で、社会的尊厳を与えてくれるし、いくつかの若く多感な国々では、社会的上昇を装う手段のひとつなのだ。

ここには文学がカリスマ的な力に変わっていく不気味さがある。そうしてみると、登場人物それぞれのボラーニョの書き方の温度差とは、オーラやカリスマ性の強度に比例しているのではないか、と思えてくるのである。

〈僕＝ボラーニョ〉は、政治活動で服役中にカルロス・ラミレス＝ホフマンを知る。ある日、彼は古い飛行機――ドイツの戦闘機メッサーシュミットらしい――で黄昏の空に詩を書く。祖国・チリの虚空に巨大な文字で悪夢を書いたのである（それは僕たちの悪夢でもあった、と〈僕〉は言う）。一九七三年のことだ。翌年彼は写真家として、空中詩の詩人として、新政権のもと、首都で発表する。写真展では女性客が嘔吐する。確かな評価を与えられないまま所在不明の後、チリを去る。理解できない詩は不在のうちにカルト性を増幅させ、人物は神話化される。一方で数々の殺人事件との関わりも取りざたされている。「世界に吹き渡る変化の風」は彼を召喚しては、忘れさせる。

そして一九九八年、バルセロナで〈僕〉はアジェンデ政権時代の敏腕警察官・ロメロに会い、この地に住むラミレス＝ホフマン暗殺の協力を求められる。〈僕〉はバルでラミレス＝ホフマンを待つ。彼であることを確認するために。ブルーノ・シュルツ——ゲシュタポに銃殺されたユダヤ系ポーランド人の作家だ——を読みながら。

老いたラミレス＝ホフマンに〈僕〉は、ラテンアメリカ人特有の「哀しげで手の施しようがない近寄りがたさ」を見る。「果てしない哀しみがそこに住み着いている」のだ。暗殺に向かおうとするロメロに〈僕〉は「殺さないでください、あの男はもう誰にも危害を加えられません」と言う。心の中では信じていないにもかかわらず。二十分後、ロメロは戻ってくる。

「忌まわしきラミレス＝ホフマン」のあらすじである。しかしながらこの章の不気味さは、書かれていない部分にある。どんな詩なのか。どんな写真なのか。さらに本当に人を殺したのか。どれくらいの人を殺したのか。読者にとっても、ラミレス＝ホフマンは神秘に包まれたモンスターなのだ。そして本当に一九九八年に彼は抹殺されたのだろうか。本書が刊行されたのは一九九六年、ボラーニョは架空の人物たちを近未来まで生き延びさせている。それはボラーニョの没年を越え、二〇一七年の現在を越え、二〇二九年を没年とする者までいる。ナチズムが根絶することなく、潜行しつつ、様々に形を変え、立ち現れてくることを暗示しているようだ。

近年のヨーロッパの極右政権や、トランプの排外主義にそれを重ねたくもなるだろう。しかしボラーニョの悪夢はもっと深い闇と共にある。トランプにはラミレス＝ホフマンのような「哀しみ」はない。人々の不満を代弁しているに過ぎない。せいぜいがネオナチのレベルだ。現に多くの知識人が批判している。ボラーニョをして根絶することをためらわせ、共感せしむるものを生み出してしまうモンスターこそが怖ろしい。

『アメリカ大陸のナチ文学』一九九六年（野谷文昭訳　白水社　二〇一五年刊）

再構成された神話
――ブルーノ・シュルツ全小説――

「北方文学」の締め切りに追われず、当面の展覧会出品予定もない一時期、とりとめのない読書を楽しむ。こういう時こそ、思いがけない本との出会いがある。最近、巡り会い、打ちのめされ、嘆息しつつ読んだのがブルーノ・シュルツ（一八九二〜一九四二）だ。

「ヴィトキエヴィチ、ゴンブローヴィチと並ぶ両大戦間ポーランド・アヴァンギャルドの三銃士の一人」というのが平凡社ライブラリー『シュルツ全小説』（工藤幸雄訳　二〇〇五年）カバーの作家紹介である。かなりの限定付きである。力量ということだけではない、複雑な国家の事情が背景にある。シュルツの生まれ育ったドロホビチは、両大戦間こそポーランドだったが、彼の生誕時はオーストリア領、現在はウクライナ領だ。正しくはポーランド語の作家というべきかもしれない。そもそもポーランドという国自体が大国に翻弄され、どこまでポーランドという国としての一体感を持っているのか、なかなか想像が及ばない。そうした制約の上での精一杯の紹介といったところだろうか。しかもマイナーな言語である。ヴィトキエヴィチは未読、シュルツについては、たぶん日本では三人の中で最も知られているゴンブローヴィッチを読んでいる時に知り、その後読み出したものだった。ポーランド文学がいかになじみの薄いものであったか、改めて感じている。

ポーランドのカフカと称されることもある作風は、確かに現実と幻想が入り交じり、夢の中をさまようような不安定な世界を描出する。ドイツ語も自在で、カフカを読んでいたというからその影響は免れないだろう。しかし詩的な比喩を過剰なまでに多用した情景描写や博物学的興味はカフカを凌ぐ。チェコの作家カフカがドイツ語で書いたようには、彼はドイツ語で書かなかった。あるいはポーランドから亡命したコンラッドが英語で書いたように、ポーランド語でなければもっと知られていたかもしれない。しかし、これほどの稠密な描写や、凝った視覚的表現（画家でもあった）、うねり増殖するような幻想の連鎖、それらを息長く書き継いで行くのは母語だからこそ出来たのではないか、とも思う。

全小説といっても生前刊行された二冊の短篇集に合わせて二十八篇、他に四篇の、合計三十二篇の短篇だけだ。わずか一冊にまとめられた全小説を、どれだけ道に迷い、放り出され、慌てて立ち戻りつつ読んだことか。それでも、既視感を伴う、夢魔のような世界の魅力に抗えないのだった。

すべて一人称で書かれ、登場人物は父と母と女中のアデラと、他はわずか。舞台の殆どはドロホビチと思われるごく限られた場所だ。街には灰色の暗鬱なイメージが漂い、それがシュルツの作品全体に一貫したトーンを与え、連作というよりも、様々な挿話を持った一篇の小説のように読める。

シュルツはユダヤ系ポーランド人である。生地・ドロホビチの路上で、一九四二年、ゲシュタポによって射殺された。本書に収録されている最後の作品はソ連やナチス占領直前の一九三八年で、大戦勃発はその後の作品発表を留めさせたのかもしれない。ただし小説中には政治的な言説は見当たらない。むしろシュルツの少年時代に精神に異常を来し、亡くなった父、ヤクブ・シュルツが色濃く影を落とし、父を巡る自伝的作品が多い。父と息子は旧約聖書になぞらえてヤクブとユーゼフ（工藤訳）の名前で、繰り返し登場する。

ヤクブはたくさんの鳥を飼い、孵化させ、いつの間にか自身が鳥になっていたり、感情が高まるとあぶら虫や蝿に変わってしまう。恥部や忌まわしい記憶を戯画化してもいようが、それだけではない。怒り狂った叔母はどんどん縮まり灰燼のようになって無に帰す。父の語るエピソードの中には、一本のゴム管に変わってしまった従弟まで登場する。単なる幻想的な変身譚とは思えない。

息子は狂った父について言う。

注目に値することだが、この異常な人物に触れられたとたんに、一切の事物は、何かその存在の根源のようなものへと立ち戻り、形而上的な核に至るまで自らの現象自体を再構成し、いわば第一義的な観念へと逆行してしまい、そこへゆきつくとこんどはその場を捨てて、あの疑わしい、きわどい、そして二重の意味をもつ領域——ここでは簡潔に大いなる異端の領域と名づけておこう——へと揺れ動くのであった。

（「マネキン人形」）

『マネキン人形論あるいは創世記第二の書』など、マネキン人形を巡る一連の小説で、父は奇妙で独善的な物質論を開陳する。

物質の組成は全て永続性のない、緩やかなものであり、容易に還元し崩壊する。生命を別の新しい形に変えることはいささかも悪ではない。

あまりにも長いあいだ、造物主の創造物の完璧さがわれわれ独自の創意を麻痺させてきたのだ。われわれは造物主と争う考えはない。造物主と肩を並べようという野心はない。われわれは独自な、より低次の圏内における創造者でありたい。

われわれは物質の不協和音を、抵抗を、不恰好ぶりを愛する。

シュルツ作品における変身とは、原初の形態、未分化の状態へと回帰していくことではないか。ものを解体し、祖型に戻し、再構成し、造物主たらんとする父の共犯者となって、息子も、もろくはかない現代の神話を創っている。前提条件もなく飛躍する荒唐無稽なストーリーや、大仰で荘厳な語り口は、神話のそれであることに気づくだろう。

第二の創世神話の構成物は所詮まがいものや、不完全なもの、できそこないたちだ。『八月』の白痴の娘・トゥーヤ、『ドド』の〝でぃ、だぁ〟と呼ばれて馬鹿にされる知恵遅れのドド、『エヂオ』の奇形のエヂオのように。あるいは粗悪品や猥雑な物が溢れた『大鰐通り』のように。大鰐通りでは、時間までもが弛緩している。『大いなる季節の一夜』には〝十三番目の偽りの月〟という言葉がある。〝偽り〟とは〝欠陥のある〟〝発育不全〟といった意味らしい。怪しい、異端の神話が生まれる空隙だ。

さらに時間が歪み、解体していくのは第二短篇集の表題作『砂時計サナトリウム』である。ユーゼフはサナトリウムにいる父を訪ねる。このサナトリウムでは、死んだはずの父が、時間を後退させることによってまだ死に行き着いていていない。登場人物たちは実によく眠る。カフカの『城』を思い出させるが、もっと悪意ある力をもった眠りである。時間の連続性を放棄させ、時間の統制を失わせ、一人一人の時間を嚙み合わせなくさせ、ついには分裂崩壊させてしまうのだ。悪夢のような事態に遭遇してサナトリウムを逃げ出し列車に乗り込んだユーゼフは、決して降りることなくあてどのない旅を続ける。

先の『大いなる季節の一夜』では、父がかつて育てていた鳥たちの末裔が大群をなして帰還してくる。しかし張りぼてのような、奇怪で生命のない出来損ないの鳥たちは次々に落下し、無残な姿をさらし、神話は瓦解する。それでも父は挫けることはないだろう。偽りの死を何度も生きのびた父のことだから。

比喩や擬人化の多い濃密な文章も、単なる修飾というよりも、言葉自体がまるで原始の植物や動物のように、蔓や触手を伸ばし、グロテスクな文様で空間を充塡していくようだ。それにしてもシュルツの世界とは一体何なのだろう。衒学趣味？　不条理？　幻想小説？　それともパロディーとしての神話か？　確かなことは、切実な内的必然の所産だということだ。

全く作風の異なるシュルツとゴンブローヴィッチであるが、互いに高く評価し合い、深い親交を結んでいたという。ゴンブローヴィッチがアルゼンチン訪問中の一九三九年、ナチスがポーランドに侵攻し、彼はそのままアルゼンチンに亡命する。シュルツの死をいつ、どのように知ったのだろう。ボルヘスに擬せられることもあるシュルツ。しかしボルヘスを「アルゼンチンの現実に背を向けた成熟した知識人」であると批判したゴンブローヴィッチには、シュルツの未熟で、毀れそうな内なる声が聞こえていたに違いない。

『悪童日記』に見る神話的構造
――アゴタ・クリストフ『悪童日記』――

ハンガリー出身の亡命作家、アゴタ・クリストフ（一九三五〜二〇一一年）の『悪童日記』が映画化されていたことを最近知った。日本では昨年秋に公開されていたのだった。映画はドイツ、ハンガリーの合作で、監督はハンガリーのヤーノシュ・サース。何人かの監督が映画化権を獲得しながらも実現せず、映像化不可能とまで言われていたという。

原作を読んだのは二十年以上も前、早川書房から翻訳が出て数年後のことだった。それでももう十五版になっていた。評判を聞いて読んだものかどうか記憶にないが、ほぼ同時期に続編となる『ふたりの証拠』『第三の嘘』も読んでいる。『悪童日記』のラストが、さらにその先を期待させる終わり方だったからに他ならない。だが双子の主人公が「ぼくら」という複数の一人称で綴る日記体をとった『悪童日記』は、それぞれ別々の人生を送ることになる後の二作に比べ圧倒的に迫力があった。殺人さえも厭わない彼等なりの倫理、ナチスと、それに続くソ連による全体主義体制下での生き方などを、冷徹なまでの視線で、抒情を徹底的に排した平易で簡潔な文章で綴る。挑発的とも言える文体でもあった。戦争を背景にしながらいわゆる戦争文学とも言い切れない、どこか寓話的でもある。

再読したのは五、六年前だろうか。ちょうど、母語以外で書く作家が気になっていた時期であった。やはりすごい、いやとんでもない小説だと思った。改めてラストが圧巻だと思う。そしてその伏線となっているのが、神話を借りた構成なのだと気づくことになった。それを確認したかったことや、この特異な小説がどのように映画化されたか興味があり、ビデオで見ることにした。市内のレンタルショップにはなく、取り寄せとなった。そこまでして借りたのは初めてのことである。

フランス語で書かれた原作を、映画では作家の母語であるハンガリー語で撮っているが、全体には原作に忠実だし、祖母との軋轢や、グロテスクなシーンも抑制が効いてテンポ良く、短い章立てでブラックユーモアに満ちた寸劇を次々と繰り出すような、原作の雰囲気をよく伝えている。また原作では痩せて小柄となっている祖母が映画では巨漢だが、このピロシュカ・モルナールという女優の、凄みを湛え、ふてぶてしいほどの演技はまさにはまり役だと思えた。しかし何といっても、実際の双子である主役の二人の少年がとてもいい。無表情、しかし目に宿る力がすべてを表現する〝恐るべき子供たち〟だ。そして小説同様、最後までどちらがどちらなのか、どちらの台詞なのか全くわからないままだった。

室内のほの暗い光、母と幼い異父妹を襲う空爆の光――光と影のコントラストが効果的だ。また薄ぼんやりとした田園風景や、厳しく凍えるような冬の森といった自然描写が原作のもつどこかファンタジーめいた趣を増幅させている。

戦況が悪化し、父が記者として従軍し、ふたりは祖母の住む「小さな町」に疎開する。近所の人から「魔女」と呼ばれ、夫殺しの噂もある祖母は、働き者だが、不潔で強欲だ。ふたりは学校に行かず、屋根裏部屋で聖書と辞書だけで言葉を学び、カリキュラムを作って学習し、心身を鍛える。「作文」では次のようなルールを作る。

ぼくらが記述するのは、あるがままの事物、ぼくらが見たこと、ぼくらが聞いたこと、ぼくらが実行したこと、でなければならない。

感情を定義する言葉は、非常に漠然としている。その種の言葉の使用は避け、物象や人間や自分自身の描写、つまり事実の忠実な描写だけにとどめたほうがよい。

これがそのまま作者の文体となっているのである。

彼等は聖書を読むが神など信じてはいない。だからその眼は司祭の偽善を見抜くし、ユダヤ人の心を弄んだ女中を私刑に処す。

終戦の混乱の中、捕虜が強制連行され、新たな全体主義体制が始まる。そして国境の鉄柵が再び築かれる。

祖母も亡くなったある日、父が訪ねてくる。政治犯として監視されている父は国外脱出のため、ふたりの協力を頼む。彼等は周到にその方法を教える。もうひとりの脱出の準備もしながら。二柵の鉄条網に挟まれた七メートルの間に地雷が埋められている。踏まずに越える確率は七分の一。父は危険を覚悟で挑む。が、もうひとつの柵越えまであとわずかで爆死する。国境を越える最も確実な手段——自分の前に誰かにそこを通らせること。ふたりのうちのひとりが父の遺体を踏んで国境を越える。もうひとりは祖母の家に戻る。原作でわずか数行の国境越えのシーンだが、映画では具体的で生々しい。父の遺体の上に足を下ろしていくシーンでは否応なく父殺しを想起させる。父を踏み越え、ふたりは別々の人生を歩むことになる。

それにしてもあれほど一心同体だったふたりがなぜ、こうもあっさりと別れるのか。別れられるのか。私は先に〝神話を借りた構成〟と書いた。

隣人に「兎っ子」と呼ばれている兎唇の娘がいる。働く気のない母と暮らし、世間から白眼視され、性的な嫌がらせを受け、まともに生計を立てることはできない。盗みや乞食で凌ぐ極貧の生活だ。祖母の畑からも作物を度々盗もうとする。彼等は兎っ子のために食料を与え、司祭をゆすって金を盗る。しかし兎っ子は、戦後駐留した軍の兵士達になぶり者にされ凄絶な最期を遂げる。彼等は絶望した母の嘆願を受け、彼女を殺し家に火を付ける。

レヴィ＝ストロース『神話と意味』の中には、南北アメリカの双生児と兎唇に関する神話が紹介されている。双生児とは正式の夫とトリックスターとに二重に懐胎したものとされていて、従って父親が異なるため正反対の性格を持ち、のちには異なる運命をたどるようになるという。また姉妹がそれぞれトリックスターにだまされて同時に懐胎し男児を産む、という異伝もあるという。

後者の伝承にはさらに以下の話が続く。トリックスターと不運な夜を過ごした姉娘が祖母に会いに行く。魔法使いでもある祖母は、あらかじめ孫が来るのを知っていたのでノウサギを出迎えにやる。ノウサギは道の真ん中にあった倒木の下に隠れ、娘がそれをまたごうとした時、陰部を盗み見て卑猥なことを言う。怒った娘は杖でノウサギの鼻をたたき割ってしまう。そのためウサギ科の動物は現在、鼻と上唇が割れているのだという。

これは動物が二つに割れかけた状態でもある。「兎唇」とは、このような身体的特徴を持つ人間のことであり、兎唇が双生児の起源と考えられているのもこうした点からである。即ち、まだすっかり二つに分けられず、双生児にはならず、二つの対立した特徴が同一人物中に合体しているのである。

神話とは、渾沌たる世界に秩序と知的意味を与える試みであり、世界を二項対立によって捉えようとする。「ぼくら」は、本来別々の人格を持っているはずの双生児が全く一体であるかのようで、まだ双生児になりきっていない状態といえる。この双子と兎唇の娘とを対立項として物語は進む。男と女、善と悪、あるいは贈与と掠奪の関係と見てもよいかもしれない。しかし兎っ子が死んだ時、対立項も失われてしまう。そこでふたりがそれぞれの対立項となっていくのだ。おそらく成長と共に徐々に二人の人格は分かれ始めていたはずである。しかしこの小説のすごいところは、こうした過程を描くことなく、二枚合せの薄紙をぺらりと剝がすように二人が別れ、全く異なる運命をたどることを暗示して終わるところなのである。残念ながら映画では初めから二人の少年の姿が見えるために、その感覚は薄れてしまう。それが最も映像化にふさわしくないところだったかもしれない。

アゴタ・クリストフが亡くなっていたことを知ったのは、白水社Uブックス版『文盲』の訳者後書きによってであった。二〇一一年、七十五歳だった。『文盲』はアゴタ・クリストフの自伝的物語である。一つ年上の兄との、まるで双子のような、いやそれ以上の親密さは『悪童日記』の主人公たちを思わせる。読むこと、書くことが大好きな少女であったが、十九歳で結婚、一九五六年二十一歳の時、反体制活動家の夫やその仲間達と国境を越える。ハンガリー動乱直後のことだ。ウィーンの難民センターなどを転々とし、落ち着いたのがスイスのフランス語圏だった。しかし育児と仕事に追われ、会話はともかく、読み書きはできなかった。まさに「文盲」だったのである。子供の就学に合わせて読み書きを学び、辞書を引き引き書くようになる。

〈フランス語を〉自分で選んだのではない。たまたま、運命により、成り行きにより、この言語がわたしに課せられたのだ。

自らの意志で母語以外の言葉で書くことを選んだ作家はもとより、政治的事情であっても、インテリや既に作家として地位を確立していた人達とは違う。だからフランス語を、アイデンティティーを侵食しかねない「敵語」と呼び、「この言語が、わたしのなかの母語をじわじわと殺しつつある」とさえ言うのである。だがそれが、ぎりぎりの簡潔きわまりない文体を生み出したのも事実だろう。自身が告白しているように、デビュー作である『悪童日記』三部作を凌駕する作品はないと思う。

そして三部作の中でも、私がとりわけ『悪童日記』が優れていると思うのも、その文体であり、神話的な構成であり、さらにナチスの占領と、それに続くソ連の支配〈地名や国名などの固有名詞は一切書かれていないが〉までが書かれていることにある。

〈解放者たち〉の軍隊は、戦争捕虜を連行し、密告、投獄が日常茶飯となる。そしてロシア語が強制される。『文盲』の中で彼女は書く。

あの独裁政治が東欧の国々の哲学・芸術・文学に対してどれほど忌まわしい役割を演じたか〈中略〉それらの国々の文化とナショナル・アイデンティティーを窒息させようとしたのだ。

わたしの知るかぎりでは、ロシア人の反体制作家で、この問題を取り上げた者、この問題に言及した者はいない。

神話の世界の双子とは、善悪の二元的存在であり、同格の相克対象でもあるという。『悪童日記』では当初はほとんど一体だった二人が、「父殺し」とも言える儀式を経て別々に生きていく。あまりに簡潔なラストシーンが不吉な未来を予感させるのは必然なのである。彼女を職業作家と呼ぶべきかどうか、私は分からないが、作者の過酷な体験と重ねざるを得ない本書が、どこか寓話的で救われているのも、その文体と構造にあると思うのである。

『悪童日記』一九八六年（堀茂樹訳　早川書房　一九九一年刊）
『文盲』二〇〇四年（堀茂樹訳　白水社　二〇〇六年刊）
『神話と意味』一九七七年（大橋保夫訳　みすず書房　一九九六年刊）

都市の孤独が生み出す亡霊たち
――多和田葉子『百年の散歩』――

大人になっても毎日、手帳に新しく発見した単語を書き記し、語彙を増やしていく人を移民と呼ぶのだ。しかもその中にはもうどんな国民言語にも属さない単語も出てくるかもしれない。

『百年の散歩』は、ドイツに在住し、ドイツ語と日本語で創作活動を続けている多和田葉子の最新刊である。多和田葉子は十年前にハンブルクからベルリンに移り住んだという。ベルリンには人の名前が冠せられた無数の通りや広場があるというが、その中の十の通りを歩く。ただし、なぜそこを選んだかを語るわけでもないし、必ずしもそこに冠せられた人について語るわけでもない。おそらくその順番も無作為なのだろう。

ベルリンの百年といえば誰しも二つの世界大戦と、冷戦という戦後、東西の壁という重い歴史を思わないわけにはいかない。しかし「わたし」はあえて予見を持たず歩き、観察し、書き留め

多和田葉子氏講演会　2017年8月5日
柏崎市文化会館アルフォーレ　主催：游文舎

る。時には捕鯨や原発の話に隣り合い、日本人であることの緊張感を孕みながらも、「わたし」の自由で裸の眼は、土地の歴史を感じ取り、百年のベルリンを自在に行き来する。

彼女のもう一つの旅、そぞろ歩き、散歩はいつも言葉と共にある。目にする表示や看板を日本語に置き換えたり、耳にする言葉を舌の上で転がすようにしてずらしてみると、生々しいイメージが立ち現れたり、本質が見えたりもするのだ（そういえば散歩はドイツ語でflanieren―そのままふらり、ぶらり、ぶらぶら歩きと連想してしまう）。

カント通り、カール・マルクス通り――冠せられた人たちのほとんどが、少なくとも聞いたことのある名前だが、広場につけられた「レネー・シンテニス」は全く知らなかった。「わたし」も確かなことは知らないらしい。いったい誰かという読者のはやる気持ちにお構いなしに、「わたし」は手っ取り早く知ろうとはしない。歴史が堆積している街のあちこちにそっと姿を覗かせる隙間があるに違いない。出会うべき時に出会う。そのときを待つ。

ところでこの本は、名前こそ出していないが、ヴァルター・ベンヤミンへのオマージュであると多和田自身が別のところで語っている。『一九〇〇年頃のベルリンの幼年時代』は、そんなベンヤミンの散策と思考が詰まっている作品だ。その中でベンヤミンは次のように書いている。

森のなかで道に迷うように都市のなかで道に迷うには、修練を要する。この場合、通りの名が、枯れ枝がポキッと折れるあの音のように、迷い歩く者に語りかけてこなくてはならない（後略）

（浅井健二郎訳　ちくま学芸文庫　一九九七年刊）

「わたし」の散策は、まるで日々修練を積み重ねていくかのように、次第にベンヤミンの言う、通りの方から語りかける、そんな瞬間に出会うようになる。レネー・シンテニス通りでの「背の高い人のように目の前に立っていた。誰かの魂が、たぶん死んだ人の魂が、標識に宿った」ような「標識」との出会い。普段行かない本屋で伝記本を見つけたのも、おそらく本の方が呼び寄せたのだろう。子供時代を飛ばしていきなり一九三七年から始まる伝記から、百八十センチの長身の女性だったこと、半分ユダヤ人であったこと、ベルリン映画祭金熊賞の、あのトロフィーの小熊の原作者だったことなどを知る。そして店を抜け出して駆け出す玩具屋の木馬に導かれるように、広場の真ん中に立つブロンズの子馬の像を見つける。伝記の中の作品と重なり合う。英雄像を祭り上げる時代にあって、人間味あふれる像への共感が伝わってくる。

女性彫刻家を名付けた通りがもう一つ登場する。コルヴィッツ通りだ。反ナチ、貧民や労働者に寄り添った彫刻家——私はかつて観たケーテ・コルヴィッツ展で、メッセージ性の強い作品に辟易したことを告白しなければならない。感動するのが当たり前と言わんばかりに設えられた展覧会場で、沈黙しているしかなかったことも。

通りで「わたし」は子供の幽霊に出会う。栄養失調で、夫であるコルヴィッツ先生に診てもらっているという子供の幽霊は「取り逃がしてしまった」お菓子を必死で探している。けれど子供の飢餓を訴えるコルヴィッツのポスターと入れ代わりに幽霊は消えてしまう。飢えた子供たちそれぞれの個性を消し去り「ドイツの子供たち」という名前を与えたポスター。そして「祖国のために」戦場に送り出した息子を失ったコルヴィッツが、晩年に悔恨の果てに生み出した「ピエタ」像。一人の母親ではなくマリアにしたのだった。全体主義的な感動の気配を感じて少し距離を置く「わたし」の視線に、私も救われたのだった。

反ナチ活動家をモデルにした芝居をする高校生たちにも危うい愛国心を見る。あるいはドストエフスキーの「賭博者」を上演する人たちに西側社会の戯画を見、スターリン時代に造られた巨大な石の絵本に、兵士たちの幻影を見る。大きな歴史や正義が前面に出ると、イデオロギーにつながりかねないことへの本能的な嫌悪感だろうか。

一方で終章「マヤコフスキーリング」では時間を跳び越え、生々しい人間関係の中に入り込んでしまう。リングとは輪状になった通りのこと。マヤコフスキーリングは大通りを外れた小さな輪。ここに入った途端、「わたし」の時間や運命は反転したようになる。そしていつしかマヤコフスキーに成り代わってしまう。安定の中に身を置くブルジョア夫婦と革命詩人の、壮絶な三角関係の修羅場に巻き込まれてしまうのだ。そこから飛び出したマヤコフスキー＝「わたし」は、一つの決断を下していた。

それにしても都市にはなんとたくさんの人がいるのだろう。なんと様々な人がいるのだろう。そしてそれと同じくらい、孤独が充満している。不夜城の、多民族の、様々な言葉が行き交う雑踏の中から、ひしひしと孤独が迫ってくる。そこには幻影や亡霊もまことしやかに紛れ込んでいるのに違いない。たぶん「わたし」がそれらを呼び寄せてしまうのだろう。だから他人に託したはずの物語はとりとめもない妄想の連鎖となり、逆に何者かに憑依され、自家中毒を起こしかねないのだ。

本書を一貫して物語的趣向で引きつけているのが「あの人」の存在だ。「わたし」は、喫茶店で、公園で、あてもなく「あの人」を待つ。名前も性別もわからない。本当に約束したのかどうかも定かでない。もしかしたら「わたし」が勝手に作り上げた幻ではないか。都市の孤独が生み出す亡霊かもしれない。そもそも「こんなにたくさんの人がいて、自分の会いたいたった一人の人とは会えるんだろうか」という街なのだから。「あの人」の断片を寄せ集めてみると、おぼろげに輪郭が浮かび上がってくる。そのイメージは物語が進むほどに色あせてくる。それでも当初は待つ時間をいとおしく過ごしていたはずだ。孤独の中の小休止のように「待つ」ことで孤独から逃避していたのではないか。しかし終章、「わたし」は晴れ晴れと「あの人」に決別を告げるのである。どこにも帰属しない、「散策者」を国籍とする「わたし」は、孤独を毅然として引き受けられるのだ。

ところで本書ではとりわけ子供や幽霊がとても印象的で魅力的に描かれている。「子供の幽霊」なんて最高だ。先のコルヴィッツ通りだけでなく、プーシキン並木通りでは戦争で時間が止まったままだった少女が駆け出し、公園や並木道を駆け抜け、かつての東西ベルリンを分けていた壁の間の空白地帯だったところをも駆け抜けて、七十五歳になっているという場面がある。子供や幽霊とは、境界を行き交う移民や散策者に最も近い存在なのではないだろうか。彼らもまた本来ならば、国民言語にとらわれることなく、事物の声を聞き取ることが出来るはずなのだろう。「子供は背後に無限に広がる空間に一歩ずつ踏み込んでいく。未知の空間での冒険がこんな日常的な時間に含まれていることを知っているのは子供たちだけ」なのだから。

『百年の散歩』（新潮社　二〇一七年刊）

第三章　私達は自由よ

表現せずにはいられない

交感するアート
―― 交信を超えて ――

アール・ブリュット／交差する魂
東京・松下電工汐留ミュージアム
二〇〇八年五月二四日〜七月二〇日

本能のままに手を動かし、心に浮かぶことをそのまま表現出来たなら……。子供の頃のように無心になって創作が出来たなら……。誰もがそんな思いに駆られることがあるだろう。正規の美術教育を受け、功成り名を遂げた作家たちが、自ら築き上げた作風を捨てて原初的なスタイルに回帰しようと、さらに途方もなく苦闘する姿を私たちは数多く見聞きしている。その一方で社会規範や教育の枠にとらわれることなく、自由奔放に独自の作品を創り出している人たちがいる。アウトサイダー・アートの作家たちである。

　近年日本でもアウトサイダー・アート*が知られるようになってきた。ヨーロッパでは二〇世紀初頭、精神障害者や幻視者などの作品が注目され、シュルレアリストにも影響を与えてきた。そして一九四五年頃、フランスの画家ジャン・デュビュッフェが、教養とは正反対の、既成概念にとらわれない人たちによる作品を「アール・ブリュット（生《き》の芸術）」と呼んで収集したことから評価が高まった。彼のコレクションはのちにスイス・ローザンヌ市に寄贈され、アール・ブリュット・コレクションの基となっている。

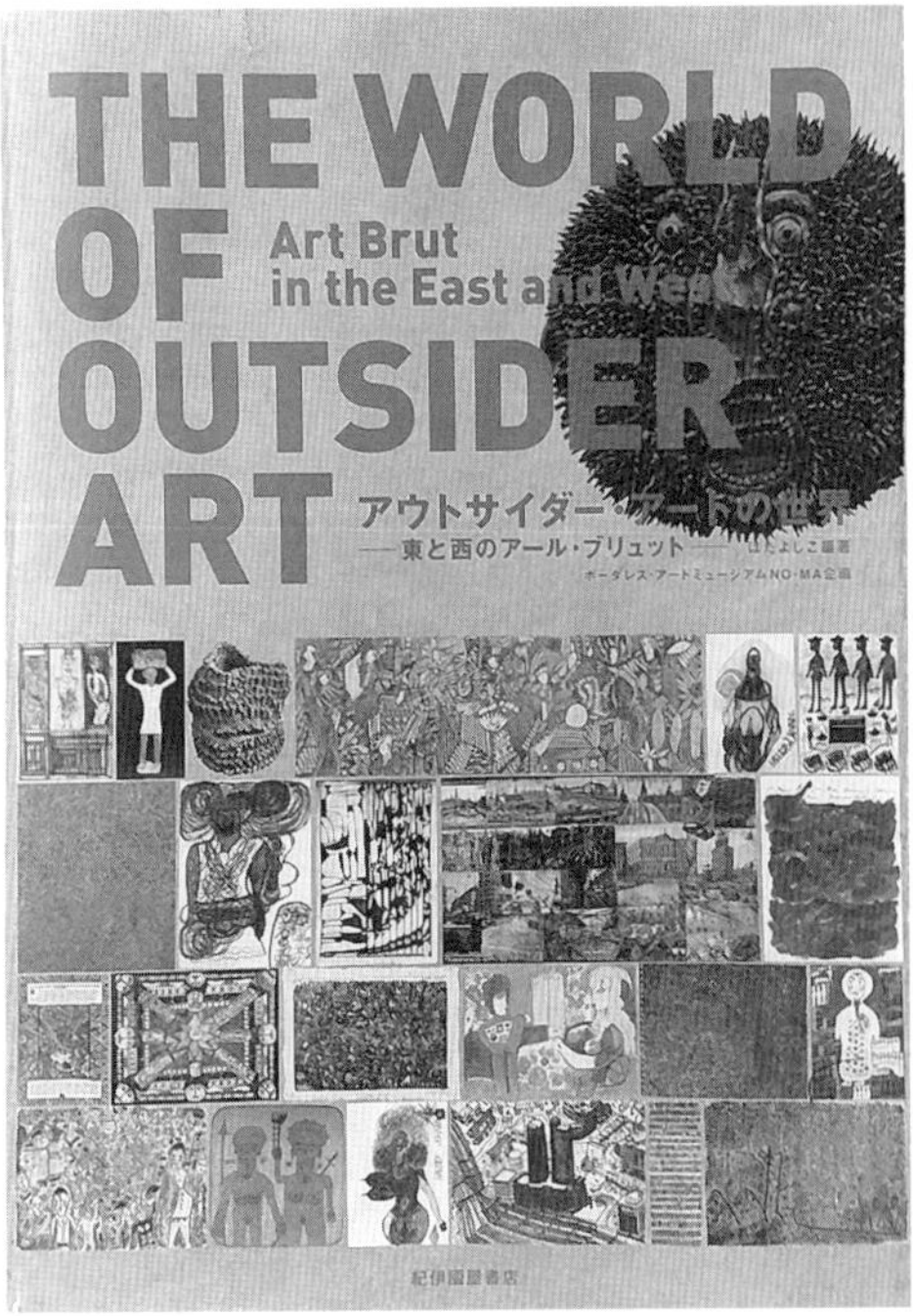

「アール・ブリュット／交差する魂」展　図録表紙

　日本のアウトサイダー・アートの担い手は主として知的障害者である。歴史も状況も異なる東西のアウトサイダー・アートを同一空間に展示した「アール・ブリュット／交差する魂」という展覧会が今年、日本で催された。東西の二十一人の作家を紹介した展覧会の企画者である、ボーダーレス・アートミュージアムNO－MAアートディレクターのはたよしこ氏は「表現したいという衝動」をキーワードに、「その「表現」が洋の東西を越えて人間の共通普遍的な力として立ち現れてくるのではないか。（中略）さまざまな社会的規制の束縛から精神の自由や独創を獲得する人間の奥深い力を、よりリアルに感じることが可能になるのではないか」（本展図録より）と述べている。

その意図は観る者に明確に伝わったと思う。展覧会を観て一ヶ月以上もたった今、私がこうして筆を執っているのも、作品の印象や感動がなお鮮烈に蘇ってくるばかりでなく、その後、展覧会などで作品を観る度「アール・ブリュット展」に引き寄せ、「アウトサイダー」という言葉に違和感を覚えるほどの影響を受けたことを実感しているからだ。

冒頭、私は「子供の頃のように無心になって」と書いた。確かに構図も考えずに地面や画用紙にいきなり絵を描き始めたり、手の動くままに粘土をこね回していた記憶は、アウトサイダー・アートの作家たちの制作態度を想像する上で参考になるだろう。しかし会場に足を踏み入れた途端、どんな児童画展にもあり得ない緊張感を味わう。この緊張感こそが、私をとりこにしたアウトサイダー・アートの魔力ではないかと思っている。

観る者を不躾なまでに正面から見据える人物。強い筆圧で塗り込めたり、エロスをむき出しにした挑発的とも言える人物。五感をふるわせるように引かれたはかなげな描線。目が眩むような角度で描かれた風景。点や何かの形で執拗に埋め尽くされた画面。「生きていくために描いている」そんな彼らの張り詰めた息遣いが直接伝わってくるのだ。一見ほのぼのと見える小幡正雄の作品も、大掃除の度に捨てられてもなお、睡眠時間を削って大量に描き続けてきたと聞くと呆然としてしまう。この繰り返しによって生み出される「量」は、アウトサイダー・アートのひとつの特徴でもある。二十一人の作家を並べるために、たぶん会場設営の関係であろう、この「量」を感じるような展示が出来ていなかったことが私にとって、唯一の不満である。教育や規範による束縛を受けないということは、互いに影響関係を持たないことでもあり、ひとりの作品を観てその息遣いに圧倒され、一息つくと新たな緊張感を味わうことになる。そもそも自らの表現したい衝動に突き動かされている作家たちは、その感情をオブラートにくるむようなことはしない。優しく語りかけ、包み込むような「癒しのアート」などとは全く別のものなのである。

それにしても「観る側を全く意識しない作品」に対して、私たちはどう向き合えばよいのだろうか。抽象であれ具象であれ、私たちは作り手と観る側とが、何らかの交信をするという前提で観ることに慣れている。作家の気持ちを汲み取ること、それなりに納得することで気持ちの安らぎを得ていたように思う。ところが、ラファエル・ロネや、没後大量に作品が発見されたマッジ・ギルのように交霊術に導かれて作品を作り続けた人たちの視線は我々の向こうまで突き抜け、未知の世界へと向かって行く。観る者は視線の方向を見失い、とまどいを覚える。「五億九〇〇〇年前プレカンブリアの海で生を授かる」と自ら記す坂上チユキは、鉱石を散りばめたり、リズミカルに細やかな点を描き込んだりして、途方もない時間をかけて作品を紡ぎ出す。息をのむように美しい世界は、しかし他者とは決して共有することのない独自の時間と空間であり、とてつもなく広く大きい。観る者は無限の世界に放り込まれた気分になる。アートが作り手と観る側との交信の手段という概念は、実はどちらもインサイダーであるという思い込みのもとに成り立っているのではないだろうか。

喜舎場盛也のように、文字という最も直截的な交信手段を用いながら、全くその役割を行使しない作品もある。彼は文字の造形的な魅力だけに惹かれて紙を埋め尽くす。しかし喜舎場が内に向かおうとすればするほど、私たちは吸い寄せられるようにその内部に向かおうとしてしまう。斥力と引力とがせめぎ合うような緊張感がそこに生まれる。引力とはもちろん、作品そのものによる「感動させる力」である。

ここまで私は驚きや意外性を強調し過ぎたかもしれない。しかし、デュビュッフェが美的センスをも評価して収集したアール・ブリュット・コレクションの選りすぐりの作品はもちろん、日本のアウトサイダー・アートも生来の芸術的感性や器用さを窺わせるものばかりだ。それが周囲の理解や環境と相まって、アートという表現方法を得た幸運に、私たちも感謝しなくてはならないとさえ思う。例えば鳥のような視線を持った辻勇二の風景画は、まさに近世の洛中洛外図や江戸鳥瞰図を彷彿とさせるし、「日記」と称して無造作に綴じられた戸来貴規の作品は、知的で無駄のない白黒の抽象世界を現出する。極めつけは澤田真一の陶芸のオブジェだ。無数のとげとげのひとつひとつが呼吸しているような、ユーモラスで生き生きとした架空の動物は、そのまま抱きかかえて持ち帰りたいと思わずにはいられなかった。

これらはいずれも抽象のための抽象ではない。一度身につけた写実表現を捨てて、抽象へと向かう作家たちとは大きく異なる点だ。何かを見て、あるいは内的な物語や記憶を表現するための手段であり、それが何らかの感動として観る側に伝わる作品こそが、結果としてアートとなったのである。

日本のアウトサイダー・アートは社会福祉運動と深い関わりを持ってきた。歴史あるローザンヌのアール・ブリュット・コレクションが日本の作品を評価し始めたことに対して、長く福祉現場に携わり、かつアートにも造詣深いNO－MA管理者の北岡賢剛氏は、「この展覧会が福祉的な観点から論じられるのはまったくの的はずれだと思いますが、美術という常識に当てはめて議論をされるのも、どこか不自由さを感じてしまいます。」と、とまどいを隠さない。その上で、以下の言葉は非常に示唆に富む。「福祉や美術の枠を取っ払い、感動する作品に対して、伸び伸びと、そして自由に発言出来たらと考えています。」（本展図録より）

ジャン・デュビュッフェのアール・ブリュットについての定義は、実に精緻で論理的である。まだアウトサイダー・アートになじみの薄い私は、時々、その定義を反芻する。一方でアウトサイダー、インサイダーの概念が曖昧になりつつあるのも事実だ。それで良いと思う。そうなるべきだと思っている。表現したい衝動によってのみ作られた作品は、時に残酷なまでの毒や狂気も発散する。しかし、インサイダーであると信じ切っている私たちの内なる狂気と感応する時、それは決して居心地の悪いものではないと感じるはずだ。

＊「アウトサイダー・アート」とは「アール・ブリュット」の英語圏での呼称である。私たちは二〇〇九年の游文舎などでの展覧会以降、すべて「アール・ブリュット」という用語を使用しているが、この展覧会の副題が「ローザンヌ　アール・ブリュット・コレクションと日本のアウトサイダー・アート」である通り、当時の日本ではアウトサイダー・アートの方が流通していたので、そのまま掲載した。またこの時の図録（はたよしこ編著）のタイトルは「アウトサイダー・アートの世界」で、副題が「東と西のアール・ブリュット」であった。

〝抽象画〟が出来るまで

無心の表現者たち

游文舎・ギャラリー十三代目長兵衛・キッチンぽてと
二〇〇九年一〇月一七日～一一月一日

《工具とポットと瓶とカード立》2006年　54.5×79.0cm
パステル　ワトソン紙

「無心の表現者たち」展のために送られて来た、舛次崇さんの絵を開梱した時の衝撃は忘れられない。最初に開けたのはチラシやポスターに使った《まつぼっくりとやかん》（口絵iv）。完璧な構図、奥行きのある美しい余白、禁欲的とも言える青の使い方——これが偶然の所産でないことは、次々と開けた作品のいずれもが証明してくれた。会期中、観客や主催者を驚嘆させた要因もこの三点に集約出来る。そして、多くの人が〝障害者の〟という冠が不要なことを口にした。

舛次さんは重度のダウン症である。文化人類学者の中澤新一氏はダウン症の人たちの作品を「アール・ブリュット」と区別して「アール・イマキュレ（無垢の芸術）」と呼ぶ。確かに穏やかで、挑戦的なところや、不安感や、切迫感はない。それでは空間を意識した緊張感ある構図や、節度ある色の選択の、拠ってくるところはいったい何なのだろうか。たとえば《にわとり》の、画面を対角線に区切って迷いなく描かれた鶏。あるいは《流木と鳥》の、上部に大きく描かれた木と、下方の鳥たち。極めて静的で力強い。背景は塗り残しではない。輪郭線と空間を再確認するかのように消しゴムで消していく。こうして背景にも〝時間〟と〝空気〟が与えられ、存在感のある余白が生まれる。

舛次さんは決して抽象画を描こうとしているのではない。しかし目の前の〝もの〟は、瞬時にその意味を剝奪され、三次元性も無視され、大胆な面となる。《工具とポットと瓶とカード立》では、ぐいぐいと黒く塗りつぶしながらも、なお残された白い面と絶妙なバランスを保ち、さらに青い大きな台形といくつもの小さな矩形がリズミカルに並ぶ。すべてが幾何学的な画面を横切る、波打つ青い線が豊かで奥行きのある空間を創り出し、観る人の想像力を駆り立ててやまない。

創作とは畢竟、いかに孤独と向き合うかであると思う。生来のコミュニケーションの不全を負わされた舛次さんが、穏やかに、無心に描く作品の前に私たちは立ち尽くす。まるでそこに私たちに欠けているもの、失ってしまった何かを見つけ出そうとするかのように。

舛次崇さんとの〝再会〟

アール・ブリュット展in上越

上越市・ミュゼ雪小町
二〇一五年七月六日～七月三一日

上越市で開催中の「アール・ブリュット展in上越」を観に行く。一番のお目当ては六年前「無心の表現者たち」展で游文舎会場を飾った舛次崇さんと三橋精樹さんだ。楽しみだが、少し緊張もある。何しろ六年前の展示作業で作品を開梱するなり、強烈に打ちのめされたからだ。創作とは何か。自分はこれまで何をしてきたのか。やがてそんな問い自体が無意味に思われるような脱力感に襲われた。私ばかりではない。会期中、多くの人が驚嘆していたが、とりわけ作家たちに与えた衝撃は大きかった。中にはしばらく筆を持てなかったと打ち明けた人もいた。

さて、会場に入るとほどなく、舛次さんの作品を見つけた。四点だけだったが、大胆で伸びやかな構図と、心憎いばかりの色使いは遠くからでも観客の目を、いや心を引きつけるのだ。私が特に好きなのは背景だ。ぐいぐい描かれた色面の輪郭を確認するように消しゴムで消していくと、何とも味わいのある余白が現れる。消すことで画面に〝時間〟を与えるのが舛次さんなら、ひたすら鉛筆で塗り重ねて〝時間〟を刻み込んでいくのが三橋さんだ。日常の風景や日々の雑感が幾層にも重なって異様な世界を創り出してしまう。

でも、心構えができていたおかげで、二人の作品には懐かしいような気持ちで向き合えたが、やはりそれだけではなかった。西田裕一さんの繊細にしてリズミカルな黒い線描画に息を呑む。漫画が好きで、それを見たままに描こうとしたものが、結果、完璧な抽象画になっている。思わず「羨ましい」と呟いてしまった。藤岡裕機さんの、極細に切った紙はまさに〝カミワザ〟だし、美濃部責夫さんのカラーボールペンでこつこつと埋め尽くした絵の完成度の高さにも言葉を失った。その集中度、純度、密度。そしてこれで終わり＝完成という瞬間を本能的に知っているようなものすごいアーティストたちだ。

私達は自由よ

岡上淑子『はるかな旅』作品集出版記念展
東京恵比寿　LIBRAIRIE6
二〇一五年四月二一五日〜六月一四日

岡上淑子《おかのうえとしこ》という作家と作品を知ったのは二〇一三年「〈遊ぶ〉シュルレアリスム」展（東京・損保ジャパン東郷青児美術館）においてであった。一九五〇年代の、わずか六年間の活動期間に制作されたフォト・コラージュ作品である。もっとも創作に対する姿勢などから「作家」とか「活動」といった言葉はふさわしくないかもしれない。全く自発的に作っていたコラージュが瀧口修造の目にとまり二回の個展を開いたが、結婚を機に創作活動から離れたという。

アメリカのグラフ誌などから切り貼りされたそれらは、焼け跡のような平原に、どこか欠損した女性や、抜け殻のようなドレスが浮遊していたり、人体の一部や動物や椅子が、比例や遠近を無視して忽然と現れたりする。瀧口の知遇を得て、書斎でエルンストの作品を見せられ決定的な影響を受けたというが、もともと「シュルレアリスム」を知らず、ましてエルンストの作品など未見で始めたものが、驚くほどの類似を見せていたのだった。

展示されていたのは七、八点だけだったが、洗練された構図、手際の良さ、タイトルに見られる鋭敏な言語感覚など、その資質に目を瞠った。しかしわずかな解説からは、今なお新鮮な作品が生み出された背景とはどのようなものだったのか。なぜそこまでシュルレアリスムと通底するのか。今、再び光が当てられているのはなぜなのか。そんな疑問も抱き続けることになった。

岡上淑子作品集『はるかな旅』
（河出書房新社　2015年刊）

そして今春、作品集『はるかな旅』が刊行された。早速入手し、頁を繰る。《郷愁の罠》《刻の干渉》《沈黙の奇蹟》……意味深長なタイトル同様、わずかなモチーフの大胆な組み合わせが白昼夢のような光景を生み出す。《記憶への道》は、所々発火したような鉄路に白いドレスの女性が立っている。《孵化》では、田園風景を背に、二つの卵を抱いて斜めに横たわる女性の、頭部は蝶だ。《密猟》では、密林の枯れ木の先に鳥やドレス、そして銃を持った手が覗く。瓦礫や戦場など、背景の多くが戦後間もないことを示しているが、だからこそ華麗なドレスをまとった女性たちが自由にして、どこか孤独で謎めいている。

当時の岡上の「私とコラージュ」という文章が再掲されている。その書きぶりは、自ら切り取った女性たちが、「私達は自由よ」と羽ばたいていくのを、戸惑いつつ、他人事のように見送っているようだ。岡上を〝再発見〟した写真史家の金子隆一氏の後書きに注目したい。

（どうやって作るのか聞いたところ）「できるんです」であった。「作る」のではなく「できる」のである。（中略）非・構築的な表現は、それ自体として語られるのではなく、それを受容する回路を含めてとらえられなくてはならないはずである。

五月半ば、出版記念展が開催されている東京・恵比寿のLIBRAIRIE6を訪れた。ギャラリーを主宰されている佐々木聖さんも岡上の作品に〝感応〟した一人といってよいだろう。オリジナルを見て、作品の精度と鮮度にまず驚嘆する。構成だけではない。エルンストのコラージュがそうであるように、六十年を経ても、糊の変色も剝がれも見られないのだ。

この日は巖谷國士氏のトークも行われた。「〈遊ぶ〉シュルレアリスム」展の監修者でもある。

巖谷氏はまず、シュルレアリストと、岡上が同じ基盤を持っていること、即ちシュルレアリスムが第一次世界大戦で荒廃したヨーロッパで生まれたように、十七歳で敗戦を迎えた岡上が、同じような体験をしていることを挙げる。大惨禍を眼前にして、西欧近代合理主義への懐疑が、ルネサンス以来の遠近法や解剖学からの解放をもたらしたように、岡上の作品もまた、従来の絵画構成からはほど遠い。さらにもとのイメージは換骨奪胎され、全く新たなイメージを生み出すことや、世界のどことも特定できない風景になっていること、しかもメッセージ性を持たないこと等々、次々にエルンストのコラージュとの共通性を指摘する。また背景を持ち、地平線があることは、チェコを代表する女性画家・トワイヤンが執拗に地平線を描いたことを想起させる、とも。

そして巖谷氏が最も強調するのが「作る」のではなく「できる」ということ。これはほとんどオートマティスムに近く、エルンストもまた「自分は観客のよう」と言っていた、という。(良い意味で)巧みになろうとすることもなく、いわば原石のままで、それが一貫性をもたらしているのだという。

憧れが満載された、日本にはないような美しいグラフ誌を、惜しげもなく切っていく行為は、私にボフミル・フラバルの『剃髪式』の女主人公・マリシュカを思い出させる。舞台は第一次世界大戦直後の、オーストリア＝ハンガリー帝国が崩壊して誕生したばかりのチェコスロバキア。新しい時代の若き母、フラバルの母親をモデルにした一人称小説だ。マリシュカはそこで長いスカートを膝丈まで切り、チェコの象徴とまで言われた長い髪をばっさりと切り(愛犬のしっぽまで切るという大失敗もするのだが)、さっそうと自転車に乗る。岡上はマリシュカほど行動派ではないが、旧来の価値観を断ち切り、少しばかり背徳の匂いをまとい、しかし自然体で潔い姿を重ね合わせてしまうのだ。そして共につぶやいていたに違いない。「私達は自由よ」と。

蟻塚のように

関根哲男展「原生」
南魚沼市・池田記念美術館
二〇一七年五月三日〜六月一二日

短く切った生ゴムを一本一本植え込むようにして作られたパネル。一九九二年の作品だ。数年後、夥しい数の布の細片を貼り重ねバーナーで焼いたものが出現する。さらに位牌や雑誌やズボン、荒縄などが登場する。

五月三日から南魚沼市の池田記念美術館で「関根哲男展」が開催されている。ちょうど四半世紀にわたる関根さんの回顧展である。游文舎で毎年定点観測のように観てきたのだけれど、こうして一堂に並べてみると改めてその集積行為に圧倒される。ひたすら切る、バーナーで燃やす、泥をかけるなど作業は一見暴力的だが、実に忍耐強く、思いがけない技巧も凝らしている。ただしそれは小手先のものではないし、職人的な精緻なものとも異なる。例えばズボンや荒縄を組み合わせたパネルの、切り込まれたような線は、縄を埋め込むようにしながらさらに集積を重ね、最後にその縄を切り取って作られる。そうでなければあの荒々しさや重量感に耐えられる線は生み出せないからだ。

初日には珍しく（個展としては初めてという）自身によるギャラリートークも行われた。この中で関根さんは「作業・営為・行為そのものを表現としてきた」「意味のない、無駄なことの集積」と繰り返す。「蟻塚のように」という言葉が印象的だった。ゴム、化繊布、綿布、段ボールなどの素材そのもの、位牌や雑誌やズボンといった具体的な用途を持った既製品等、扱う材料は変化しているが、いずれもありふれたものだ。しかしいったんそれらが心に引っかかったとき、まるで取り憑かれたように執拗に、徹底的に使い、もの本来の意味が剝奪されるまで続くのが関根さんの作業なのだ。理由などない、理屈ではない、ひたすら目の前にあるものと闘い続け、それこそが生きることであるかのように。

かつて関根さんとガルシア＝マルケスの『百年の孤独』のラストシーンについて語り合ったことがある。近親婚によって豚のしっぽを持つ奇形の子供が生まれて一族は終焉を迎え、同時に暴風が街を一網打尽にしてしまう。街の歴史も一族の歴史も一瞬にして無に帰してしまう圧巻の終わり方に舌を巻いたものだった。それからほどなくして関根さんは豚のしっぽのように、筒状にして両端を絞った布を貼り付けた何枚ものパネルを作り、巨大な作品を生み出してしまった（口絵iv）。あの鮮烈なラストの、イメージだけが増殖し、いつしか関根さんの行為と一体化してしまったようだ。ラテンアメリカの熱気や、マルケスのとんでもない想像力に、一歩もひるまずに立ち向かっていたとしか思えない。

それにしても「無意味な行為」であったはずの作品が「集積」を通して、様々なイメージを抱かせるのは事実だ。そしてシチュエーションによっても多様な表情を見せる。掛けられた時間と密度が、観る者をして何か意味を見出そうという行為に駆り立ててやまない。それぞれは無名の人々の、徒労とも言える生が集積したとき、歴史の偶然や大きなうねりを生み出してしまうことを想起させる。不謹慎にして厳粛、不敵にして崇高なのだ。

地球の西の果てで

エマ・マリグ《アトラスの哀歌》
大地の芸術祭　越後妻有アート・トリエンナーレ
二〇一八年七月二九日～九月一七日

三年ぶりの大地の芸術祭。事前の広報も毎回大がかりになり、評判のスポットに人出が集中する。私も限られた時間の中でどうしてもそうした場所を優先してしまうが、あまり取り上げられていない《アトラスの哀歌》だけはなんとしても観たいと思っていた。

作品は十日町市中条地区の高龍神社にある。鎌倉時代に創建された龍を祀る神社で、地元では雨乞いの神として厚い信仰を得ているという。羊草が浮かぶ池を眺めながら、参道の緩やかな坂を上る。沿道の杉の大木が日差しを遮り、ひんやりとした空気に包まれている。坂を登り切った所にある社殿の中に、その作品はあった。訪れる人は稀だ。けれど期待を裏切られることはなかった。

幾層かの球体が和紙や薄い布で覆われ、描かれた木や舟、文字が光の中に浮かび上がる。民族楽器だろうか、ゆったりとした音楽に合わせて、地球が自転するように静かにゆっくりと回転している。作者はエマ・マリグ。一九六〇年チリに生まれ、十七歳で亡命し現在はフランスに住む。情報はこれだけだ。

回転しながら光に浮かび上がる文字を、一文字一文字追うようにガイドマップの片隅に書き写す。〈DESTIERROS〉〈LAMENTI〉〈PASO DEL ESTE〉〈PASO DEL MARES〉……。それぞれ追放、哀歌、通り過ぎる、海の上に、といったところだろうか。国を追われること、流浪することについての切れ切れの言葉なのだろう。

チリでは、一九七〇年、世界で初めて民主的な選挙で社会主義政権が誕生した。しかし三年後、ＣＩＡの介入などもあって、クーデターが起こりピノチェト将軍率いる軍事政権が誕生した。このとき多くの人々が処刑され、百万人もの人が国外へ亡命したという。半世紀近くが過ぎてもなお記憶に鮮明なのは、ホセ・ドノソやイサベル・アジェンデらチリの作家の小説による追体験のせいかもしれない。

もっとも私はアジェンデについては映画「愛と精霊の家」を先に見てから原作『精霊たちの家』を読んだところ期待外れで、途中で放り出してしまったのだが。もちろん資質や力量にもよるが、アジェンデ大統領の一族であり、実際に革命を目の当たりにしていたアジェンデの場合、

《アトラスの哀歌》

映画ならその臨場感が生かされただろうが、文学として深めるには時間も距離も近すぎたのかもしれない。一方ドノソは当時スペインにいて、もともとは政治的な小説を書く人ではなかったのだが、祖国の政情に矢も楯もたまらず『別荘』を書いている。複雑な比喩で軍事政権をアレゴリカルに描いたフィクションが、果たして弾圧下の国民の共感を得られたかどうかは疑問だが、時を経て、国境を越えても、人間の狂気、民族や文化の軋轢など、様々な読み取りが可能な作品となっている。とりわけ異様なのは大人たちがハイキングに出かけた一日の間に、残された子供たちは怒濤のような一年間を体験しているというストーリーだ。祖国の急変は、傍観者と当事者との間にそれくらいの時間感覚の差違を生み出しているということだろうか。

エマ・マリグの作品にはまさに「静謐」という言葉がふさわしい。そこからしみじみと哀しみや故郷へのノスタルジーが伝わってくる。少女期にクーデターに遭遇し、思春期に亡命をした作家にとって、その後の四十年余りとはこうした体験を咀嚼し、世界に目を向ける時間でもあったのではないだろうか。ゼウスとの戦いに敗れ、世界の西の果てで天空を背負わされたアトラスに寄り添うように、地球のほころびを丹念に繕いながら、自らと同じ運命を強いられた難民たちに思いを馳せる。国境を越え、宗教を超えて、神社という空間に融合しているのも、作家の立ち位置のなせる技だろう。

寓話というリアリティ

川田喜久治　百幻影
東京品川・キャノンSギャラリー
二〇一八年八月三一日〜一〇月一一日

川田喜久治氏の写真を初めて見たのは二〇一〇年春、新潟県立近代美術館で開催された「日本の自画像」展だった。原爆ドームの壁の〝しみ〟に戦争という暴力を幻視した《地図》シリーズ十数点は、その会場で異彩を放っていただけでなく、これまで見てきた多くの原爆写真とも全く異なっていた。白黒の、人のいない不在の風景や、剥落しかけた壁面が、なんとも心をざわつかせ、脳裏に焼き付いて離れず、その後ずっと壁面の〝しみ〟が私の中で広がり続けていくような感覚にとらわれることになった。

一九六五年に刊行された写真集『地図』を游文舎で発見したのはその直後のことである。故・

小谷寛悟さんの蔵書に含まれていたのだった。工芸品のような装幀だけでなく、写真の配列にも創意を凝らし、暗黒の時代のメタファーとして観る者に直接訴えかける仕掛けになっていた。

　実際の写真と、写真集とが相まってできる川田喜久治氏の世界について「北方文学」第六十四号（二〇一〇年一〇月発行）に寄稿したものが、本書冒頭の小論「写真の想像力」である。少し後になって知人の紹介で、川田氏に同誌をお送りしたところ、礼状と当時撮影していた《ワールズ・エンド》シリーズが掲載された雑誌をお送りいただいた。そこにはカラー写真も交えて、めまぐるしく移り変わる視線の移動を伴う喧噪の街や人、ビル群を捉えた都市像があった。写真集『ラスト・コスモロジー』はじめ、写真集『地図』以降の写真も少しは見ていたものの、なお《地図》の、地を這うような執拗な視線にこだわり続けていた、自分の狭い知見や思い込みに恐縮しきりだったのだが、一見賑やかな世相を捉えたかに見えるそれらの写真に

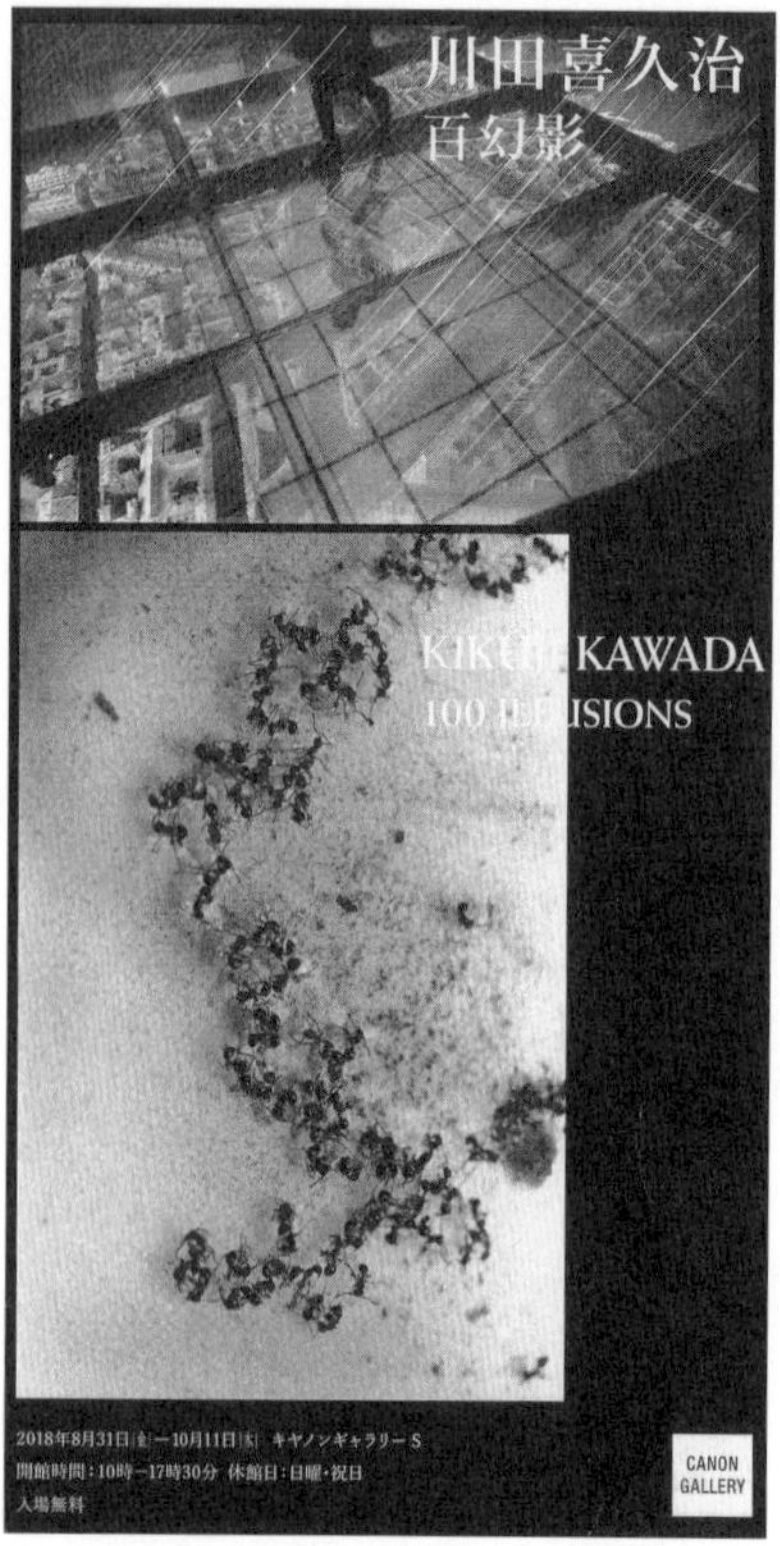

も《地図》に通底するものが確かにあった。見るものを挑発するような様々なビジョンの交錯と、そこから生れる不穏な気配だ。このときの写真は、自分で車を運転しながら撮影されたものだという。運転と、シャッターチャンスという二重の緊張感が、意識と無意識をシンクロさせ、人間の固定概念を揺さぶるものとなる、そんな新たな挑戦も知った。

さて、先日東京品川のキャノンSギャラリーで開催された「川田喜久治 百幻影」展を見る機会を得た。一九六〇年代後半からの《ロス・カプリチョス》シリーズと《ラスト・コスモロジー》シリーズを中心に新作を加えた百枚により、半世紀の軌跡を辿るものである。

会場を一見すると、ばらばらなほどのテーマやモチーフに戸惑いそうになる。しかも配列はそのばらばら感をなお一層増幅させているように見える。天体写真と都市の写真が並び、風俗もあれば日の丸もある。時折強烈なカラーが混じる。その一枚一枚にも複数のイメージが重なり合ったりしている。写真集『地図』にも見られた、かけ離れた組み合わせにより意想外のイメージを生み出すデペイズマン的な配列と思われるが、その振幅はさらに大きくなっている。「生と死」「天と地」「聖と俗」あるいは「日常と非日常」といった双極のイメージが混在し、違和感をもたらし、ざわざわと胸騒ぎを覚えるのだが、所々に既視感のある光景や日付が楔のように配され、次第に様々な声が響いてくるのに気づくのだった。

川田喜久治氏の経歴については前掲「写真の想像力」に書いたとおりである。独自の視点と様々な手法を駆使し、「地図」「聖なる世界」「ロス・カプリチョス」「ラスト・コスモロジー」「ワールズ・エンド」等の個展や写真集で、イメージに訴える作品を撮り続けている。
《ロス・カプリチョス》は、「気まぐれ」と訳されているフランシスコ・ゴヤの同名の版画集に影響を受けて撮られたものである。それにしてもゴヤの、妄想とも幻想ともつかぬ寓意に満ちた画面が乗り移ったような写真などあり得るのだろうか。愁いを帯びた表情で日の丸の鉢巻きを締めた青年、股間に地球儀を挟む裸体の男性、公園に広げられたうつぶせの裸婦のポスターなど、時にはだまし絵のように、猥雑にして刹那的な画面に複数のイメージが混在し、生と死とエロスがない交ぜだ。ハイアートとローアートを自在に行き来したゴヤの想像力を思わせる。

一方、《ラスト・コスモロジー》は日食や月食や彗星等の天体や、雲の動きなどの天空の事象に、それを受ける地上の光景を織り交ぜたものだ。だが「ラスト」とつけられているとおり、日食の太陽は二度と戻ることのない終末の太陽を思わせ、むくむくとした雲はレオナルド・ダ・ヴィンチの《大洪水》を連想させる。そして地上にも嵐の予感がする。

《ワールズ・エンド》や《ロス・カプリチョス》では都市のカオスを写し出し、《ラスト・コスモロジー》では人智を超えた自然現象を捉える。後者にあってもゴヤ同様、夢や眠り、幻想など言葉では説明できない非理性的なものへの崇敬を見ることが出来る。ただし決して個人的な感傷に堕してはいない。氏の視線は、凝視の内に偶然性も取り入れながら、現象の深層にある人々の無意識的な夢や幻想をすくい上げ、日常と非日常のあわいで蠢く人間や自然をあぶり出していく。それは《地図》がヒューマニズムに訴えるのではなく、人間の根源的な暴力性を暴き出した視点以来一貫したものだ。

会場全体を追っていくと、年代が錯綜しそうになる。未視と既視が混在しそうになる。都市は崩壊と再生を繰り返してきたのではないか。歴史は何度も終焉を迎え、今ある現実とは幻想なのではないか。《昭和最後の太陽》は、濱谷浩が終戦の日に撮った《終戦の日の太陽》と重なって見える。一九六八年福島で撮られた《溶融物質》にはぎくりとさせられる。そして二〇一一年三月十一日の東京の《朝焼け》。この日の朝の空を気にとめていた人など他にいただろうか。歪みそうな時間を歴史の時間に立ち返らせるのが二〇〇一年九月十一日以降毎年この日に撮影しているという東京の写真だ。氏はおそらく本能的にこの日にシャッターを切るようになったのではないか。二〇一一年のこの日、東京の空を写した写真に、ミケランジェロの《最後の審判》のキリストや聖人たちを浮かべてみたくなるのは私だけだろうか。

日光東照宮を撮影した「日光―寓話 NIKKO–A Parable」展で、氏はこのバロック的な空間に、日本人の心理的な深淵をかい間見、「寓話というリアリティ」を見出している。逆説的な言い方だが、ゴヤの版画の寓意が実は時代を超えた革新性を持っているように、寓話がいつしか事実を超えることもあり得るのだ。あるいは幻視というリアリティと言い替えてもよいかもしれない。集団の夢や幻想がいつか現実となる日が来ないとも限らない。そんな予見を抱かせる氏の写真こそ、現実を切り取るはずの写真と逆行する、パラドックス以外の何ものでもないのだ。

未完の「廃墟の美術史」

終わりのむこうへ：廃墟の美術史
東京・松濤美術館
二〇一八年一二月八日〜二〇一九年一月三一日

ピラネージにユベール・ロベール、ポール・デルヴォー、片や日本の野又穫や元田久治――「廃墟」といえば真っ先に思い浮かぶこれらの作家たちが一堂に会するらしい。これは見逃すわけにはいかないと思いつつ、ようやく観ることが出来たのは最終日だった。案の定カタログは完売だった。コンパクトにまとまった、静かな落ち着いた展覧会であった。それもまた「廃墟」がもたらすのであろう。しかしそれだけではない。どこか既視感がある。作品はすべて国内にあるものばかり、しかも別々のテーマ展で観たものも多数含まれている。もちろんそれでがっかりしたということではない。ピラネージもデルヴォーも何度観ても見飽きることなく、その都度発見させられることもある。

やはり国内にある作品ということで、日本の作家についてはこの人まで廃墟を描いていたのかと思うほど、よく集められていた。亜欧堂田善や歌川豊春に始まり、藤島武二や難波田龍起、シュルレアリスムの作家たちを経て、大岩オスカールや野又穫、元田久治といった現代画家まで見比べていくと、日本の廃墟の「捉え方」の系譜が一望できる。すなわち、西欧の廃墟画のイメージを借りたり、海外で見た廃墟を写生したり、といったことから始まり、現代では、ほとんど空想的な崩壊感覚、あるいは未来の終末的な光景として描かれているのである。

ここで見えてくるのは、廃墟の持つ歴史的時間感覚の決定的な欠如ではないか。紀元前からの石の建造物が遺る西欧と違って、日本には廃屋こそあれ、廃墟の歴史は皆無と言ってよい。少年期に敗戦を体験した建築家・磯崎新は「廃墟とはすぐれて西欧的な概念である」とし、その異質性を自覚しつつ、焼け野原の「空虚」を「廃墟」と結びつけ、「建築」がそもそも内包する「廃墟」を見据えながら建築家としてスタートした。廃墟ブームと言われる昨今だが、大岩も野又も元田も、震災後の茫漠たる荒野を連想させたり、未完の巨大な建築物や現存の都市を崩壊させているのだ。シャトーブリアンは廃墟を「時の仕業」と「人間の仕業」に二分し、後者には前者のような「特殊な美」がなく虚無的なだけだと言っている。シャトーブリアン流に言えば、日本では「人間の仕業」としての廃墟の方がイメージしやすかったということだろうか。それも、都市や建造物が巨大になればなるほど、まるで臨界に達したかのように綻び、崩壊していく様は、何

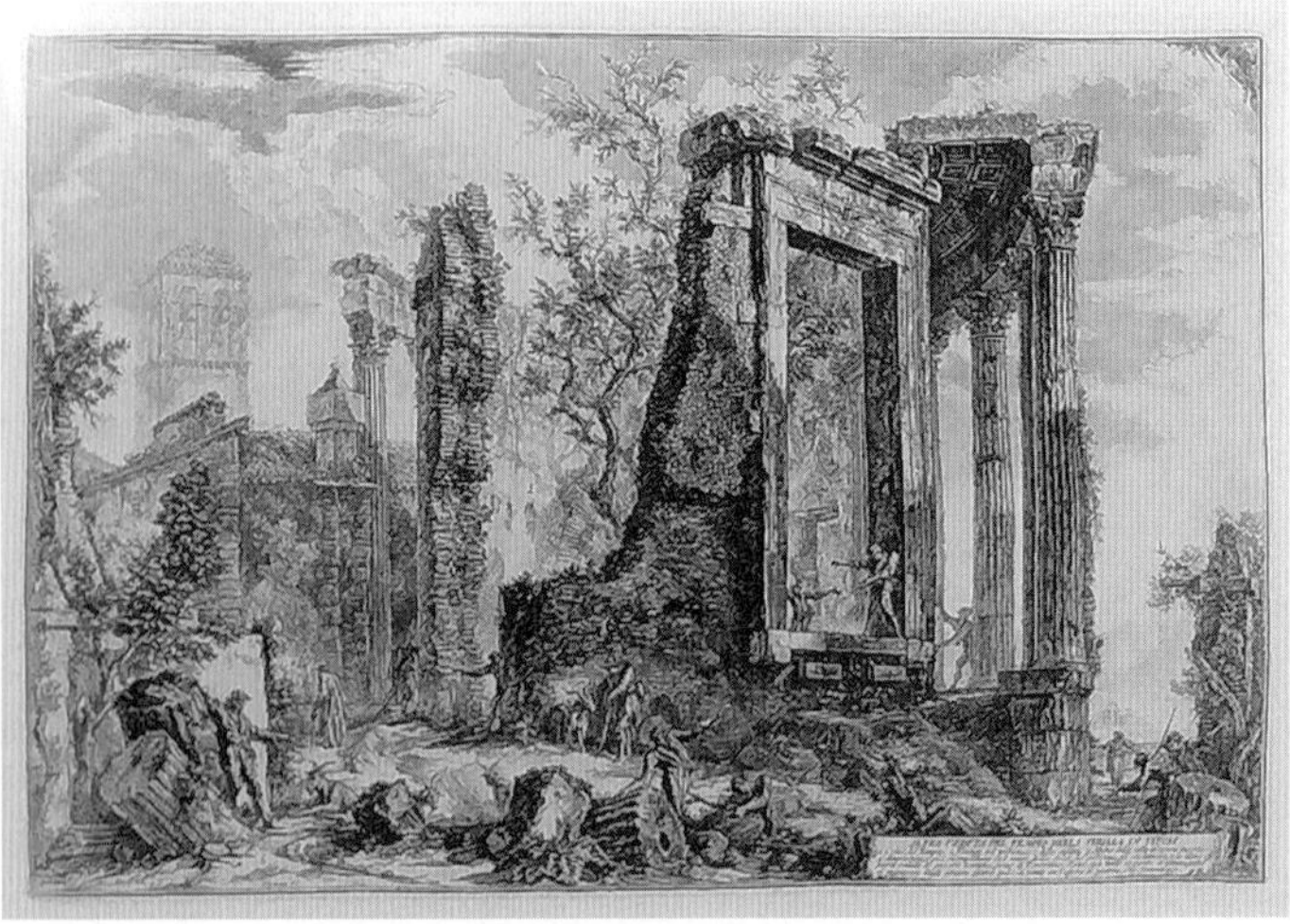

ジョヴァンニ・バッティスタ・ピラネージ《シビラの神殿、ティヴォリ（背後から）》
（『ローマの景観』より）1761年　銅版画

かしら予兆的で不気味でさえある。

　一方、廃墟の歴史や時間を体感してきた西欧では、廃墟画の歴史も古く、表象としてだけでなく、内面的に深く掘り下げられ様々に展開させてきた。前述の通り、別の切り口で観てきた作品が多いということは、それだけ廃墟のとらえ方も多様だということでもあるが、今展ではその多様性のままに拡散し、枝葉はすべて中途半端なところで断ち切られている感が否めない。国内作品に限られていることの限界でもあるが、「廃墟の美術史」と銘打っているからには物足りなさを禁じ得ない。期待していたユベール・ロベールはチラシ掲載の一点だけだったし、時代的には二〇世紀は、デルヴォー以外はマグリットとキリコが一点ずつで、こちらも日本とのバランスを欠く。

不染鉄の作品は廃墟ならぬ《廃船》（一九六九）だ。画面上部に巨大な赤錆びた船、下方に貧しい民家の家並み。直接の影響関係は不明だがカスパー・ダーヴィト・フリードリヒの《氷海》（一八二三〜二四年頃）を思い出す。フリードリヒは時代の裂け目をのぞき込み、自らの孤独を託したような廃墟画を描く、やはり重要な作家だ。また元田久治の、植物が繁茂し始めた国会議事堂の鳥瞰図など、ジョセフ・マイケル・ガンディを連想せずにはいられないし、野又穫や元田久治の想像世界が巨大化するほどに、ジョン・マーティンの作品を見たくなる。また、彼らと同時代の、即ち現代の海外作家の「廃墟」と並べてみたい。これらの作家の出展は、ない。

私にとってはそうした未完の展覧会ではあったが、改めてピラネージの圧倒的な存在感、真の廃墟の作家たるところを感じる展覧会となった。『ローマの古代遺跡』より《古代アッピア街道とアルデアティーナ街道の交差点》、『ローマの景観』より《シビラの神殿、ティヴォリ（背後から）》など合わせて五点の展示だけだが、壮大で壮麗、記憶の奥底を揺さぶる空虚と退嬰。語りかけてくる歴史の時間。剥がし、抉り、腑分けする解剖学のような精緻にしてグロテスクな視線。ビジョンとしての廃墟。小さな画面には「廃墟」がもたらすあらゆるイメージが詰まっている。

解放される美術

未分化の世界へ

鴻池朋子展「皮と針と糸と」
新潟県立万代島美術館
二〇一六年一二月一七日〜二〇一七年二月一二日

巨大な皮緞帳に引き込まれた。不規則な四辺形をつぎはぎした二十四メートルに及ぶ支持体に描かれているのは、噴火する火山から流れる骨や血管のような溶岩流に始まり、臓器や植物や冬眠する動物たち、そして美しい雪氷。右から左へと絵巻のように、始源の生命が植物や動物に分化し、穏やかに眠り、やがて凍土に覆われる様を思わせる。私がとりわけ好きなのは溶岩流とともに地殻の中で蠢く、細胞のような塊や稚魚のようなもの。始源の混沌たる世界に出現した生命体たちだ。

人間の想像力を超える自然災害と、自然を見くびった人間の驕りを象徴する原発事故という複合災害を前に、誰もが観念の底を揺さぶられたに違いない。しかしほとんどが時間の経過の中で、その動揺をなだめ馴致させている。しかし鴻池の感受性は元に戻ることを許さなかった。

七年前の東京オペラシティギャラリーでの個展を思い出す。もともと鴻池朋子は神話世界と親しんでいた。「インタートラベラー」と題されたその展覧会は、文字通り広大な空間を地球の核まで、そして神話の世界までをドラマティックに往還するものだった。彼女は豊かな想像力で屈託なく、自在に世界の深奥へ、そして神話世界へと行き来していた。狼も彼女には甘嚙みでしか接してこない、そんな親和力さえ感じられた。

今、その愛すべき獣たちの皮を使ってものを作るとはどういうことなのだろうか。筆致は相変わらず巧みだ。しかし皮は繋ぎ合わされることに抗い、光により異様にテカリを発し、果たして支持体としてふさわしいのだろうか、とまず思う。会場には他に秋田の女性たちに作ってもらったという刺繍による民話や伝承を描いたものや、自身の作った手びねりの得体の知れない陶器も並ぶ。アートという概念が現れたときから、美術と一線を画されることになったはずのものだ。

そこでそもそもアートとは何か、という問いを突きつけられるだろう。皮や布、土とはアートよりずっと以前から人類が接してきたものだ。しかも皮を扱うことは人間の職掌の中でも周縁に追いやられた。そうした境界を鴻池は問い直す。その時、人間の営為そのものが搾取であり、暴力的行為であることにも気づかざるを得ない。それらを排除して君臨する「アート」など、何と皮相的なものだったのだろう。あれほど親和的であった動物たちの皮を使う鴻池の営為は、神話世界をも突き抜けてまさに自覚的に根源的な暴力を行使していると言ってよい。そして新たな緊張関係を引き受ける強さも併せ持つ。

虚と実で語り直す近代日本美術史

小沢剛　不完全―パラレルな美術史

千葉市美術館
二〇一八年一月六日〜二月二五日

私はいつも思っていた。石膏デッサンがどんなにうまく描けたとしても、それは「創造する」事と直接結びつくのだろうか？　石膏像とは、アカデミズムの権威を守るためにあるのではないのか？　と。それが非アカデミズムゆえのひがみではないことを、千葉市美術館で開催中の「小沢剛　不完全」展でいきなり観ることができ、私はこの展覧会にすんなりと入り込むことができたのだった。

展覧会はまず、たくさんの石膏像のインスタレーションと、それを取り囲む石膏デッサンから始まる。デッサンには青木繁や山下新太郎のサインも見える。明治初頭に日本に移入された「石膏像／石膏デッサン」が、美術教育の現場に存続している事実とは、無自覚に西洋に追随し、今なお「外来の美術」の枠組みに縛られている日本の近代美術の象徴とも言える。東京芸大教授でもある現代アーティスト・小沢剛の作品とは、日本の近代美術史を批評的に再構成する試みでもある。

「パラレルな美術史」というサブタイトルがあるように、醤油画という技法が存在していたという想像のもとに、古代から現代までの醤油画を並べた《醤油画資料館》や、戦争画の責任を問われてフランスに帰った藤田嗣治が、もしもパリではなくバリに行っていたら、というフィクショ

石膏像によるインスタレーション

ンを絵画と映像で表現した《帰ってきたペインターF》などで、複層的に日本の美術史を辿り直してみせる。その手法には、単なるパロディにとどまらない想像力とユーモアがある。

実は《帰ってきたペインターF》の前には、《す下降にンバンレパ兵神神兵パレンバンに降下す》という、戦争画のパロディ・シリーズがある。元になっているのは鶴田吾郎の戦争記録画《神兵パレンバンに降下す》である。日本の油彩画はずっと、とにかく暗くでろりとしていた。西洋の歴史ある宗教画を背景とした重厚な油彩画に気圧されていたのではないか。それが戦争画のあの突き抜けたような明るさはどうだろう。呪縛から突然解放されたかのようだ。鶴田の作品はその最たるものだ。抜けるような青空に白い落下傘が無数に舞い降りてくる。それを一部模してデカルコマニーのように左右相称の画面を作ると、なんと銃口が本人に向かってくるのだ。

余談だが、この鶴田吾郎という画家は、中村彝と一緒に盲目のロシアの詩人・エロシェンコの肖像を描いている。決して技巧が劣っているわけではない。けれども彝の精神の奥深く入り込んだ画面と対比されることでも名前を残している。戦争画については戦後、「描きたいから描いた」と開き直っている。どうも軽率というか、時流に流されやすいというか……いやそれこそが当時の本流だったのかもしれない。

一方、藤田嗣治の戦争画についてはすでに多く語られているが、小沢はペインターFを主人公とした映像で、ガムランの音曲に合わせて次のように歌詞を作る。

これは私の絵なのか？　本当にやりたかったことか？

たくさんの犠牲と涙の末に戦争は終わった。しかし、彼は制作の手を止めようとしない。いつの間にか国のための制作では無くなっていたということなのか？

そして戦後、祖国に居場所のなくなったFは、パリで名も無き画家として過ごすのである。鶴田と藤田を対比させることで「戦争記録画」という、近代日本美術史の闇に小さなのぞき穴を開けてみせるのだ。

また《油絵茶屋》という、明治初頭に油絵を展示していた見世物小屋の再現や、ねぶたや博多人形等を集めて見世物小屋風に仕立てた《金沢七不思議》では、当初は先端アートの展示の場であったはずの見世物小屋そのものや、ねぶたなどがなぜ「美術」というジャンルから除外されたのかを問い直す。美術館という、特権的地位と担保し合った制度が、美術でないものを周縁に追いやってしまったのではないか。それは「美術館の内と外」だけでは見えてこないものだ。小沢剛がかねて「移動」「逍遥」を伴う活動をしていることこそが周縁に目を向ける手段ではなかったか。

もちろん、戦後多くの「前衛」が、未完の近代を問い、美術そのものへの疑問を呈して格闘してきたが、多くが行き場を失い、あるいはエンドレスの自己模倣を繰り返しているのに対し、小沢の複眼的な視点は、多様で豊かな方向性を見せる。そしてそれに気づき始めた作家が出始めているのではないか。そう思うのも、東日本大震災後、鴻池朋子がそれまでの制作をいったんリセットし、内面を降下するような時間を経て〝皮〟や〝縫う〟という作品にたどり着いたことを思うからだ。彼女が、「ものを作る」という人間の原初的な営為に立ち戻り、周縁に追いやられていた日常の手仕事に芸術の根源を見出したことと重ね合わせてしまうのである。

「不完全」とは、岡倉天心の著書『茶の本』から採られた言葉で、「完全に対するネガティブな言葉ではなく、完全を目指す途上に立つ、限りなく豊かで優しい意味をも」つのだという。

きらめく断片、または分身たち

季村江里香展「六月の見た夢」
柏崎市・蔵 和助
二〇一九年六月八日〜一六日

えんま市を控えた六月八日、季村江里香さんの展覧会が游文舎ギャラリーを飛び出し、閻魔堂に隣接する「蔵 和助」でオープンした。ユニークな人形や、表情豊かな平面作品が、古い歴史を持つ重厚な蔵と見事に融合し、異界と行き交うような不思議な空間となった。

一階中央には、チリの作家ホセ・ドノソの、悪夢のような妄想小説『夜のみだらな鳥』に登場する奇形たちに触発された人形が並んだ。しかし、彼らは季村さんの中で勝手に一人歩きし、さらにとんでもない異形となって立ち現れた。他にも肢体が反転するほどに複雑に捻れ、デフォルメされ、あるいは一本の消化管のようなものなど、大胆で不気味な造形と、古着の革や布を引き裂き、むしり、接ぎ合せる荒々しい手法が暴力性を増幅させる。

一方、それぞれが同系色で描かれた比較的小さな作品を、柱で囲まれた枠を額縁のように利用して展示した二階は、静かな落ち着いた空間となっていて一階とは対照的だ。

しかし見るほどに、人形たちは不敵な表情にもかかわらず、生き生きとして滑稽で愛嬌があっ

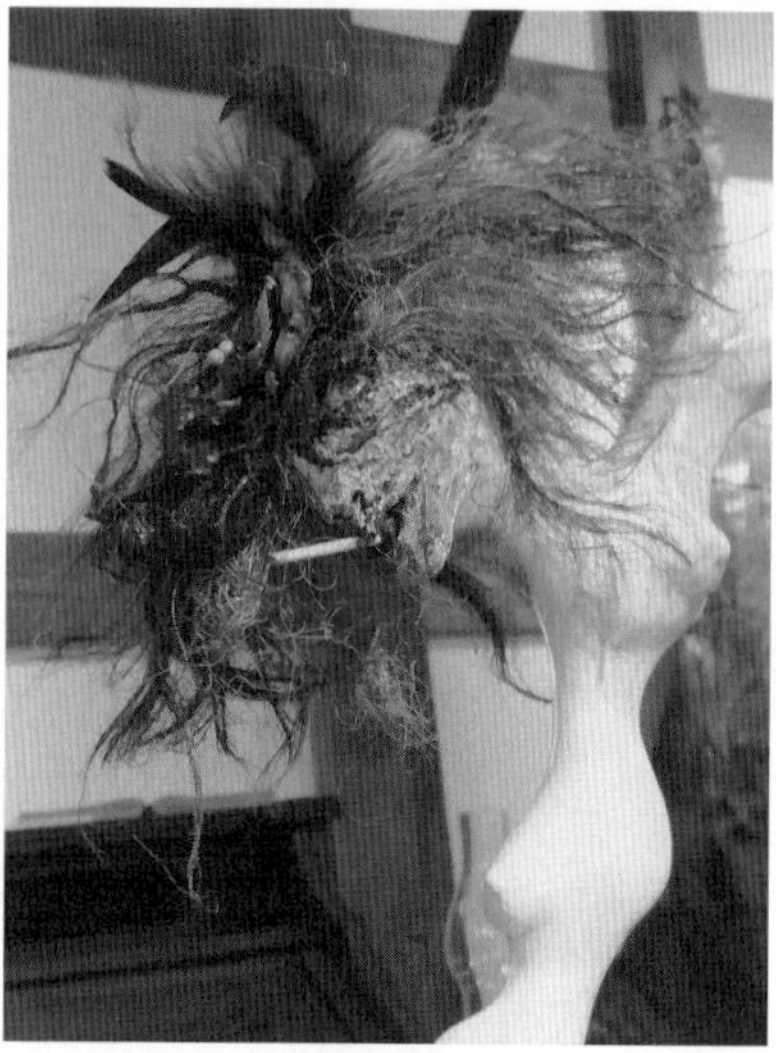

《門番》2018年
スタイロフォーム、石粉粘土、革その他

て、寄り添いたくなってくる。逆に絵画は、パネルに紙や革や布などを貼った、物質性が際立つテクスチャーで、それぞれのテクスチャーから導かれるようにして引かれた、ぎりぎりに切り詰めた線や、鋭く引っ掻かれた線が、多彩で緊張感ある画面を創り出していることに気づく。

染織からスタートした季村さんの創作活動は、繊細な手作業と、素材としての物質性の追求が基本にある。頭の中の夢や妄想、蠢く何物か、いまだ形にならないそれらを手先に伝えながらテクスチャーを作り、あるいは粘土をこね、革を引き裂き、物質が媒体となって、線となり、形をなしていく。優れた色彩感覚や造形力はもとより、何よりも季村さんの作品が感動を与えるのは、その密度、精度において途方もないエネルギーを費やし、あたかも自らの血や体温を分け与えるかのような作業だということだからだ。だから作品の一つ一つが季村さんの分身だと言ってよい。季村さんの作る奇形たちは、より原初に近い形として、作者にとっての創世神話とも言えるだろう。

もしそれらが暴力的であるとしたら、それは外に向かう暴力と言うよりも、内に向かう暴力であり、そもそも人がものを作ること自体が孕む根源的な暴力をも思い起こさせる。さらに「編む」「縫う」「織る」といった、女性の手仕事とみなされ、美術からは周縁に追いやられた手法をごく自然に取り入れ、制度の枠を軽々と越える。展示会場ではユーモアと諧謔に満ちた趣向が凝らされていたが、そんなサービス心も「見世物小屋」や「つくりもの」といった、やはり近代が美術と一線を画した世界に通底する。それらが自在な発想と、美術の世界が忘れかけていた豊かさを生み出しているのだろう。

作品は一見ばらばらなほど多様だ。しかしきらめくような断片が触手を伸ばし、次々と連動し、新たな展開を見せることだろう。いや、もう見せ始めている。

第四章　ギャラリーの一隅で

本章で取り上げた展覧会はすべて文学と美術のライブラリー游文舎で開催されたものである。

「もの」たちへの鎮魂歌

舟見倹二BOX ART展〜封じられた世界から〜

二〇〇八年一一月二〇日〜三〇日

舟見倹二さんのBOX ART作品《金モールの記憶》を観たのは四年前のことである。二八・五cm四方の箱の中に凝縮された重層的な時間と、無限の宇宙を感じさせるスケールの大きさに圧倒された。

今、游文舎で開催中の舟見倹二展では、この作品を含む三十点余りのBOX ARTと、それぞれの制作メモがパネル展示されている。視覚的に、BOX ARTと制作メモは一対の作品として楽しむことができるが、メモは作品を読み解く手がかりでもあり、作品に向き合う作家の真摯な姿勢をも伝えてくれる。

作品のモチーフの多くは、日露戦争に従軍し、第二次世界大戦が終わるまで軍人だった父の遺品である。廃品箱や抽斗から「もの」を選び、再び箱に封じ込める作業の中で、舟見さんは繰り返し「ＢＯＸ ＡＲＴとは何か」と自問する。例えば「人間にとって認識不可能と思われた世界を認識可能にする装置」といったように。こうして箱はＢＯＸ ＡＲＴとして他者との交信の媒体となる。

今展でも圧倒的な存在感のある《金モールの記憶》を観てみよう。中央に位置する、錆びた鉄のオール受けと、上部を横切り、鉄にからみつき、さらに箱の下方を突き抜けて垂れ下がった鈍い光を放つ金モールが強い印象を与える作品である。周囲に配された古切手や地図、雉の羽根、古銭、ガラス乾板等々はいずれも父の生きた時代の証である。しかし背景に渦巻く円環は、版画家である作者のかつての作品であり、下方には自身の版画展の、真新しいＤＭも配され、作者の現在も歴史の一通過点として組み込まれる。側面の鏡がそれらに深い奥行きを与えている。

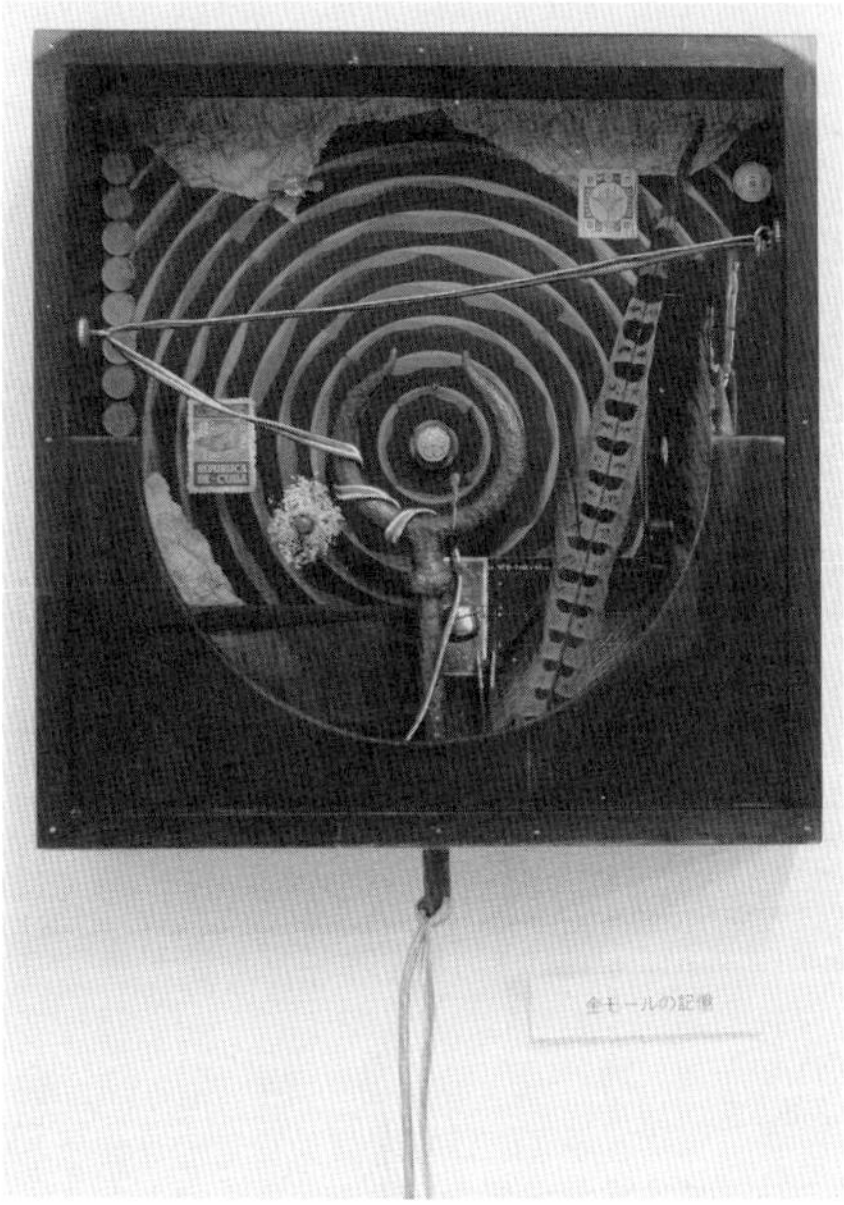

《金モールの記憶》

それに近い作品が《やいばを折れ・コザック騎兵の銃剣》である。シベリア出兵から持ち帰ったコザックの銃剣は、進駐軍によって折られている。ここにもガラス乾板や古切手、鉛片などが、対角線に一本だけ線の入った版画作品を背景に構成されている。

金モールや銃剣はもちろん戦争にまつわる記憶であり、負の時代の記憶として封じ込めるべき「もの」である。しかし廃品箱の品々は、その時代にも確かに存在した、豊かな、文化の香りのする時間にまつわる家族の記憶でもあり、その時代に生きた人々への共感も伴う。オール受けやガラス乾板はその象徴である。作者の逡巡はむしろ、負の時代だからこそ憚られる、それらの思い出にあるのではないだろうか。今の視点から戦争を批判し、平和のメッセージを託すことは容易だ。しかし、同時に存在したロマンも封じ込めなければ自身の生きた時代を真に伝えることにはならない。それらを単なる回想に終わらせないためには、ここまで重く厳しい緊張感あふれる画面が必要だったのではないだろうか。同じ作者による

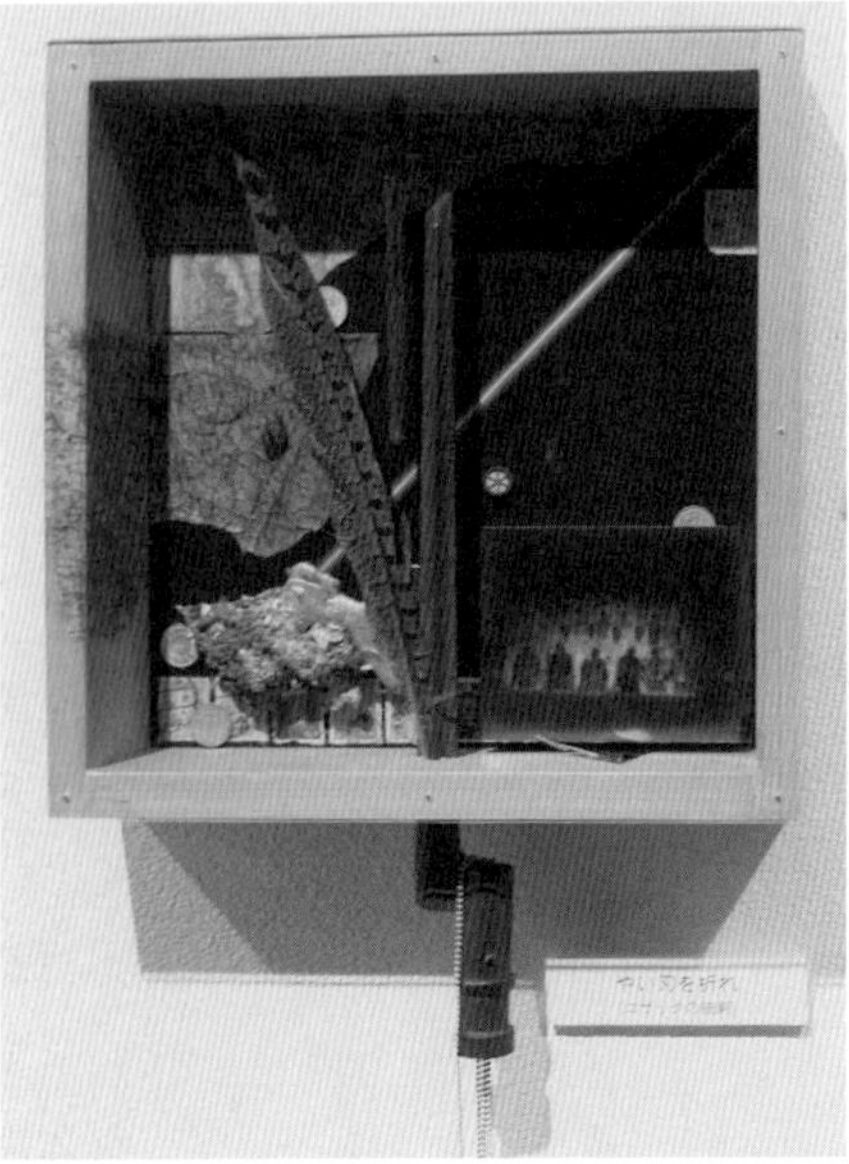

《やいばを折れ・コザック騎兵の銃剣》2004年

Blue SKY Project出品作などとの本質的な違いがここにあると思う。こうして作者の思いを重ねた「もの」たちが、饒舌に語り出すのを制御し、「もの」たちにあるべき場所を与えて、物語ができ上がる。それはまた「もの」たちの鎮魂の場でもあろう。

それにしてもなお、私的物語ともいえるBOX ARTが、なぜこれほどの時間的・空間的拡がりを持ち得たのか、考えずにはいられない。

一見抽象的に見える舟見さんの作品であるが、明確なストーリーとメッセージを持っており、制作メモがさらにそれを補う。その上で物語が完結するのを敢えて拒んでいる。BOXの内界で閉ざされることなく、物語から自立した作品でもあるためだ。そのためには物語を構成する「もの」たちを、作者が託したさまざまな意味から再び解放しなくてはならない。その往還が舟見さんの作品をとりわけ重層的にしているのだと思う。

実は、初めて《金モールの記憶》を観たとき、私はモチーフとなったものの本来の用途をほとんど知らなかった。眼前にあるのは、古びた鉄やモールといった異素材を組み合わせ、どこか宗教的な空間として構成した立体コラージュであった。今展で、「もの」は素材＝物質に還元され「時間」を、構図は観る者に精神的、普遍的なイメージを想起させる重要な要素であることに気づかされた。

舟見さんの作品には、金属、鉱物、木、布、紙等実に様々な材質が用いられている。しかも使い古されたものや、真新しいもの、加工され形となっているものもあれば、生《き》のままのものもあ

《物差の秘密》（BOX ARTとメモ）

る。それぞれ異なる時間と来歴を持った物質は、思いがけない融和をもたらす一方で、反発し合い、なお変性し破綻を来す予兆さえ孕む。

《物差の秘密》という作品は、キャンバス裏地を貼った一段上にさらに、鉱物や金属の粒子で埋め尽くされた背景が使われている。そのざらりとした質感は、版画や地図を使った他の作品とは全く異なる。もっともその下には地図や版画が使われているらしいのだが、まるで砂塵に覆われたように、ほとんど跡を留めない。その上に配されている、折れたコンパスや物差等は、物理的な距離というよりも戦争の記憶や意識、といった精神的な距離の象徴である。しかし、背景の粒子は、明確なフォルムを持った計測器類よりも強い印象を与え、観る者の意識の中でさらに増殖し、計測の足場を見失わせる。それどころかいずれそれらも砂に埋もれ、風化し、ぼろぼろの鉄と木片になる未来をも予感させる。

物質のせめぎ合いをより意識的に感じさせるのが《ふたたび硫黄と鉄の出会い》である。BOXの中にさらに小さなBOXが入る二重構造になっているが、小さい方は過去のBOX ART作品である。この小さなBOXに硫黄と有刺鉄線が封じ込められている。硫黄は火を付ける材料として日常的に使われていたものだが、もちろん硫黄島をも連想させる。しかしまるで生《き》のままのような鮮やかな黄色の硫黄と、銀色に光る真新しい有刺鉄線の組み合わせはどうにも落ち着かない。均衡のとれた構成にもかかわらず、きしむような不協和音を響かせる。作者は、いつか錆びるであろう鉄をBOXごと封じ込めることによって、作品の未来を人為の及ばない変容に委ねる。それはBOXの中で展開する未来に、私たちは立ち会えるのか、という問をも投げかけているようだ。

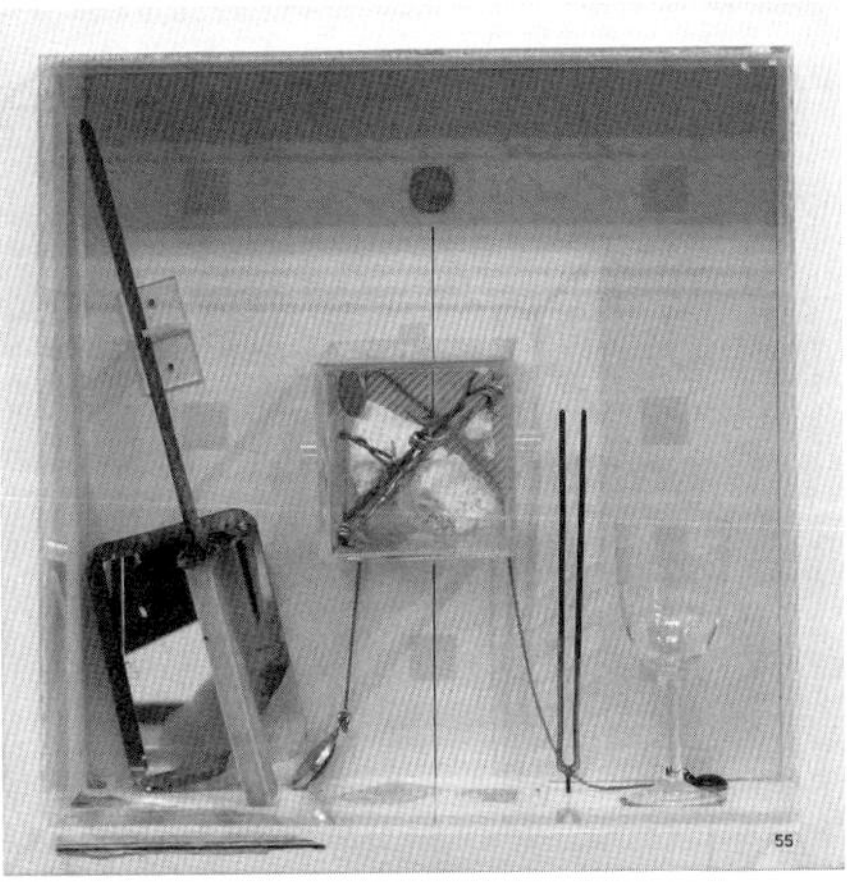

《ふたたび硫黄と鉄の出会い》

舟見さんの作品には入れ子のように、BOXの中にさらにBOXを組み込んだ構成が多く見られる。「箱」は本来、「もの」をしまい込むものであり、さらに箱ごとしまい込むことも出来る。人は大切なもの、秘めたいものほど幾重にも封じ、時々、いとお

《靖国の家》

しむように開く。そんな習性や心理を思い出させる。

中でも、《靖国の家》はBOXを三層にした作品である。重厚な黒塗りの外箱の扉を開くと、真っ先に、鏡に映って反転された「靖国の家」という文字が目に入る。さらにたばこ函の「ピース」の切り抜きや、ブッシュ大統領の写真が、今日をも照射する。ここまでならテーマは明瞭だ。しかし、古地図を背景に二重に組み込んだBOXは、戦争の時代における二面性を象徴するかのようだ。一番小さな透明のBOXにはさまざまな金属片や鉱物片と、錆びた小さな銃弾が入っている。硫黄の黄色い粒子や、金属の赤錆に今にも浸食されそうな中でもなお、古い銃弾は形をとどめ存在感を放っている。そのBOXを、古銭や古いワイングラスを入れた黒い木箱が取り囲む。戦争の時代にもあった、煌めくような豊かな時間の遺物だ。しかし作者は懐旧の情をそっと抑え込むように、左右対称に整然とそれらを置く。それはまるで、役割を終えた銃弾を鎮魂する祭壇のようでもある。

ところで、入れ物としての箱は、封印することで神秘性を与えられ、中に入れるものでさらにさまざまなイメージを導く。一方で正方形は左右対称、放射状、内接する同心円といった宗教的、宇宙的な構図と必然的に結びつく。それは人間が生来持っている、あるいは歴史や伝統によって培われた空間のイメージとも深く関わる。舟見さんのＢＯＸ ＡＲＴがいずれもどこか祭祀空間を思わせるのも、正方形の箱ゆえの構図と無縁ではない。

舟見さんの制作メモの中に「構図は図上の結果を求める以前にある思考の組み立てとも解したい」という興味深い文章がある。漠然とした完成イメージによって作られているのではなく、思考を構築し整序し表現していくためにまず構図があると解釈させていただく。このメモが付された二〇〇七年の《錆びたオール受け・銀の構図》は、モチーフを削ぎ落とし、構図のための要素だけを収斂させたような、簡潔で洗練された作品である。円環状の版画を背景にして、中央にY字形の銀色の金属、左右に古銭や銀杯が置かれている。中央の金属は、幼い頃家族と楽しんだ花見のボートのオール受けであり、古銭や銀杯も父の遺品だ。花見の記憶は同時に、高

《錆びたオール受け・銀の構図》2007年

田を本拠地としていた陸軍の記憶とも重なる。しかし、銀色に塗られたオール受けは、円環を背にあたかも神との交信の器具のように輝き、モチーフを対角線上に左右対称に配し、側面の鏡によって奥行きを与えられた空間は、私的物語を超越して、観る者に「追憶」や「祈り」といった感情を呼び起こす。物語を捨象することなく、それらを大きく包含し、ＢＯＸの内界と外界を自在に行き来する美しい作品を、私は、ここに見る。

魂と宇宙を照らす「光の絵」

《The Bath》（版画集『夜曲』より）2005年
16.0×16.0cm　シルクスクリーン

アンティエ・グメルスー光の旅
二〇一〇年四月一七日～五月二日

とても気になる。不思議な絵だ。光シリーズに先立つ版画集『夜曲』八葉中の第六葉《The Bath》。瀧口修造の、同名の詩中の「月の下の浴み」に呼応しているとは思うが、他の作品同様、すでにアンティエさんによって言葉の鎖から解放され、新たなイメージを呼び、自由に展開する。それにしても、横たえられたいくつもの顔の、まるで石像のような堅さ、重々しさ。頭上から降り注ぐ光によってゆっくりと深い眠りから覚めたようだ。さらに光の背後からそれらを見つめる覚醒した目。眠りはつかの間の死――思わず「死と再生」という言葉が浮かぶ。

瀧口修造の詩集『妖精の距離』の一篇「夜曲」はわずか十一行の詩である。アンティエさんはそれをもとに八枚の素描を制作した。一六㎝四方の画面一枚に数週間かけたという、細やかで濃密な作品である。直接の言葉と、言葉の継ぎ目にかすかにのぞくイメージとが絡み合いながら、静かに、けれど伸びやかに飛翔し、馥郁たる香りさえ醸し出す画面。言葉と絵との距離が絶妙で、絵から新たな詩が紡ぎ出されそうだ。「夜は夜の中のすべてをくっきりと照らす」――そんな「闇」をこれほど美しく、妖しく、微細な陰影で表現した作品を私は他に思い浮かべることが出来ない。

アンティエさんが突然脳の手術で入院し、まぶしい光を見るという神秘的な体験をしたのは《The Bath》を描いている途中だったという。退院後再び制作するにあたり、作風が変わるのをなんとか抑えていたという一連の作品は、一貫して静謐で深遠な趣を湛えている。

直後にほとばしるように色彩に溢れた作品（口絵ｖ）を制作し始める。光体験は一過性のものではなく、いつも見えている状態だという。

「光」を表現するために、アンティエさんは絵の具だけでなく、鏡や水晶、ラインストーンなど光を発する異素材も使う。まるで一片の光もこぼすまいとするかのように。少しの翳りも作るまいとするかのように。けれども単に体験を再現し、伝えようとしているわけではない。ほぼシンメトリーに構成された身体やいくつもの目が描かれた画面からは、画家の冷静で客観的な視線を感じる。

《透明な自画像》と題されたそれらの作品は、頭上から浸入してくる溢れんばかりの光によって、自己の身体や精神を透視しようとしている絵であり、描かれている目は自己を見る目であると同時に、見ている「私」をも誘い込み、「私」もまた深淵をのぞき込みながら記憶の底を揺さぶられていく。

さらに透視された身体は宇宙と同化するかのように開かれていき、世界は大きく広がっていく。そして描かれている目の数が多くなればなるほど、無私で無心の目となり、見ている「私」を通り越して彼方に向けられ、視線の先を追いかけているうちに、至高の場所へと誘われていくようだ。

ほとんど透明状態となった身体に描かれているのは目や口、あるいは心。以前からのモチーフの一つである、蔓のようなものはますます粘り強くなり、まるで触手を思わせる。それらは知覚・感覚器官そのもの。触手を伸ばし、目を見開き、宇宙の神秘を探っているように見える。それはとりもなおさず身体や精神の在りようでもあるのだから。ドイツロマン派の詩人・ノヴァーリスの「断章」の中の一節を思い出す。

感官の数だけ宇宙のさまざまな様態《モード》がある——宇宙は、身体——霊魂／精神という人間の在りようの完全な相似形である。

（『ノヴァーリス作品集Ⅰ』今泉文子訳　ちくま文庫　二〇〇六年刊）

モノクロームの静かな画面から一転してまばゆいばかりの光の世界へ。それ以前の作品を含め、まるで旅するようにアンティエさんの作風は次々と変わっているかに見える。しかしどこか神話的で原初的なイメージは通底している。眠りは、夜は、原初の光を孕み、宿す母胎でもあったのだろう。その光はまた、私たちの基層にある何か、日常の私たちには見えない、けれども〝見えているものに接している〟はずのそれらを照らす光のようにも思える。

幻獣幻人参上

——通奏低音としてのシュルレアリスム——

上原木呂展「幻獣幻人にして…」
二〇一三年五月一八日～二六日

「本当に芯のある反権力の人だった」——上原木呂氏は、日本を代表するシュルレアリスムの詩人・美術批評家の瀧口修造についてこう語る。上原氏は二十歳頃、自作詩を持って行ったことをきっかけに瀧口修造の知遇を得、その晩年を見続けてきた。そして一切の公職、教職を固辞し、最後まで自分の表現を貫いた瀧口修造を讃えた。

氏は旧巻町、現在の新潟市西蒲区生まれ。東京芸大や美学校で学び、状況劇場の舞台に立つなどした後、イタリアに渡り仮面喜劇、コンメーディア・デラルテで本格的に道化芝居を学んだ。家業を継ぐため帰国し中断したものの、ここ十年ほどは美術作家として、パフォーマンスアーティストとして新潟市を拠点に旺盛な活動をしている。二〇一〇年にはドイツでマックス・エルンストとの二人展、二〇一一年には東京でマックス・エルンスト、ヤン・シュヴァンクマイエルとの三人展を成功させた。今展初日にはパフォーマンスとトークも行われた。冒頭の言葉はトークでの発言である。

超現実舞踊秘儀の一場面

パフォーマンスはまず狂言「千鳥」。十九歳から習っていたという狂言を、何と一人三役で、立ち位置を変えつつくっきりと演じ分けた。次いで、自ら〝超現実舞踊秘儀〟と名付けた前衛パフォーマンスを披露。暗黒舞踏の土方巽のために作られたものの、結局着ることのなかった幻の舞台衣装を五十年目にして初めて着けて現れると、全くの異空間が出現した。テーマは三島由紀夫作「禁色」。苦悩や葛藤が、全身の動きや表情ばかりか、爪先まで行き渡って切々と表現され、鬼気迫るものとなり、観客を飲み込んだ。それでもその後のトークでは「土方の毒気に吸われて、衣装を着けただけでエネルギーを奪われた」と言う。土方への敬意と畏怖、なおかつ創造者たらんとする厳しさを吐露していた。

展示作品もまた、剽軽なカエルの禅画風墨絵、鉛筆の細密画、めくるめくようなコラージュと、作風が大きく異なる。二つのシリーズのコラージュの内《アングルとエルンスト・ヘッケルのための変奏曲とフーガ》シリーズ（口絵vi）は、巨匠・アングルによる様式美と、生物の天然の驚異的な幾何学美との組み合わせが絶妙で、異種の接合というマックス・エルンストのコラージュを継承しつつ、洗練と優美さにおいて独自の世界を見せる。一方《ゼブラ》シリーズは、一匹のシマウマを無数に複製し、変幻自在に組み合わせた画期的なものだが、幾何学的構成と曲線が織りなす画面は、夢幻の世界に誘い、おとぎ話のような懐かしさも醸し出している。

上原氏は、まるでコラージュのように、多彩で多岐にわたる人脈や活動を取り込みつつ、新たな世界を切り拓いて見せる。その根底には筋金入りのシュルレアリストの血脈があった。それは例えば地下活動までして抵抗してきたチェコの〝鬼才〟シュヴァンクマイエルや、「決してぶれない人」と讃えるダダカンとの深い親交が象徴するように、様式としてのシュルレアリスムというよりも反権力、反組織を貫く姿勢にある。長らく演じてきた道化師のように、幻獣幻人は洒落や風刺を効かせながら、異界や冥界を自在に行き交う。しかもしなやかで強靱な骨を持っている。何よりもこれほどに自身がアートそのものだという人を、私は他に知らない。

門──「内なる世界」への小さな通路

コイズミアヤ展「充満と空虚」
二〇一五年四月一八日～二六日

游文舎七周年記念企画のコイズミアヤ展「充満と空虚」では、九つの白い箱形の作品が並んだ。すべて揃えたのは二〇〇五年の初展示以来とのこと。十年ぶりの再展示にあたり、コイズミさんはそれぞれのイメージからのドローイングを添えた。さらに本をテーマにした写真作品も加えて、言葉と立体とを往還しつつ構築していくような、重層的な思考空間となった。

初めて実物を観たときのことを思い出す。不思議な体験だった。それまで写真でしか観たことがなく、螺旋階段は天空へ向かうようだし、大気の塊が家を覆っていくようで、大きな楼閣のような作品をイメージしていたが、実は四〇cm四方、高さ三五cmほどの箱の内部だったのである。具象的な椅子や階段や家を実際の比例を無視して配し、さらに抽象的な形も組み合わせることによって錯覚させられていたのだった。それらは周到な設計図によって作られているのだが、そうした作為を感じさせない、静穏な、白日夢のような世界でもあった（口絵vi）。

箱の四辺それぞれの中央に、下方から、あるいは上方から切り込みのような細い長方形の開口部がある。門を思わせる。箱の中に入り込み、夢想を妨げることのない入り口としての門。さらにはそこを通り抜け、次の箱へと誘う門。視覚と意識が凝集されていく。それぞれタイトルを付された九つの箱の中央は《聖なる山》。マンダラのように配された箱を逍遥していくと、いつしか内部と外部（観る人）は一体となり、普遍的な祈りや瞑想の空間にいるような感覚を覚える。

一九九六年の初個展からの制作ファイルを見る。展示の度に、テキストも添えられている。コイズミさんにとって、作品とテキストは不即不離なのだ。

私は世界を箱にしまい込もうとしている。

（中略）

箱に直接手を触れて開いてもらうことによって、
具体的で個人的な出会いの場と時間を共有することができるように。
そして、箱は普段は閉じられていることによって、
世界はいつも内側に在ることを表していた。

（初個展の時のテキストより）

このとき《小さな門《とびら》》という作品も出品されている。テキストを読むうち、「門」「開いて」「時間」「閉じられ」等、「もんがまえ」の文字が多いことに気がついた。さらに読み進むと「門」「開」「閉」「間」「閃」「関」「闇」「聞」……と、「もんがまえ」の文字だけが、文脈や言葉から独立し、意味から離れて紙面から浮き上がり、箱形の立体物のように立ち上がって来るのだった。

「闇」とは、光のない、音だけの世界ということだろうか。それでも音によって外部と通じてはいるのだろう。「門」のそばで「耳」をすます人がいる。「門」の傍らには「人」がいる。内部と外部を閉ざしたり、開いたりする「門」という立体的な構築物が、その中に別の文字を入れることによって、外部との関わりを暗示する。コイズミさんの、詩的で、深く考察されたテキストにも私は大いに惹かれるのだけれども、ここでは文章や言葉になる以前の文字が、その潜在的な意味や構造によって、作品と啓示的に結びついているような気がしてならない。

コイズミさんは一貫して箱の作品を作り続けてきた。二〇〇一年、新潟市美術館などを巡回したボックスアート展に最年少で選ばれていることからも、それらの作品をボックスアートと括りたくなるが、その代名詞のようなジョセフ・コーネルの作品や、コーネルの影響が色濃い作品とはかなり異なっている。本来、箱の内部に作られた世界は開かれることによって、他者と関わりを持つ。しかし多くの作品がすでに開かれた状態であるのに対して、コイズミさんの作品は〈閉じる／開く〉が強く意識されている。時にはその過程自体を作品化している。「箱」というものの本質に極めて自覚的な作家なのだ。また、所与の箱にものを集めてくる、アッサンブラージュ的な作品というよりも、内部と箱とは常に一体のものとして構想され制作されていく。内部とは作家の心の有り様に他ならず、従って箱は本をしまう装置にもなり、庭や部屋や home にもなり、瘡蓋にまでなってしまう。その上で、テキストでは常に箱の内部と外部を巡って、思考を繰り返している。

舞台を俯瞰するようなスケール感と、緻密で洗練された作風がコイズミさんの際立つところであるが、初期の、幾何学的に構成された箱では、外部の密度が内部のそれに達するまで、作品と対峙させられるような緊張感があった。しかし山や大気や水を思わせる、不定形で有機的な塊が現れるようになった頃から、門（あるいはとびら）は呼吸するように自然に開かれ、閉じられているように見える。そこでは様々な想念や、「充満」と「空虚」という双極の概念さえも受容し融和するような奥深い空間が広がっているように思う。一方で、今展開催にあたり箱を展示したとき、十年前の空気が詰まっている、と思った。門を通過した人々が残したわずかな痕跡が積み重なり、見えない層を作っているとも思った。外界との関わりの中で、コイズミさんの作品は緩やかに変化しているが、抽象への意志は揺るぎないし、繰り返される箱とのダイアローグもまた、決して塗り替えられているのではなく、時間や記憶の層と共に堆積しているのだ。それらが観る人の内奥に静かに語りかけるのだろう。

イマジネーションを形にする

──「私の物語」を超えて──

北條佐江子展「天詩降る森で」
二〇一七年六月三日～一一日

北條佐江子さんの作品のタイトルには詩や星といった言葉が多く使われている。神話や宇宙を思わせる神秘的で物語性豊かな世界を、叙情に堕すことのない力強いマチエールと描線が支える。

「形のないものを形にし、形のあるものを排除する」──北條さんは作品の前で、敬愛するパウル・クレーの言葉を自らに言い聞かせるように語った。会場にはクレーへのオマージュ風の小品が十点と、一〇〇号大から一三〇号の大作八点が展示された。多くが今展のための新作だ。

北條さんにとって、「形のないもの」とはいったい何か。それは生命の神秘、原初の大地、漠

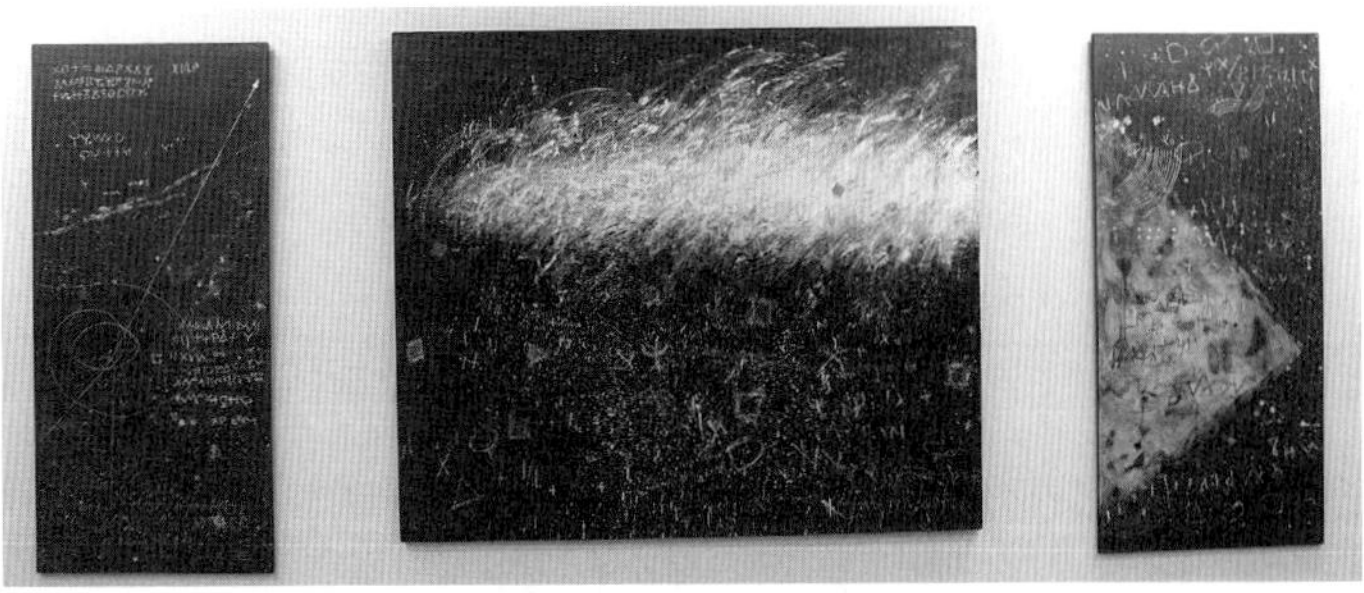

《聴星詩／ちょうせいし—孤高の星が降る夜に》2017年
中央：162×194cm　ミクストメディア　キャンバス
右・左：各170×80cm　いずれもミクストメディア　板

として広大な宇宙、あるいは童心のままの世界だろうか。

圧巻は正面を飾る《聴星詩／ちょうせいし――孤高の星が降る夜に》と題された三連作。中央にF一三〇号のキャンバス作品、左右対称に一七〇×八〇cmの板絵が、観音開きの祭壇画のように並ぶ。だが、深いブルーを背景に、星や文字や人らしきものを象徴的に配した画面は、無限の宇宙に心を解き放つ。

中央の作品は濃淡多彩なブルーの空に、一気に描かれたらしい白い大気の塊が浮かぶ。そして降り注ぐ黄金の光が、星たちの瞬きを詩へと変える。板絵の方は、漆喰のように顔料を塗り重ね、磨き、彫り、さらに絵の具を塗り込んでは作られる工芸的、彫刻的な作品だ。色彩や構図の画家と思われがちなクレーが、比類のないテクスチュア・コントローラーでもあったことを思い出させる。いずれもやや沈潜したブルーの背景、向かって右側は、左辺に寄せた岩のようなグレーの三角形が画面を大きく占める。左側の絵は金色の矢が光の輪を突き抜け、画面を対角線に切り、上へと伸びる。強い意志を感じさせる。いずれにもアメリカ・インディアンが岩に刻んだという文字が散りばめられ、未来の解読を待つ。モチーフをできるだけ切り詰め、大胆な構図をとることによって、大きな空間と悠久の時間を獲得することになった。

《風霜詩／ふうそうし―雨に負けぬ花》（口絵vii）もまた、板に描かれた作品だ。暗褐色を主調としているが、赤い地色の頑強なマチエールは光を受けて驚くほどの発色を見せる。ディテールを削ぎ落とし、抽象化された花や風景、削って引かれた光のような白い線が、伸びやかで大きな構成的画面と相まって、集団の記憶――大地の記憶を呼び起こす。

展覧会前、北條さんのアトリエを訪ねた。構想を話しながら次々に見せていただいた作品のいくつかは、まさに作家の葛藤のうちにあった。それから一ヶ月半の間に作品は大きく変貌していた。《詩《うた》降る夜》（S一〇〇号）もそのひとつである。前述のような、完成度の高い神話的な作品とは異なる。おもちゃ箱をひっくり返したような賑やかな画面。中央上部にある灯は夢の時間のための灯だ。街も木々も星も鳥も動物も子供たちも夜闇に紛れて踊り出す。未だ完成を疑う作家の思いを超えて一人歩きしている画面は、なんとも無心で生き生きとして魅力的だ。

北條さんのイマジネーションは「完成しても消す勇気が必要」と言い、「塗ったり描いたり削ったり」という格闘の果てに形を与えられる。それは同時に個人の物語を、普遍的な共感へと昇華させる過程でもある。北條さんは、絵画によってしか表現できない方法でそれを追求し続けているのだ。

《NOTE BOOK》―夢魔と語り合う時間

猪爪彦一展「過ぎてゆく刻《とき》の記憶Ⅱ」
二〇一八年一一月三日〜一一日

厚紙やクラフト紙を糸で綴じた、手作りの《NOTE BOOK》がエントランスホールのコンクリート床に並べられた。その数三百冊、約二十年間にわたる作品である（口絵ⅶ）。取り上げてページを繰ってみる。同じ会場に並んだ油彩画で繰り返されるモチーフのひとつひとつ、あるいはそれらの発想源になりそうな、いまだ形にならないもの、時々の心情らしい断章などが描かれ、書き留められている。使い古された紙の手触りと僅かな持ち重りが心地よい。次々に手に取ってみる。時間を忘れるとはこのことである。しかし自身では特に見返すことはないと言い、発表するためのものではないとも言うこれらの《NOTE BOOK》とは、猪爪さんにとってどのような位置にあるのだろうか。

子供の頃、私も白い紙があるとにかく何かかきたくて、集めてはホチキスで綴じてノートを作り、傍らに置いていた時期があった。紙さえあればそのままにしておけない、描かずにはいられない猪爪さんを見て、思わず「子供みたい」と微笑ましくなり、すぐにそれは驚異、いや脅威に変わった。私はその時、二〇一一年十月、游文舎で開催した「フランソワ・ビュルラン」展を思い出していたのだった。セルフトート・アーティストであるビュルランが描く絵の支持体は、すべて他の用途で使用済みのものばかりである。《深い闇の奥底》シリーズでは、小麦粉の紙袋を切り開いて貼り合わせた大きな紙に、山羊鬚を生やした呪術師が口元から次々と原初の生命体を吐き出し、未だ混沌たる独自の創世記を描き出す。猪爪さんが描いているのは原始的世界ではないけれども、別の用途のための紙をわざわざ糸で綴じて支持体を作る過程はビュルラン同様、一定の儀式を思わせ、猪爪さんもまた呪術師の如く、ものたちを自在に変貌させ、突如暗雲を漂わせ、時計を狂わせ、闇の中の世界に入り込んでいくのだ。

猪爪さんといえばまず中世風の物語性豊かな油彩画が思い浮かぶ。それと並ぶキャリアを持つ銅版画もある。さらにドローイングやオブジェなど表現形態は多岐にわたる。それは猪爪さんの溢れんばかりの創造力によるものではあるけれど、媒体を変えることによって別の表現が開かれていくとも言える。油彩では様々なモチーフがそれぞれの居場所を与えられ静謐で整然とした画面が作られる。もっとも中には異形たちが紛れ込んでいるのだが、画面の均衡を乱すまでには至っていない。あるいは塗り込むほどに鎮まっていく。その異形たちに伸び伸びと場所を与えるのが銅版画である。異形たちはそれぞれ夜の衣装をまとい喜々として主役を演じる。そしてシミの浮き出た古紙に描かれたドローイングではどこかで見たような虫が、さらに変態し、得体の知れない毒虫になってしまう。

《NOTE BOOK 2017 2/21》より

《NOTE BOOK》では、文字＝言葉の使用も許され、ページを次々とめくることによって時間が生まれ、〈開く／閉じる〉という行為はどこか秘密めいた気配をもたらす。表現方法を変えることとは単にモチーフやイメージが変わるだけではない、タブーとしてきたものが解禁されることもあるのだ。手元にある《NOTE BOOK》の第一ページに「私の内にある風景を写生してみる」とある。二〇一四年の游文舎での個展で、猪爪さんは「美術とは、自分の気持ちを表現するためのものであり」「人に見せるだけでなく、自分の内なる世界を自身で見てみたい」と語っていた。《NOTE BOOK》とは、まさに自らの内面をのぞき込むための最善の手法だったのではないだろうか。

猪爪さんは夜道をアトリエに向かい、制作し、朝、自宅に戻るのだと聞いている。夜の物語を紡ぐような猪爪さんの作品に、こうした制作時間が少なからず影響していると言ってよいだろう。アトリエのあちこちに置いてあるという《NOTE BOOK》には、時に制作についての悶々たる思いが書き付けられはするが、制作中の作品と関わりのない、自分との対話や、記憶の断片、とりとめのない妄想が絵日記のように、散文詩のように描かれ、書き留められていく。それは《NOTE BOOK》が、発想のためのノートというよりは、高い完成度を求める油彩画から自身を解放するためのノートだからではないだろうか。しかし直接表現に結びつくことはなくても、油彩画に深い奥行きや陰影を与えているはずだ。そして無意識のうちに夢魔の影を紛れ込ませもするのだろう。《NOTE BOOK》とは発表のための油彩画の陰画的世界であり、相即の関係でもあると思う。こうして毎夜二人の自分を往還し、いつものように朝を迎える。《NOTE BOOK》は閉じられる。

空間を満たす「色彩の場」

信田俊郎展「光の場所」
二〇一九年一〇月五日〜一四日

半年ほど前に開催された大きな個展で、大画面に圧倒されたばかりだった。旺盛な創作活動にも拘わらず、その都度新鮮な表情を見せることに驚きを禁じ得ない（口絵viii）。ホールでは力強いストロークのアクション・ペインティング風作品（一九八八年）、塗り重ねられた色層が逆L字形を浮かび上がらせる《光の影》（二〇〇六年）、有彩色と無彩色の矩形を併置した二〇一一年の大作も展示された。一貫して抽象を追求してきた軌跡を辿ることが出来た。

「光の場所」というタイトルについて、信田さんは「「光」とは「色のあり方」であり、「場所」とは「色の置かれたキャンバス」」と言う。つまり、信田さんは「絵画そのもの」を描いているのだ。それは具体的な何かを描くのでないことはもとより、コンセプトやイメージを伝えるので

《光の場所2019年10月》2019年　194×448ｃｍ　油彩　キャンバス

もなく、イリュージョンでもない。絵画であって絵画でしかないもの——信田さんにとって、それを成り立たせるのが、二次元の平面に布置される油絵具の色と、キャンバスとほぼ相似の矩形による構成なのだ。その上でイメージを丁寧に避けることによって、より抽象の力を持たせようとしているのである。にもかかわらず抽象が排斥してきた叙情が感じられるのも確かだ。自身が言うように「作品の前に立った人を包み込むような三次元的な色彩の場」だからだろうか。光のブロックはあたかもそれぞれが異なる質量を持ち、それによって物体が浮力を受けるように、キャンバスという水面を漂い、たゆたい、前後や位置関係も不明瞭になり、三次元を越えて、時間をも感じさせる。

禁欲的なまでの矩形の色面へのこだわりが、なぜこれだけのバリエーションを持ちうるのだろう。その一端を近年の、矩形を囲む線の曖昧さに見たように思う。そもそも線を引いてしまったら、何らかのイリュージョンになってしまう。むしろ色によって立ち上がってくる線だ。それこそが逆説的だが、リアルで確かな存在感を持たせる。絵具が小刻みに、軽やかに、あるいは粘り強く、様々なタッチで緩やかな塊を満たしていく。堆積された絵具の層が複雑に響き合い、今、この画面でしか生成し得ない空間を生み出す。

イメージを排した画面は、説明や解釈の言葉を拒む。しかし言葉に対する厳密さはより強くなっているのではないか。例えば信田さんが言う絵画の着地点としての「秩序」——それは空間を満たす色面同士の、ぎりぎりの緊張関係までも意味するのではないだろうか。常に自己言及的に絵画に向き合う信田さんの作品は、一点一点で完結する閉ざされた絵画の対極にある。信田さん自身の言葉を借りれば「一枚は全体でありながら、同時に部分、断片」として次々に展開していく。そして新たな試みも可能にする。最新作は、なお「絵画空間を探り続けている」という、不定形の大作であった。

密なるものの空虚、または不在

谷英志ドローイング展―わたしと風景―

二〇二〇年八月八日〜一六日

出会いは偶然だった。富山県美術館の、ある企画に参加したとき、通りがかったＴＡＤギャラリー（県民の発表の場）で、一枚の絵画に引きつけられた。その絵は視線を画面の表層に留めておくことを許さなかった。鉛筆で克明に、執拗に描き込まれた作品の描写力に圧倒されると同時に、描き込むほどに多くの〝空虚〟まで内部に宿していく、その空虚、空洞に向かって絵の内部へ、深部へと引きずり込まれていったのである。

横長の画面に色鉛筆とアクリルで彩色された建物は、黄金色に輝き、暗闇をいっそう深くし、虚空に浮かび上がる。《フューチャーシティ》（口絵ⅷ）と題されたその絵は、人類がいなくなった近未来の幻想画のようにも見えた。しかしこれは富山市に実際にあるショッピングモールの名前だった。

谷さんはまず実景を撮影し、それをまるで写経するようにひたすら描き起こしていくのだと言う。しかし現実を描いているはずの絵のいずれも、どこかがずれている。それらのほとんどが、夜の光景であり、人影のない通りだが、運動会や盆踊りの風景もある。見慣れたようでいてどこかが違う。ここはどこか、いつなのか。なぜ今、ここに在るのか？

後に、谷さんが富山大学を卒業後、フランスで学んだこと、ブラジルにも滞在していたことを知った。学生時代から舞踏に親しみ、舞台に立っていたことも知った。忘れかけた日本のイメージを寄せ集めたようなブラジルの日本人街。異国のカラオケ。地元・富山との往還が捉える対象そのものの、ある種の〝ずれ〟。そこには舞踏に通底する土俗性や風土性も垣間見える。しかし単なる郷愁ではない。むしろ研ぎ澄まされた感性と身体感覚が本能的に捉える〝ずれ〟であり、写真を現像するように絵画へと描き起こす中で、増幅されるきしみや歪みや痛みが絵画にも表出するのではないか。さらに突出した表現力がそれらを尖鋭化し、小さな、けれど深い空洞を内包していくのではないだろうか。

学生時代には自画像を描き、彫刻を制作していたという谷さんが鉛筆画を描くようになったのはフランスから帰国してからだという。富山の風土、とりわけ湿度が鉛筆を選ばせたと語る。展覧会では二〇〇八年から現在までの鉛筆画を通観できた。当初のモチーフは夜のコンビニやシャッターの降りた店、自販機などだ。人はいない。フランスに滞在していたからこそ捉え得た日本の地方都市独特の風景は、今や日本の原風景のようにも思える。モノクロームの画面に次第に色が入り、二年間のブラジル滞在中に人物が入るようになる。再び帰国後の富山で描かれたのが、地方都市に忽然と建つ《フューチャーシティ》であり、おとぎ話の様な建物であり、一方で一貫して描かれているのが隧道だ。そして最新作のカラオケで歌う自画像は、やはり異国でのカラオケ体験に端を発する。

「ほとんどすべてには人影がない。（中略）気分というものが欠如しているのである」――ヴァルター・ベンヤミンは「写真小史」（久保哲司訳　ベンヤミン・コレクションI　ちくま学芸文庫）の中で、ウジェーヌ・アジェ（一八五七～一九二七）の写真についてこのように述べている。また同書でベンヤミンは写真について「精密きわまる技術は、その産物に魔術的な価値を与えうる」「人間によって意識を織り込まれた空間の代わりに、無意識が織り込まれた空間が立ち現れる」とも書いている。パリのエア・ポケットのような風景を撮り続けたアジェの写真を、後にシュルレアリストたちは「都市の無意識」が写っていると、高く評価した。これらの文章を私は谷さんの、色や人物が入っている作品にまでも当てはめたくなる。

先に述べた〝ずれ〟を補強するのが人物の表情だ。写真をそのまま描き写しているはずなのに、異様なほどに無表情に見える。背景が濃密になるほどそれは際立つ。様々な表現様式を駆使する中で、写真から油彩を描き起こすフォト・ペインティングを重要な表現としているゲルハルト・リヒター（一九三二～）の言葉を思い出す。

《残響》2018年　60×90cm　鉛筆、アクリル　紙

（フランシス・ベーコンのように）顔を変形する必要などない。人々の顔を写真に写っているそのままに平凡に描くことのほうがずっと恐ろしい。

（『写真論／絵画論』清水穣訳　淡交社　二〇〇五年刊）

谷さんの風景を見る人は「写真」と「絵画」という二重のフィルターを掛けられていることになる。自身で撮影するという風景は、谷さんによって選び取られた、水平移動の中で捉えた時間差や意識差、エア・ポケットのような風景だ。そこにも当然無意識の部分が入り込む。写真はしかし、写された瞬間に過去のものとなり、特に人物は決定的に動きを封印される。それを克明に描き写すこととは、仮死の光景に血肉を与え、蘇らせるというよりも、もう一度凍結させていく作業ではなかったか。こうして私たちは二重に凍結された風景を見ているのではないだろうか。さらにそこには、作者の意識の空洞までもが二重に視覚化されているのだ。

一枚の写真から描かれたという、二枚のブラジルの日本人街の絵が併置された作品がある。現地ですぐに描き写したものと帰国後に描いたものだ。止まったままの時間を別々の時間に再現することも可能ではある。しかしそれは、そこだけ世界とは全く別の時間が流れているようで、あるいは時間軸が歪んでいるようでめまいがしそうになる。また《残響》の、スーパーリアリズムとも言うべき緻密に描かれた隧道内壁に、カラオケをする人物の呼気らしいものが、人魂のように浮遊している画面。たちまち変幻するはずの呼気があたかも固体のように空間に付着している。それを克明に描き写す作家の目の方が、とうに現実の目を超えている。こうして漂流物のような、白日夢のような光景が生み出されるのではないか。〝フューチャーシティ〟に未来はあるのだろうか。隧道の先には何があるのだろう。はたして出口はあるのだろうか。そんな不安を抱かせるのも、私たちが〝「写真」というリアリズム〟〝「写実」というリアリズム〟に二重に支配され、幻惑されているからこそではないだろうか。それを支えるのが谷さんの卓抜な描写力であると同時に、背景に作家が感受し、洞察した世界像を見ることも許されるだろう。

身体を通して現像するような作業は、確実に風景を身体にも刻み込んでいるはずだ。だからこそ、私は谷さんの視線の向かう方向の変化を感じないではいられない。最新作のカラオケをする自画像には、メタ絵画のように何層にも鏡に写る自画像が描かれ、次第に曖昧になっていく。水平移動の中でエア・ポケットを描いていた谷さんは今、垂直移動、即ち自らの内面を降下することによってその空洞に迫ろうとしているのではないだろうか。

変貌する空間、それぞれの現在《いま》

〝抜け殻〟が呼び込む時空間

伊藤剰「宙〜朽ちるものからの再生」
二〇一〇年一一月六日〜一四日

上昇なのだろうか、下降なのだろうか。地表から湧き出た木屑が、次第に形を成して、大きなオブジェとなり、螺旋を描きながら上昇していく。あるいは大きなオブジェが次第に小さくなり、下降しながら木屑へと還っていくようにも見える。

梅の剪定枝をリンゴのような形に組んだ伊藤さんのオブジェは、これまでの陶土によるオブジェとは異なり、ほとんど重力を感じさせず、わずかな風圧を受けて回転を続ける。壁に投影された影が二重にも三重にも螺旋運動を繰り返し、さらには壁を突き抜けるかのようなオブジェを配することによって無限の螺旋を暗示する。偶発性をも取り込んだインスタレーション的な展示の中で、オブジェと影とはどちらが実体なのか錯覚を起こしそうになる。朽ちていく木屑が、再び現在という時間の中に存在を得て、いつかまた地に還っていくと捉えることも可能だろう。〝螺旋〟という構造がDNAから宇宙をも想起させ、悠久の時間の中で繰り返される輪廻のようにも思わせる。

「宙〜朽ちるものからの再生」展　会場風景

しかし、単に自然の循環のようなものだとしたら、今眼前で展開されている時空間は生命の営みと呼応しているにすぎない。大小十三個のオブジェ（と、その影）が放つ存在感はそれだけに留まらない。もう一つ別の時空間を呼び込む。それは、伊藤さんが朽ちていく木屑を組む作業が、ひたすら〝抜け殻〟を作る作業に他ならないからだ。生命体である限り有限の時間に組み込まれ、変異を余儀なくされ続ける物質は、抜け殻＝無機物になることによって全く別の時間を獲得する。それはまた確かな実在感を伴いながらも、人間の営為とは無関係の時間に位置することでもある。それらを配置することによってもたらされた異質の時空間こそが、これまで伊藤さんが手がけてきた陶土によるオブジェ以来、一貫した世界なのである。

森の精霊に出会える場所

加谷径華・たかはし藤水二人展「木霊」

二〇一二年五月一二日〜二〇日

二人の越境者がぶつかり合った。加谷径華さんの、まるで抽象画のような「現代書」と、たかはし藤水さんの、植物を素材にした造形作品による、「森」をテーマにした二人展である。

加谷さんは伝統的な書の世界から出発し、象形文字のような作品を経て、ほとんど絵画そのもののような作品へと向かっている。たかはしさんもまた、伝統的な華道の一方で、游文舎ギャラリーなどで会場全体を一つの作品にしたインスタレーションを発表してきた。

異種の二人展ということでスリリングな展示作業だったが、結果的に拮抗することなく、むしろ相乗的にスケールが大きくなった。たかはしさんが加谷さんの平面作品に合わせて、藤蔓を貼り付けたボードによる壁面展示にしたことや、ともに白黒の世界だったこともあるが、何よりも

「木霊」展　会場風景

それぞれが捉えた森のイメージが全く対極的なものであり、その二面性こそが森の魅力でもあるからだ。

昨年、「森と芸術」展を監修し、柏崎でも講演された巖谷國士氏は「森とはこわくて気持ちのよい」ところであり、「森は芸術・文学を生んだところ」と語っていた。加谷さんは巖谷氏の講演に触発され、豊かで優しく包容力のある森を表現した。多彩で確かな技法は伝統的な書に支えられてもいるが、さらに冒険もある。水をたっぷり含んだ墨で、羊水を湛えたような森や湿潤な樹々を描くが、中に一点、濃墨でタケノコのようなかたまりがふたつ描かれた作品に強い印象を受けた。題して《森の番人》。包み込まれるような穏やかな森は、実は外敵を決して踏み込ませまいとするこの番人によって守られているのだ。緊張感のある画面が森の本質を鋭く突いている。

たかはしさんにとっての森は畏怖すべきものだ。うねり、くねり、からみつく蔓もボードも黒く塗り、闇の中で蠢くような不気味で神秘的な作品群だ。貼り付けられた蔓はなお制御されまいとしてボードまで反り返らせてしまう。たかはしさんはさらに、黒く塗った蔓の皮を細く剝ぎ取り一筋の白い線をつける。それはあたかも木の霊が内から浮かび上がるようで、妖しくなまめかしくさえある。

美術作家が紆余曲折を経て具象から抽象へと向かうのに対して、二人の作品が始めから形態をなぞろうとなどしていないことは興味深い。マルセル・ブリヨンはその著『抽象芸術』で「深く内面化された感情と、荘重な霊性を持った偉大な時代が、ときには無意識に、抽象の芸術への方向をとる」と書いている。書や華道の世界が重んじる精神性が森の霊性と結びつき、感覚そのものを表現しようとするからだろうか。二人が様々なジャンルの人たちの鑑賞によって多くの刺激を受けたであろう事は間違いないが、他のジャンルの作家たちに影響を与えたことも確かである。

伝統工芸を現代アートに

玉川勝之展「like a mirror」
二〇一二年九月八日〜一六日

加茂市在住の金属造形作家・玉川勝之さんは、伝統技術を活かした斬新でユニークな作品を発表している。今展では、ここ十年間に作られた大作十三点が壁面を埋めた。重厚で宗教的な作品の一方で、思わず吹き出してしまうような諧謔味溢れる作品との振幅が会場を独特の雰囲気に包んだ。

一メートル四方の木枠に囲まれた作品のほぼ対角線上に、銅板を叩いて凹凸を付けることによって〝描き出された〟裸婦像が横たわっている。その周辺、そして体の一部には正方形のアルミ板が鋲止めされ、まるで鉄格子のようだ。裸婦は胸や腹部をあらわにしたまま浮き沈みする。手をさし伸べようとするが届かない。すぐそこにいるのに。小さな若木が数本――希望だろうか、鎮魂だろうか。《a fortune island（福の島に寄せて）》という作品だ。最も〝真面目〟な作品である。

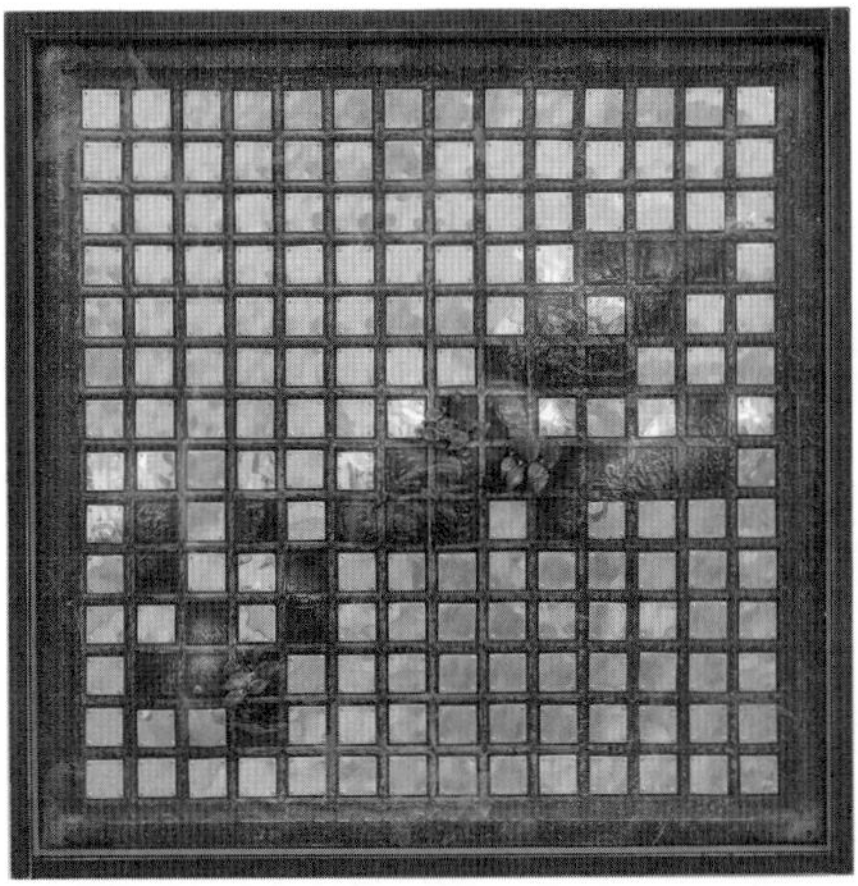

《a fortune island（福の島に寄せて）》2011年
100×100×10cm　銅、アルミニウム、木

　番外出展の椅子。まるで皮革のような肌合いだ。そこに打ち出された両手の平と指先が、座った人のお尻を適度に刺激する、という仕掛け。最

も〝不真面目〟な作品である。

玉川さんは無形文化財に指定されている鎚器銅器の「玉川堂」の職人を生業とする。その卓越した技を駆使して、現代アートともいうべき作品を作り続けている。銅板を叩きレリーフ状に人体やその一部を表現し、大胆に配し、それらをも覆うように、鏡面のようなアルミ板を格子状に打ち付けた作品の他、新聞の折り込みチラシをもじったものを、銅板の上にやはり格子状に貼り付けた作品もある。チラシの言葉はエロティックに、あるいはアイロニカルに書き換えられており、その諧謔精神にも並々ならぬものを感じる。

数年前、初めて玉川さんの作品を観て、このような作品もあったのか、と虚を衝かれる思いがした。さまざまな実験的手法を模索している現代アートのルーツを辿れば、多くが西洋文化に行き当たる。しかし日本の伝統工芸がこのような形で展開していたのだ。しかも絵画や彫刻が枠をはみ出し、空間へ、不定形へと向かっているのを横目に、レリーフとはいえ、まるでタブローのように、方形の銅板上に多くの要素を重層的に詰め込んでいくのだ。

重厚でクールで完璧なまでの作品の所々には、しかし、制作途上のつぶやきのような言葉が刻みつけられている。駄洒落やユーモアにとどまらない毒や文明批判……あたかも自傷行為のようにも見える。展覧会タイトルの「like a mirror」とは「自己を無にして人と対峙し、内面をも含めた相手の実相を写し出そう」というもの。その鏡は同時に自自身を写し出すものでもあるのだろう。膨大な時間をかける孤独な作業とは、自らに向き合い、突き詰める事を強いずにはおかない。

制作に対する徹底した自己批判の過程でもある。そこに浮かび上がるもう一つの自分。分裂した自己。それらを鏡に写し出すことによって自己を解き放つ。こうしてアートの可能性がさらに広がっていくのだと思う。

玉川さんの〝不真面目〟も実は膨大な時間の積み重ねによる。だからこそ観る人は真剣に付き合わされ、本物の楽しさとスリルを味わうことができるのだ。そして再び作品の力強さに引き戻される。時間を感じ、味わえる作品に出会うことは稀だ。そして幸福だ。玉川さんの作品は、作家が紡いだ稠密な時間に引きずり込んでしまうのである。

揺らぎ変容する光と水の世界

赤穂恵美子展「光の刻」
二〇一三年六月八日～一六日

海と空のあわいを一瞬にしてかき消す、燃えるような朱。あるいは海の深層を思わせる青。それらを多色刷版画のように幾度も染め分け、美しいグラデーションと文様を描き出す。折り、ねじり、波打つような半立体作品として仕上げられた大作の一襞一襞に光が宿る。それらは驚くほど様々な色を使っているのに、ひたすら〝静けさ〟へと収斂していく。

柔らかな曲線を幾何学的に構成した赤穂さんの作品は〝染色〟のイメージを一変させた。それにしても気の遠くなるような作業だ。迂遠な、とさえ思う。しかし、身にまとい、身近にあった布を色付け、その変容に神秘と敬虔を覚え、装飾以上のものを表現していた古代の人々を思う時、赤穂さんが、自らの世界を〝染める〟という表現手段で表し続けたいという理由に得心が行く。生も死も溶け合った宇宙空間のような作品は、手触りや空気感を伴いながら、観る人を包み込むようにして、何万光年も遠くからようやくたどりついた光と交感する場となるのである。

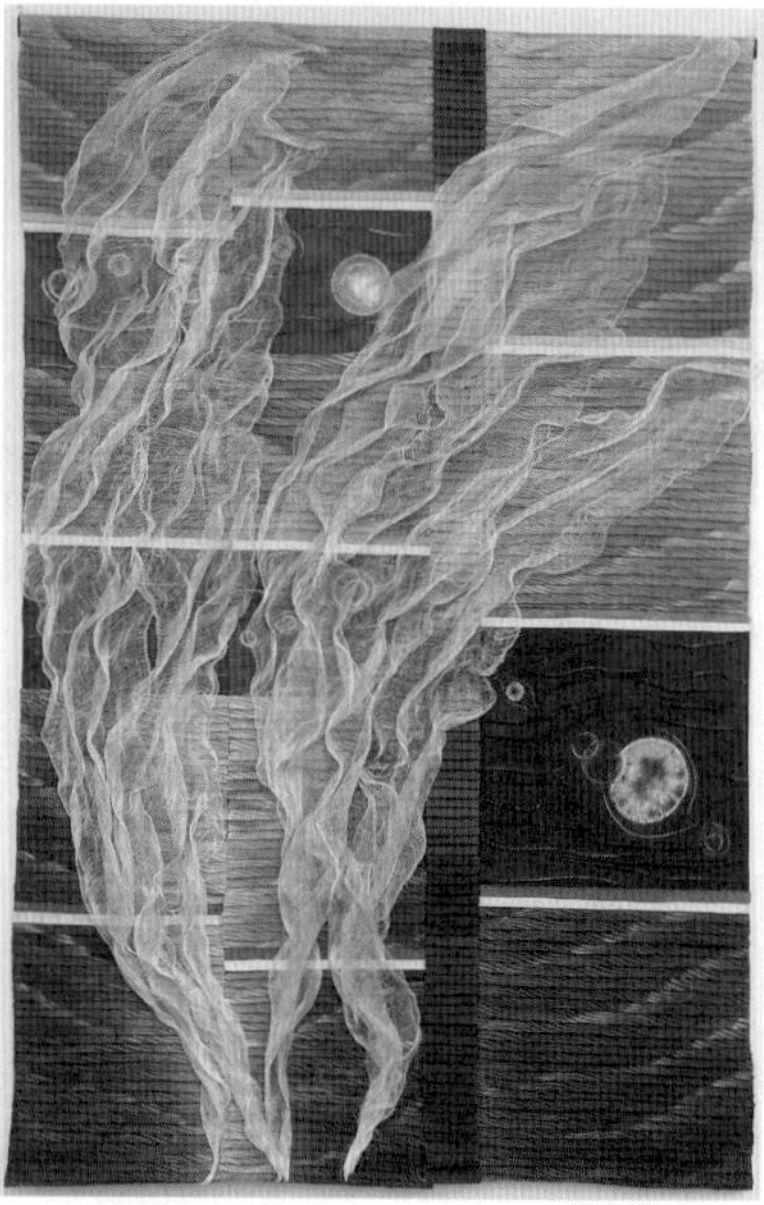

《光波》2012年　234×157cm
染料、麻、紗、綿、シルク

五感を駆使して創造の源泉へ

佐藤美紀展

二〇一六年五月二八日〜六月五日

Ｆ一二〇号二点をはじめ、Ｆ一〇〇号、Ｓ八〇号などの大作がギャラリーいっぱいに並んだ。原色を多用した躍動感溢れる作品が二十二点。画面を埋め尽くす色彩はそこからさらに飛び出し、それぞれの作品と連動し、共鳴し、空間を飲み込んでいく。この人の作品は壁面など意に介さないのではないか。

　無数の小さなつぶつぶ。それらを一気に覆い隠す黒や青の大きな楕円、あるいは赤や黄の塊。色面を引き裂くような直線やうねるような線。次々と映像が繰り出されるように、猛烈なスピードで描かれたであ

《2016－26》2016年　194×130cm
油彩　キャンバス

ろうことが伝わってくる。構想を決めず描き出し、「こんなものができた」とばかりに筆を置く。タイトルらしいタイトルはない。後は観る人に委ねる。目眩くばかりの色彩や線、大胆で奔放なまでの筆致は挑発的でさえあるが、どこか懐かしさを覚える。

もちろん写実や具象ではない。だからといって抽象、と言ってよいのだろうか。見る人の共感を呼ぶのは、確かに見たもの、記憶の奥底にある、見えていたはずの何かだからではないか。「幻視」とか「白日夢」、「既視感」といった曖昧なものではない。もっとリアリティーを伴った力強いもの、と言ってよい。

アール・ブリュットや幼児の絵とも異なる。もしかしたら乳児や胎児のように識別も捨象もできなかった頃、世界はこのように迫ってきていたのではないか。意味も輪郭も重量感も定かではない色の塊や音がもたらす快、不快、恐れや不安。五感を駆使して世界のすべてを捉えようとしていた頃を想像させる。ざわめきや、空気を切り裂くような音、さらには光や時間によって刻々と移り変わる光景さえも瞬時の残像として、重層的に画面に込められているのではないか、と。

反逆的なまでの「回帰」――佐藤美紀さんは自らの内面を問い、内奥に遡行し源泉に向かうことによって、世界をあるがままに感覚として、体感として捉えようとしているのではないか。そしてとどまることのないダイナミズムと、渾沌のままを画面に焼き付けようとしているのではないか。何というエネルギーだろう。佐藤さんは誰よりもよく知っているのだ。渾沌とは創造力の源であるということを。そして実に変化に富み、豊かな可能性を秘めているということを。

闇に胚胎する想像力

本間恵子個展「…マヒルノヤミ、ノナカデ、イタミ、ニタエル…」

二〇一七年一〇月七日〜一五日

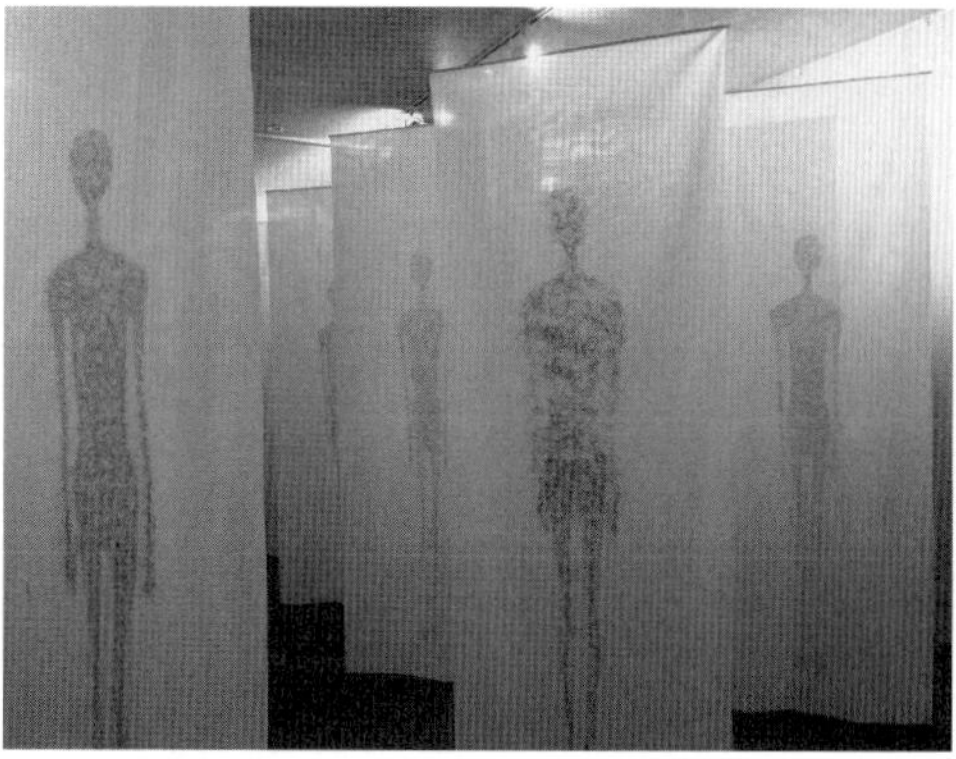
ギャラリー内のインスタレーション

私（私たち、と言っても許されるだろうか）は、これまであまりにも闇を畏れ、忌避しすぎていたかもしれない。確かに暗闇＝先が見えない不安は死に直結する。けれども、人は闇からの解放と共に、多くのイタミも抱えることになったのではないだろうか。

本間恵子さんの個展では、吊り下げられた大きな長方形の布に、等身大の人の形が浮かび上がる。無駄なものを削ぎ落とした痩躯の人型はまるで影法師のようだ。自由や、国籍や、言葉あるいは何らかの欠落を抱えた無辜の人々。ないはずの目が、闇の中で目を凝らして確かな視線を放っている。「芯」だけになった「ヒト」の、毅然とした意志を感じる。闇は無ではない。万物の記憶を宿す場であり、その記憶の一つ一つと交信しながら、人はイタミを癒やし、想像の種子を涵養するのだ。

十月七日、十四日には堀川久子さん、本間惠子さんらによって、身体と音による即興が行われた。かすかな音に目覚めさせられたかのように始まった堀川さんの舞踏は、イタミを抱えた人が何かを探し、追い、求め、影法師の間をさまよい、歩き、駆ける。通り抜ける風のようでもあり、老婆のようでもあり、少女のようでもある。地底から響く声や、鳥のような声を発し、闇を抜け、朝の光の中で、突然詩のような言葉が生まれる。林立する影法師の中で、いつの間にかどちらが実像でどちらが虚像か見失いそうになる。

一方、本間さんは「ヒト」の間でじっと耳を澄ませ、ゆっくりと動く。見えない光の代わりに、光を聴き出そうとするかのように。闇が言葉を生み、動きを促す。白い人型を形づくっている、短く切り刻んだ糸が、血液や細胞が流動するようにざわめき始めた。

身体化された〝ひも〟

茅原登喜子展

二〇一八年六月二日～一〇日

会期中、折あるごとに茅原さんは游文舎ホールのコンクリート床にチョークでぐるぐると〝ひも〟を描き続けていた。

公開制作中の茅原さん

今展で茅原さんは、大学卒業制作という一八〇cm×一八〇cmのパネル三連作も展示した。以来十年、大作を中心に並べた会場で、様々な技法を試み、表現の変化を伴いながらも〝ひも〟という一貫したテーマを追求してきたことを改めて知ることになった。

卒業制作のタイトルに使われた「眇《すが》める」とは目を細めてものを見る様をいう。それぞれ赤系、白系、緑系で描かれた三作品は、強く短い線が波打つように繰り返され、わずかな歪みと揺らめきが見る者を幻惑し、思わず「眇め」て見直しそうになる。この時の〝ひも〟はつながりや経路を見せず、まるでオブセッションのように画面を埋め尽くしていたが、次第に解きほぐされ、緩やかに絡み、重なり合いながら、画面を自在に巡るようになる。同時に空気をまとい、何かを孕むように有機的になり、ほとんど身体化していく。それは茅原さんにとって、〝ひも〟を描き続けることとは、日常の時間を流れるままにせず、立ち止まり、確かめ、蓄積していく行為に他ならないからではないだろうか。

だから最新作の、天井から吊した三連作が「人体をイメージした」というのも納得がいくし、風景写真に〝ひも〟を描き加えた《たぶんいる》シリーズが、日常の中にふっと現れるもう一人の自分であっても不思議ではない。

コンクリート床の〝ひも〟は、作家のみならず来場者の呼吸や体温までも吸収しながら日々増殖し、最終日、約五十平方メートルの床全体を覆う、巨大な生物のような作品となって出現した。この夏、游文舎に棲みつくらしい。

身近な自然から描き出す悠久の世界

カルベアキシロ展「周囲四㎞の里山」

二〇一九年四月六日～一四日

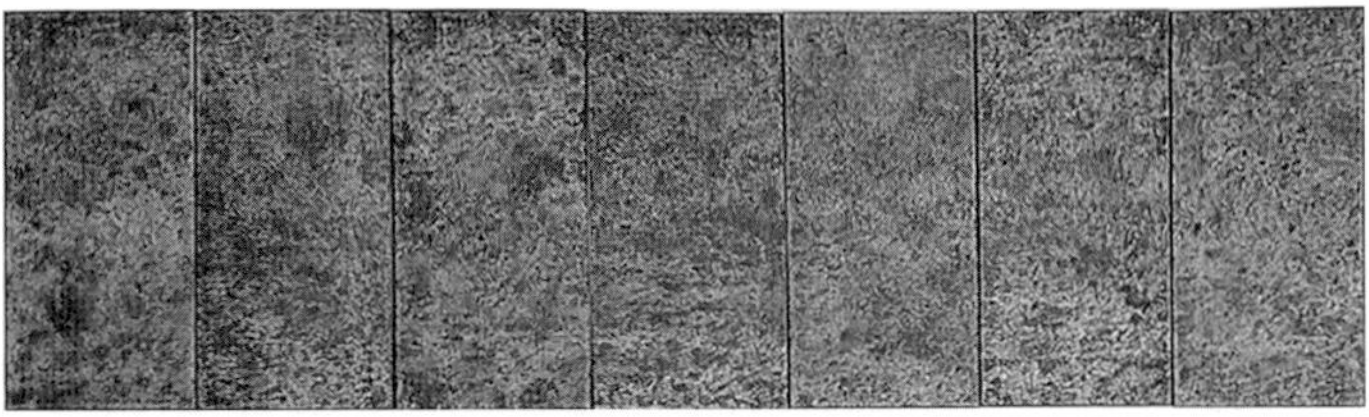

《積層》（部分）2018年　180×900cm　油彩　麻布

粗い麻布を張った自作のキャンバスに、分厚く塗られた絵具――荒々しい画面にもかかわらず、カルべさんの作品が、暖かく心地よいのは、アースカラーを主体にした色調と、地層を思わせるマチエールのせいだろう。実際、そのタイトルは《漣》《移ろい》《太古の風》《胎動》など、自然や生命を想起させるものばかりだ。

圧巻は、ホールに展示された幅九メートル（一八〇cm×九〇cm×一〇枚）にも及ぶ作品《積層》である。布目に絡ませ、織り込むようにして塗られた力強く厚い絵具の層は、物質としての存在感を際立たせ、ひたすら塗り込むという行為の繰り返しが、描き手の呼吸を画面に写す。

カルべさんは毎日、家の周囲四キロを散歩するのだという。それが作品に一貫したテーマを与えているのだが、あえてテーマにするというよりも、特に意識せず、何気なく通り過ぎた中でも心に留まるものが、日々描く行為と共振し、画面に現れ出てくるのではないか。それこそが、自然との一体化であると共に、土地の記憶や生命の根源的なものを思い起こさせるのではないだろうか。その画面は、木々の一本一本が、虫や鳥や獣たちが、人間が、水や大気や大地と連鎖しながら息づいている、まさに連綿たる生命の営みの世界そのものだからだ。そして限られた小さな自然からでも、宇宙的な拡がりと、深遠な世界を描き出せることを教えてくれる。

第五章　旅と美術

未完の夢、あるいは欠損の美
――アントニ・ガウディに寄せて――

バルセロナのスペイン広場から、カタルーニャ鉄道に乗って二十五分、コロニア・グエル[1]駅に降り立つ。無人駅の前の広々とした道路に人影はなく、時折車が通り過ぎるだけだ。木立の向こうに崩れかけた赤煉瓦のキューポラが見える。インフォメーションに従って道を曲がると、突然、やはり赤煉瓦の古い倉庫のような建物、さらに煉瓦造りの重厚な建物が続く。一世紀前に迷い込んだかのようだ。静寂の中で突然響いた子どもの声に振り向くと、広場で遊ぶ子どもたちの姿が、まるで一昔前の映像のように飛び込んできた。やがてゆっくりとまばらに大人たちの姿も視界に入ってきた。通りは眠ったように静かだが、一角には土曜の午後を楽しむ人々が集っている。サンタ・コロマ・ダ・サルバリョの街は、明らかに時間の流れ方が違っていた。

緩やかな坂道を上りながら十五分、街を見おろす位置に立っているのがコロニア・グエル教会である。一八九八年から一九一六年にかけてアントニ・ガウディが手がけたこの教会は、塔などの建築までには至らず、結局地下聖堂だけで中止となった。もし塔が立っていたら駅からも見えたのだろう。しかし背後の斜面に覆われた石造りの聖堂は、建物というよりも、地下からむくむくと頭をもたげて足を踏ん張っている巨大な昆虫か、大地と一体化した洞窟のように見える。人気のない聖堂の、荒削りの石柱に囲まれて、私は午前中に訪れたサグラダ・ファミリアの喧噪と戸惑いを思い起こしていた。

二〇一六年晩夏、スペインを訪れた。もちろん団体ツアーで、マドリードをはじめ、主要観光地を各一日かそこらで廻るというお決まりのコース。通り一遍の見学しか出来ないであろうと思っていたが、夏時間で、しかも遅い昼食・夕食というこの国の習慣は、思っていた以上の時間を与えてくれた。

スペインといえばやはり美術、特に絵画と建築だ。中でも一番の目的はガウディである。ガウディを知ったのは一九七九年、長岡市の北越銀行本店で全国巡回中の写真展によってであった（北川フラム氏がプロデュースしていたことは後に知った）。ほとんど平面のない壁面や、放物線を描く柱や天井、波打つ屋根、過剰なまでの装飾……バロックとも、プリミティヴとも、未来の、あるいはファンタジーとも言えそうな世界に「建築」という概念さえ覆されそうだった。しかもサグラダ・ファミリアは（その時点で）百年近く前に着工し、なお建設途上だという。ガウディとは何者か。そして「建築」という施主あっての、しかも都市空間でこのようなことを許すバルセロナとは一体どのような都市なのか、ずっと気になっていた。そのサグラダ・ファミリアがガウディ没後百年にあたる二〇二六年完成予定だという。これまでの進捗率から言って信じがたいが、どうなっているのだろう。興味は尽きない。短時間とはいえ、それでも現地に立つことで何か感じられるはずだ。

初日に滞在したマドリードで市街を見学し、さてスペインの特質というか、スペインらしさとは何だろう、と首をひねった。全くの直感だが、多国籍的だ。つまりは何でも取り入れているように見える。スペインはその地理的位置から、古来様々な民族の脅威にさらされてきた。自ら海外に進出もした。その緊張感の一方で、文化や風習を混淆し融合することを厭わなかったのではないか。

その思いはコルドバ、セビリア、グラナダと見学するほどに強まった。本来強く対立していたはずのキリスト教文化とイスラム教文化の併存を目の当たりにしたのである。

スペインは七一一年にイスラム教のウマイヤ朝が上陸して以来、国土のほとんどがイスラム教化した。同時にレコンキスタ（国土再征服）も始まった。コルドバはイスラムの聖地で、一〇世紀には五十万の人口を抱える世界有数の都市だった。ここに巨大なメスキータ（モスク）がある。レコンキスタにより一三世紀にキリスト教に戻ってからも、イスラム教寺院のまま礼拝堂を作り、キリスト教会に転用するという世にも珍しい建物となった。同じ頃、レコンキスタを成し遂げたセビリアの、スペイン最大の大聖堂にもモスクの名残が色濃く残っているし、隣接するヒラルダの塔はモスクのミナレット（尖塔）だった。そしてスペイン・イスラム最後の王国グラナダに建てられたアルハンブラ宮殿は、レコンキスタ後、改築を加えながらもかつての宮殿部分を残している。また増改築部にしてもロマネスクやゴシック様式にムデハル（キリスト教圏のイスラム）様式が融合し、独特の建築手法となった。装飾や空間構成はじめ、スペイン文化の多くがイスラム文化に負っていたのである。

アントニ・ガウディ様

「日本人ほどガウディ好きはいない」とよく聞いていました。それでいて、クレーン付きの画像が当たり前になっているサグラダ・ファミリア以外はあまり知られていないのも事実でしょう。あなたの意志と執念が一世紀を経てもなお日本人の心をつかんで離さないのだと思います。そして半生をそれに賭けたあなたには清貧のイメージがつきまとい、一方で時代を超越したデザインから狂気のアーティストともみなされる。そんな神話だらけのガウディ像が一人歩きしているような気がしてなりません。だからサグラダ・ファミリアで日本人観光客だらけという光景はあまり想像したくありませんでした。でも遠い日本のこと、人混みの中でも日本人をほとんど見かけず、少しほっとしましたが、一日に入場者一万人と言われる、世界中のガウディ熱に圧倒されそうにもなるのでした。

さて、旅程ではバルセロナは最終日、一日半しかとれません。途中の観光地を省略して少しでも長くバルセロナにいられないかとずっと思っていたのですが、結果的にこの行程があなたの建築を辿るにはとてもふさわしいものでありました。

アルハンブラ宮殿の彫刻

あなたが生まれたのは一八五二年、カタルーニャ州の地方都市・レウス。バルセロナから南西に百キロ余りの所ですね。そしてバルセロナの建築学校を経て、その後の活動もバルセロナが中心でした。カタルーニャ地方というのはイスラム勢力の影響が最も少なかった所です。イスラム軍の侵攻があったとき多くの人がフランク王国に逃げ、その庇護のもとでいち早くイスラムからの奪還を果たし、国を再建したということです。そして一一世紀にはフランク王国からも独立しました。ただ、それがスペインの他の地域とは異質の歴史・文化をもたらしたのですね。特に建築においては、イスラム建築もムデハル建築も持っていませんでした。にもかかわらずあなたは、とりわけ初期の建築ではムデハル様式を積極的に取り入れ、その後も巧みに展開させていきました。その鍵が、バルセロナ以外の地のイスラム建築にあったのでした。煉瓦を用いるイスラム建築の手法。コルドバのメスキータの華麗な壁面彫刻やタイル装飾。アルハンブラ宮殿の、鍾乳石の、房飾りのような天井彫刻や凝ったタイルアート。こうした手法を、ロマネスクやゴシック様式と混淆させたスペイン独自の建築様式とともに、あなたはしっかりと引き継いでいたのですね。さらにはセビリアのヒラルダの塔からは、なんと荷車や車輪を建物内に乗り入れる知恵を借りています。アルハンブラ宮殿をこよなく愛し、スケッチをしていたとも聞きました。それは建築物だけではなく、林立する糸杉に、サグラダ・ファミリアの尖塔のヒントがあったとも。イスラムの装飾と、自然の形態の中に美を発見しようとするゴシックの精神とがこうして融合していく——装飾がほとんどない、素朴なカタルーニャの建築からは想像できない豊穣さが、こうして生まれてきたのだと納得したのでした。

マラガから国内便でいよいよバルセロナへ。空港の表示には、スペイン語と英語の他、カタルーニャ語が加わる。同じ新聞が二つの言葉で発行されている。ここはカタルーニャ語も公用語なのだ。バルセロナを州都とするカタルーニャ地方は、今でも時折独立がささやかれるように、スペイン・フランス国境に位置し、独自の歴史と伝統、言語を持っている。ガウディを知るにはスペインにおける、この地方の特異な歴史も知らないわけにはいかない。

イスラムとの関係については先に述べたが、その後港町として繁栄を極めたカタルーニャは、一四世紀後半からはペストの発生もあって人口が激減し経済も衰退した。そして統一後のスペインが黄金世紀を迎える中で、一地方として取り残された。スペイン継承戦争では敗者側に付いたため、ブルボン朝の厳しい制裁が加えられ、カスティーリャ語（スペイン語）の使用が義務づけられた。だがスペインで唯一、産業革命に成功し、一八世紀末から繊維産業を中心に急激な経済発展を遂げた。一九世紀に入り、人口急増のため新市街（アシャンプラ）が計画造営された。いよいよ建築ブームだ。バルセロナに建築学校が新設されたのは一八六八年、ガウディは一八七三年に入学している。

経済発展は、「ムデルニスマ」（近代主義）という芸術潮流を生んだ。特に建築では、ガウディだけでなく、ドゥメネク・イ・ムンタネー（一八五〇〜一九二三）、プッチ・イ・カダファルク（一八六七〜一九五六）らが活躍した。

一方、大量に生まれた労働者と資本家との軋轢も増していく。一八六九年、バクーニンの弟子・ファネリがバルセロナに到来、アナーキズムは労働運動と結びつき一気に広まった。各地でテロが頻発し資本家もまた暴力で抑えようとした。特に、リセウ劇場の爆弾テロ（一八九三年）をはじめ、一九世紀末から二〇世紀初めにかけては爆弾テロが相次いだ。また一九〇九年には「悲劇の一週間」と言われる、教会の焼き討ち事件が起こっている。

ところでカタルーニャのムデルニスマという言葉は要注意だ。一般に「近代主義」とは二〇世紀初頭から起こった前衛的な芸術運動全体を指し、建築ではフランク・ロイド・ライトやル・コルビュジエ等の機能的・合理的な建築を代表とする。しかしカタルーニャ・ムデルニスマはアール・ヌーボー[2]の地方版であり、二〇世紀初頭までのごく限られた時期の、職人的・工芸的な装飾を多用した建築に代表される。ただし、はっきりとした様式というものではなさそうだ。むしろ如何に独創的かを目指していたように見える。新市街最大の繁華街・グラシア通りにはガウディとカダファルクの建物が隣接し、少し離れたところにムンタネーの建物があり、他にも同時期の建物が趣向を凝らして立ち並んでいる。自己主張のぶつかり合いだ。施主であるバルセロナの資本家たちもまた、如何に目立つかを競い合っていたのだろう。

ムンタネーの建物。現在はタピエス美術館になっている。
屋上装飾はタピエスによる。

そのグラシア通りでも斬新さで際立っているのが、ガウディが改築を手がけたカサ・バトリョ（一九〇四〜一九〇六）である。隣のカダファルクの「カサ・アマトリェー」も、アラベスク模様の壁面や窓枠など、いかにもアール・ヌーボーらしい華やかさだが、カサ・バトリョは、昆虫や動物を思わせる窓枠やベランダが作り出す、うねるような曲面や立体感のあるファサードからして、むしろ異様なほどだ。さらに内部はとめどなく曲面が続く。その上で、家具のデザインや、トップライトの明度に合わせて壁面のタイルの色

左がカサ・アマトリェー、右がカサ・バトリョ

カサ・バトリョの屋上

を変えるなど、細やかな工夫がなされていることにも驚かされる。

「カタルーニャの守護聖人サン・ジョルディが竜を退治した」という伝説をテーマに作られているだけに、建物全体が有機的な一つの生物のような一体感と流動感を持っている。柱や椅子の脚や、ベランダの手すりが動物の骨や爬虫類の頭のようになっているのも、伝説に合わせたためで、一見幻想的に見える意匠はすべて一義的な意味を持っているのである。それでも怪物の背中のような鱗状の屋根にはぎょっとさせられた。こうした動物のモチーフはもはやアール・ヌーボーを逸脱しているし、屋根の上の、兜をかぶった兵士のような煙突に至っては、偏執狂的にデザインを楽しんでいるとしか言いようがない。その一方で屋根裏の、リズミカルに連続する漆喰の放物線アーチは、聖堂のような敬虔さを湛えている。(3)

カサ・ミラのファサード

　また、カサ・ミラ（一九〇六～一九一〇）もグラシア通りにある集合住宅で、「石切り場」という愛称を持つ。波打つような石のファサードが圧巻だ。骨のような柱を持ったバルコニーには鍛鉄製の海藻と珊瑚が絡みつく。この量感は城塞を思わせ、屋上の煙突や排気筒もまた、街を睥睨する兵士のようだ。ガウディの屋上へのこだわりは尋常ではない。起伏のある屋根に、異形のトーテムがバリエーション豊かに並ぶ。カサ・バトリョ同様、大きく取られた二つの中庭は構造的に建物全体の背骨の役割をしているが、ガラス張りの壁面から覗くと深淵に引きずり込まれるようだ。実はこの建物の屋上には巨大な聖母像が建つ予定だったという。兵士のような煙突は聖母を守るためのものでもあったのだ。しかし一九〇九年の「悲劇の一週間」での大規模な宗教施設襲撃を見て、施主が標的になるのを恐れ中止させたという。

めざましい経済発展を背景に、バルセロナでは一八八八年と一九二九年に万国博覧会が開かれている。ガウディの活躍した時期とほぼ重なる。バルセロナ出身の作家、エドゥアルド・メンドサ（一九四三〜）の『奇蹟の都市』（一九八六年）は、この間のバルセロナを活写する。

主人公オノフレ・ボウビラは、ピレネーの山深い村から、成功を夢見てバルセロナにやってきた。めざましい発展を続ける都市は、闇もまた果てしなく深い。テロや犯罪も日常茶飯だ。彼は万博会場の工事現場でのアナーキズムのチラシ配りや窃盗から始めて、裏社会の人脈を作り、土地転がしや武器の密輸など悪辣な手段も弄して巨万の富を築き上げる。二度目の万博の際、派手な演出で謎の失踪を遂げる結末は、この都市の衰退を予感させる。

本書の巻末近くに以下の記述がある。

（一九二六年のある日、サグラダ・ファミリアの塔と塔の間をアクロバット飛行する機体に向かって＝筆者注）塔のてっぺんに痩せこけて身なりのだらしない老人が現れるのが見られた。パイロットに悪口雑言を浴びせながら、なぐれば罰当たりな飛行機を落とせるように、老人は拳固を振りまわした。

（鼓直他訳　国書刊行会　一九九六年刊）

この老人こそがガウディである。これは当時カタルーニャではムデルニスマに代わって〈ノウセンティスマ〉という新たな運動が起きており、ガウディとその作品が時代遅れと物笑いの種になっていたことの寓意でもある。サグラダ・ファミリア＝聖家族贖罪教会の施主は、ホセ・マリーア・ボガベーリャが設立した民間団体「聖ヨセフ信心会」である。ガウディが主任になった一八八三年当初は資金に恵まれていたものの、次第に枯渇し建設は滞りがちになっていた。ガウディは地下礼拝堂に寝起きし、建設資金調達に苦しみながらこの年（一九二六年）、市電に撥ねられて亡くなった。七十三歳と十一ヶ月半。

アントニ・ガウディ様

あなたにパラウ・グエル（グエル邸）、パルケ・グエル（グエル公園）、コロニア・グエル教会といった大きな仕事を与えたのがエウセビ・グエル氏（一八四六〜一九一八）でした。グエル氏は、キューバで財を築き事業を興した父の後を継ぎ、事業を拡大しスペイン経済に大きく貢献しました。政界にも進出し後年伯爵号を与えられています。

氏はフランスやイギリスで学び、文化にも深い造詣を持った、開明的な方だったのですね。そしてあなたの才能をいち早く見抜き、当初は小さな仕事から、次第に大きな仕事を任せ、経費、時間を度外視して開花させた。これほど強い信頼関係を持った芸術家とパトロンの関係を私は他に思い浮かべることが出来ません。

グエル家のように、新大陸で財をなした資本家というのは、当時のバルセロナを象徴するものだったのでしょう。先のメンドサの『奇蹟の都市』の主人公・ボウビラの父は一攫千金を夢見てキューバに行き、果たせずに戻ってきました。父から引き継ぐ物が全くないボウビラは、まさにグエル氏の裏側の社会で財をなし、桁外れの買い物や事業をします。その一つ一つが破天荒と思っていたのですが、グエル公園を訪れて、小説の世界が決して荒唐無稽ではないのだと思ったのでした。

グエル氏が労働者から見てどのような経営者であったかはわかりませんが、おそらくイギリスのウィリアム・モリスやラスキンの影響で、労働者のためのユートピアを創ろうとした理想主義者であったようですね。それがグエル公園であり、コロニア・グエルであったわけです。

グエル公園（一九〇三〜一九〇六）はグエル氏が郊外に造成した集団住宅地で、広場もあれば遊歩道もある田園都市を目指していました。ところが売れたのは二棟だけでした。あなたとグエル氏本人と。

グエル公園のベンチ

グエル公園の粗石の回廊

入り口の、門番の建物と、訪問者用の建物は、まるでおとぎ話の家。屋根のてっぺんにキノコを載せた、ダリが言うところの「砂糖菓子のような」家です。色とりどりの破砕タイルのモザイクで飾られた階段壁や手すり。ドーリス式列柱が並ぶギリシャ劇場の、波打つような周縁部がベンチになっていて、これもタイル片で飾られています。モザイクは思いがけない組み合わせで意想外の効果を生む、まさにコラージュの先駆です。これらが同じカタルーニャの作家・ミロにどれほどインスピレーションを与えたことでしょう。

やはりタイル片で飾られた、手すりのドラゴンは公園一の人気者だけれど、これは貯水槽からの排水口になっており、ゴシック寺院に見られるガーゴイルのようなものでしょうか。この公園、タイル片やガラス片は不良品や使用済み品で、今日我々が言うところの〝エコ〟——資源を再利用し環境負荷を軽減しようという——まさに現代的なテーマパークになっているのは驚きです。

ところがこんなに色彩豊かで甘く夢のような公園が、遊歩道を上っていくにつれ、次第に色が失われていき、粗石のままの傾斜した擁壁と、それを支える傾斜したアーチは、回廊というよりも荒々しい洞門となって、私たちを山の上へと導いていくのです。石はますます人を脅かすようにごつごつとしてくる。全く異なった表情を持つ公園にはマニエリスム的な、あるいはあなた個人の毒気のようなものを感じてしまいました。さらに竜舌蘭が植えられた、岩石で出来た植木鉢を載せた岩の柱が連なるともう、ざわざわと胸騒ぎさえ覚えます。人工が自然に飲み込まれていく超現実的な世界。だからサルバドール・ダリの評価がシュルレアリスムの文脈からであったのも肯けます。もっともあなたはマルキシズムも革命も大嫌い。教会を信じている。シュルレアリスムとはことごとく反対ですが。

コロニア・グエルもその名の通り、労働者のための自給自足的コロニーを目指したものでしたね。バルセロナ近郊、サンタ・コロマ・ダ・サルバリョの三十ヘクタールに及ぶ土地に織物工場と共に労働者住宅を建て、医療、スポーツ、文化など必要施設のすべてが備えられていました。これらの設計は助手のベレンゲールが手がけ、あなたは教会の建設を任されました。それが一八九八年のことだったのに、あなたはなんと十年間も実験に明け暮れていたのでしたね。それが「索状模型」、即ち逆さ吊り実験です。両端を止めた紐を何本か天井から吊り下げて、出来た曲線におもりをつけ、おもりの位置や重さを変

索状模型のイメージ（カサ・ミラにて）

コロニア・グエル地下聖堂

えて紐のカーブを変えながら合理的かつ美しいカーブを作るというもの。それを写真に写し、逆さにすると懸垂曲線（カテナリーアーチ）、あのサグラダ・ファミリアの尖塔のようになるとは……。いまだかつて誰も考えが及ばなかった、張力を圧力に変える方法です。ここには垂直な線は一本もありません。

　こうしてようやく一九〇八年に着工したものの、第一次世界大戦によりグエル氏が経営上のダメージを受け、一九一六年に中止となってしまいました。ほどなくグエル氏は亡くなり、あなたはサグラダ・ファミリアの仕事に専念することになったのですね。

　聖堂中央の荒削りのままの四本の玄武岩が、螺旋状の節理そのままに内側に傾斜し、幾本にも分化した天井のアーチを支え、まるで張り詰めた筋肉や骨がぎりぎりの均衡で支え合っているような緊張感と存在感に、私は言葉を失いました。材質を最も美しい形で、最も力強い形で、ほとんど生《き》のままのように見せてくれている。そして外観について言えば、この建物ほど未完成について考えさせるものはありません。それは生成途上とも、まもなく終末を迎えようとしているとも言ってよい、自然に身を任せて静かに息づいているようでした。

そういえばあなたの作品にはなんと未完成が多いことでしょう。設計だけで着工に至らなかったものも含めたら相当な数になるはずです。あまりにも完璧を求めるせいでもあるのでしょうか。しかし、未完成故に、欠損故にあなたの建物には生命力が感じられるようにも思えてきます。

その後のカタルーニャの歴史も記しておこう。サグラダ・ファミリアは歴史と共に生きてきたのだから。

リベラ軍事政権でカタルーニャの自治はずたずたにされ、ようやく共和制に戻ったものの、わずか三年後の一九三六年、フランコによる反乱が勃発しスペイン内戦が始まった。カタルーニャは共和国政府を支持していたが、三九年一月バルセロナが陥落。同年四月から始まったフランコ政権では過酷な弾圧を受けた。政治面だけでなく、カタルーニャ語の出版は禁止され、公の場で使うことも禁じられた。新憲法の下、自治を回復したのはようやく一九七六年、フランコが没した翌年のことである。カタルーニャ語も自治州の公用語となった。

テロや内戦の間、教会は権力の象徴として共産党やアナーキストの襲撃の対象となった。サグラダ・ファミリアでは聖堂の主任司祭、ヒル・パレス神父が殺害された。ガウディの事務所も焼かれ、ガウディが遺した資料は消失し、模型も破壊された。
ジョージ・オーウェル『カタロニア賛歌』の一節である。

バルセロナに来てはじめて、ぼくは大聖堂を見に行った——近代的な大聖堂で、世界でいちばん醜悪な建物のひとつだ。まさにライン・ワインのビンの形そのままの、銃眼模様の尖塔が四つあった。バルセロナの大半の教会とは異なり、革命のときに損傷をうけなかった。「芸術的価値」のために命拾いしたとのことだ。これを爆破する機会がアナキストにあったのに、彼らがそうしなかったのは俗悪な趣味だとぼくは思う。

（都築忠七訳　岩波文庫　一九九二年刊）

フランコ政権ではカトリックが唯一合法な宗教とされ、教会建築物の修復費用も支援していた。しかしカタルーニャ人にとっては複雑だ。サグラダ・ファミリアの建設に携わることはフランコ政権に与すると見られるからだ。一九六五年には、左翼でカタルーニャ主義者の建築家が反フランコの立場から建設反対運動を起こし、ル・コルビュジエやミロ、タピエスらも署名したという。いずれもガウディに惹かれ、影響を受けた人たちだ。現在、サグラダ・ファミリアの主任彫刻家である外尾悦郎は「（建設に携わることが）後ろめたいことであるかのような空気は、私がバルセロナに渡った一九七八年にも、まだはっきりと感じ取れた」（『ガウディの伝言』光文社新書　二〇〇六年刊）と記している。

言葉は地域性、文化的ナショナリズムの拠り所だ。度々のカタルーニャ語の抑圧はかえって民族意識を煽ったことだろう。ガウディにも生涯カタルーニャ語しか話さず、書かなかった、という伝説がつきまとう。実際にはカスティーリャ語を使っていたらしいが、作品にはカタルーニャ主義が色濃く反映されている。前述のようにカサ・バトリョはカタルーニャの守護聖人の伝説をテーマにしているし、グエル公園は、カタルーニャ主義の表象にしようとしていたらしい。思想的には愛国的な保守主義と言ってよい。そもそもガウディは近代など信じていなかったのではないか。古いロマネスクやゴシックの伝統を基本に、その不備を補おうとしていた。ただその方法が、既存の建築の枠を柔軟にはみ出していたのだろう。

サグラダ・ファミリアの建築現場には、そこで働く労働者の家族のための小学校も建てられていた。小規模ながらとても機能的な、それこそモダニズム建築の範となりそうな建物だ。薄いタイルを二重貼りにすることによって、波打つような屋根や外壁が出来上がっていることがよくわかる。「カタルーニャ・ヴォールト」という薄板レンガで、カタルーニャ地方の伝統技術だという。それを二重、三重にすることで自在な曲面と強度を得ていたのだ。破砕タイルによる装飾もデザインだけでなく曲面を生み出す方法でもあった。逆さ吊り実験にしても、アナクロニズムと言えそうなこうした発見が、現代のCADによる図面に匹敵するような超時間性を持っている。

サグラダ・ファミリアは後陣と、〈生誕のファサード〉の一部、尖塔は一本だけ、ガウディの生前に完成していた。〈生誕のファサード〉の彫刻は外尾悦郎らの後補により、二〇〇〇年に完成している。写実的な優しい慈愛に満ちた表情の聖母や天使たちはそれぞれストーリーを持つ。圧倒的な高さの身廊のドームは、石柱が巨木のように林立しそこに燦々と光が差し込んでいる。天井はまるで万華鏡のように複雑な光を呼び込む。そして〈受難のファサード〉の彫刻は、カタルーニャの現代美術家、ジョゼップ・マリア・スビラックス（一九二七〜二〇一四）の、表現を切り詰めた直線的なスタイルだ。教会の建物全体が聖書となり、装飾の細部に至るまですべてが象徴としての役割を担っている。

アントニ・ガウディ様

サグラダ・ファミリアを見たときの戸惑いを、私はいまだに引きずっています。まるで怒濤に捲き込まれたような気持ちなのです。

繊細な彫刻群で埋め尽くされた〈生誕のファサード〉には、濃密な時間が流れていました。とりわけ石から湧き出すかのような植物の彫刻が異様に繁茂し、聖像までも覆い尽くしそうな過剰さこそがいかにもあなたらしいと思いました。中世風の後陣外壁との対比にも緩やかな時間の流れを感じたのでした。

明解な陽光の世界から闇の世界へ、あるいは神話や伝説はさらに太古にまで遡ったり、記憶の底にまで引きずり込んだりと、あなたの想像力の振幅の大きさは魅力でした。そこには自然と融合し、記憶を呼び覚ますような心地よさもありました。尖塔に登ることはしませんでしたが、目

〈生誕のファサード〉
15体の天使像は外尾悦郎による

石柱が林立する森をイメージした身廊

〈受難のファサード〉　彫刻は J.M. スビラックスによる

眩くようなあの高さには、逆に深淵を覗くあなたの視線もあるのではないか——あなたの尖塔とは、深淵に引きずり込むことでもあったのではないかと、あの逆さ吊り実験を見てそう思ったのでした。

　ところが森をイメージした身廊に入ったとき、何かそぐわないものを感じ始めました。グエル公園で体感したような、人工が自然に溶解していく感覚には程遠かったのです。〈受難のファサード〉のスビラックス氏の彫刻にも違和感を覚えました。

　あなたは晩年の十年間以外は他の仕事をしながらここに関わっていました。その作風はそれぞれ特異で、常に挑戦し実験し、大きく変化しています。それがサグラダ・ファミリアのための実験にもなっていたはずです。また徹底した現場主義で、試行錯誤を繰り返し工事の進行とともに作り上げていたこと、したがってわずかに遺された同じ箇所の模型にしても年代によって全く違っていたりすると聞いています。でも、それこそが自由で生き生きとした造形を生み出していたのでしょう。したがって今、かすかな手がかりに基づいて作られているということは、ある一つのガウディスタイルのイメージコピーを作っているに過ぎないのかもしれません。

その意味では〈受難のファサード〉が一気に現代彫刻になったのは、そこで留まってしまうことへの挑戦や、様式の進化を踏まえてのことだったのでしょうか。しかし作品に対する好悪を極力排しても、明らかに密度が違うと思ったのです。

近年の科学技術の進歩と潤沢な資金で、建設工事は一気に加速しました。それは私の想像を遙かに超えていました。身廊の違和感がつるりとしたコンクリート製のため、というほど眼力に自信はありませんが、密度の違いとは、様式や工法の変化が、あなたが掛けていただけの時間を伴っていないためではないでしょうか。その時間こそが、完成すること以上に崇高なものを求めていたあなたのスピリットそのものだと思うからです。同時に私は、未完にして補修が始まっている建物、「建つ」ことのうちにすでに「崩壊」を孕んでいるこの建物に、バルセロナの夢と闇を見ていたのでした。

注

（1）タイトルの「アントニ・ガウディ」はじめ、固有名詞はすべてスペイン語（カスティーリャ語）読みにしたがった。

（2）アール・ヌーボーはフランス・ベルギーを中心に、一九世紀末から二〇世紀初頭にかけて広まった「新しい芸術」を意味する美術の動き。その先駆はイギリスのウィリアム・モリスやジョン・ラスキンのアーツ・アンド・クラフツ運動であり、オーストリアのウィーン分離派やスペインのムデルニスマなど欧米諸国で展開された。植物や昆虫などの有機的モチーフや曲線によるデザイン、鉄やガラス、陶器などの素材の利用で、特に建築や工芸、グラフィックデザインなどに普及した。

（3）バルセロナでは陽ざしが強く、最上階は住空間にふさわしくないので屋根の下に四十センチ以上の空気層を作ることが義務づけられていた。カサ・ミラの屋根裏階も同様に、連続する放物線アーチの空間になっている。

主要参考文献

中山公男・磯崎新・粟津潔『ガウディ全作品』（六耀社　一九七九年刊）

鳥居徳敏『アントニオ・ガウディ』（鹿島出版会　一九八五年刊）

若松隆『スペイン現代史』（岩波新書　一九九二年刊）

ロバート・ヒューズ『バルセロナ―ある地中海都市の歴史』一九九二年（田澤耕訳　新潮社　一九九四年刊）

ホアン・バセゴダ『ガウディ全作品　日本語版』（TRIANGLE POSTALS　二〇一四年刊）

日常の中の「ヴォイド」
――ベルリン・ドレスデン・プラハ紀行――

ベルリン

二〇一七年七月中旬ベルリン、ドレスデン、プラハを訪れた。游文舎ではまもなくベルリン在住の多和田葉子さんの講演会があるが、今回の旅行は講演会が決まる前から予定していたものだ。もっとも旅行会社のツアーでお決まりのコース。各都市一日半程度だから、せっかく多和田さんの最新作『百年の散歩』を読んだけれど、散歩flanieren――そぞろ歩きなどできそうにない。

それでも、宿泊場所がベルリンきっての大通りウンター・デン・リンデンと交差するフリードリヒ通りということもあって、早朝、電車で出かけてみた。ドイツの公共交通は電車、地下鉄、バスなど共通で乗り降り自由、二時間二・八ユーロというものがある。目指すはツォー駅。多和田さんの著書『雪の練習生』のシロクマ、クヌートが生まれ育った動物園のあるところだ。ベルリン中央駅、ティーアガルテン駅と、ひとつひとつ降りて駅前を見回してみる。便利な切符である。そこで思い出す。ティーアガルテンとは、ヴァルター・ベンヤミンの生地近く、幼少の記憶の温床ではなかったか、と。

ベンヤミンは一九三二年から三五年にかけて回想風の『一九〇〇年頃のベルリンの幼年時代』を書いている。想起されるままに、風景や過ぎ去った事象や家族の記憶の、細やかな断片からイメージをふくらませ、思考を深めていく。百年近くを隔てて、多和田さんもまた、ベルリンの町を自分の目で予見なく歩き、見るもの、聞くもの、風景や人々の中から、時間を掘り起こし、物語を紡ぎ出していったのではなかったか。そう『百年の散歩』は、ベンヤミンへのオマージュなのだ。

それにしてもティーアガルテンは広い。その後の観光でベルリンの各所を回ったのだがずっと縁辺にいたり、時には庭園内を横切ったりしたのだった。ティーアとは獣、動物のこと。かつて王侯の狩猟場だったところだ。手入れの行き届いた庭には、今も大木が茂り、小動物が行き交う。一方で様々な記念碑もある。少年のベンヤミンにとって、どんなに豊かな想像や空想を育んでくれたことだろう。

ところでベルリンのベルとはベアー、つまり熊のこと。ティーアガルテン、ツォー（動物園）と続く駅名に、大都会の真ん中であることをつい忘れてしまう。しかしティーアガルテンは第二次世界大戦中、T4作戦（ナチスの優生学に基づく安楽死政策）が行われたところでもある。さ

シンティ・ロマの慰霊碑

らに公園内には一九五三年東ベルリン暴動を記憶する「六月一七日通り」が通っている。そして二〇一二年、シンティ・ロマの慰霊碑が作られた（二〇〇八年には同性愛者の犠牲者の慰霊碑が作られている）。ホロコーストによるユダヤ人の犠牲に比べ、やはりドイツ語圏の少数民族であるシンティ族やロマ族についてはあまり知られていない。ナチスにより「劣等民族」と位置づけられ、犠牲者は五十万人にも及んだらしい。「ジプシー」と蔑称されるが定住者もいたという。ユダヤ人と違って国家を持たないシンティ・ロマは補償も遅れた。イスラエルの彫刻家、ダニ・カラヴァンの制作による慰霊碑は、塔や石柱ではなく平らな石と池で、威圧感なく静かに公園に溶け込んでいた。

カイザーヴィルヘルム記念教会は、第二次世界大戦で被災した姿を今なお伝える。一九世紀末、ドイツ皇帝一家を記念して建てられたネオ・ロマネスク様式の建物は廃墟のまま遺されてい

カイザーヴィルヘルム記念教会

る。一方、隣接する新教会堂は現代的な高層ビルで、青を基調としたステンドグラスで囲まれ、現代彫刻家によるキリスト磔刑像が掛けられている。ベルリンの重要な観光スポットの一つであるが、その前に並んだ花や遺影が異様だ。廃墟に捧げられているようだが、そうではない。ここは昨年十二月十九日、ドイツを震撼させたテロ現場なのだ。クリスマスマーケットで賑わう広場（ここはベルリンでも最大クラスのマーケットだという）に、大型トラックが突っ込み暴走した事件の記憶は生々しい。遺影はポーランド人のトラック運転手。テロリストにハイジャックされ、車内で抗争の末射殺されたらしい。主犯のチュニジア人の男は逃走し、ミラノで射殺された。同時にＩＳが犯行声明を出している。犯人はドイツに入国し難民申請をしたが却下された上、危険人物としてマークされていたにもかかわらず、国内に潜伏していたのだった。

　こうした事態にもなお、移民に寛容なメルケル首相に拍手を送っていたが、国民は決して好意的ではないことを現地で痛感した。ＩＳは一時期の勢力を失っているように見えるが、難民の問題が政治を揺るがしている。社会扶助の九〇パーセントを支給するという手厚い保護、住居手配。難民認定のハードルは低く、他国に避難した人もどんどん流入してくる。働かなくても生活を保障するという制度と相まって難民の就労は進んでいない。他の外国人失業者との格差、自国民からの反発など、メルケル首相に対しては国内の強い不満があるのだ。メルケルファンの私としては複雑な思いだった。

カイザーヴィルヘルム記念教会前広場

フリータイムを利用して、ユダヤ博物館を訪れた。二〇〇一年に開館した市立博物館である。「一千年紀から今日までのドイツにおけるユダヤ人の歴史や生活を収集・研究・展示」した施設である。旧西ベルリンと旧東ベルリンとに跨がるように建つ、二種類の時代や様式の異なる建物で構成されている。設計はポーランド出身のユダヤ系アメリカ人、ダニエル・リベスキンドで、ニューヨークの9・11跡地のフリーダムタワー設計者としても

ベルリン市立ユダヤ博物館新造部分

知られている。重厚な古い石造建築部分は、一八世紀の建物を戦後、博物館として転用していたものを再利用したものだ。一方、いかにも脱構築の、チタンや亜鉛で覆われた新造部分は、鋭角にくねくねと曲がりくねっている。この違和感こそが設計者の狙いであり、引き裂かれ、ばらばらになった歴史を象徴している。

パスポートと引き替えに、日本語のオーディオガイドを借りる。なんだかものものしい。内部はいくつかに分岐し、緩やかな坂や階段があちこちにある。そのうちのひとつの坂を登り切ったところに分厚い扉があり、開けると細長く暗い、天井の高い部屋になっている。「ホロコーストの塔」だ。高いところに細い隙間があり、わずかな光が差してくる。隠れ住んでいたユダヤ人たちの閉塞状況を体感させるものだ。地下のトンネルをくぐるようであったり、斜めや縦横に様々な角度で不規則に窓や通路があったり……。しばしば立ち止まり、迷い、後戻りする。そして突然現れる「ヴォイド」という空間。「記憶のヴォイド」内にある、メナシェ・カ

記憶のヴォイド

ディシュマンのインスタレーションは、一万枚の丸い鉄板を無作為に置く。目、鼻、口の穴が開いているだけだが一つとして同じものはない。踏みしめて歩かなければならない。キシキシという音に耐えながら。――ちょっと息苦しくなってきた。一息つく。

仕掛けを凝らして視覚化されたいくつもの「ヴォイド」や、痛覚に訴える展示、様々な象徴も散りばめ、反ユダヤ主義やシオニズムの歴史、ナチスによる暴力を重層的に表わす。意図は明快だ。でも民族の歴史や生活とはなお複雑で多様であるはずだと思うのだが、想像力が働かなくなってきた。もう一息ついて、パスポートを取り戻したのだった。

ドレスデン

ドレスデンは美しい街である。教会も宮殿も歌劇場もバロック様式の重厚で華麗な建物だ。エ

エルベ川対岸から見たドレスデンの街並、中央がフラウエン教会

ルベ川沿いに開けた街並み全体がまるで一八世紀の宮廷都市のようである。ドレスデンは第二次世界大戦で大規模な空襲に遭い、約八割が焼失している。現在の街並みは戦後、特に東西統一後に復元したものなのだ。二一世紀に入って完成したフラウエン教会（聖母教会）は、瓦礫の一つ一つをジグソーパズルのようにはめ込んで再建したのだという。しかし新築の建物でも、砂岩を使っていることと酸性雨のせいで薄黒く、古色蒼然としている。おかげで歴史の連続性を錯覚させられる。ここでは「ヴォイド」は見事にかき消されていた。人口五十万人あまりの街は溢れんばかりの観光客で賑わい、夜遅くまで短パン、タンクトップ姿の若者たちが行き交っていた。それだけになお一層、私には幽鬼じみた書き割りに思えてうすら寒かった。

ベルリンでもドレスデンでもまずは国立の博物館や歴史的な美術館を巡る。確かにベルリンのペルガモン博物館や絵画館、ドレスデンのアルテマイスター絵画館の収集品はすごい。特にドレスデンでは、ラファエロの大作《システィーナの聖母子》はじめ、ティツィアーノ、デューラー、レンブラント等々見応えがあった。だが、こうした王侯貴族の権力や富の集中を見せつける博物館や美術館の見学というのは面白くない。教科書に羅列された美術史みたいだ。もっとその土地ならではのものを観たい、新しいもの、今の動きを観たいと思うのだが、手っ取り早い観光コースとして、これは日本人向けだけではないらしい。こうして観客の偏りが生じる。力の入れ方にも関わってくる。ベルリンでは新ナショナルギャラリーに行こうとしたら休館中、ほとんど開店休業状態なのだという。そんな中、どこかのインフォメーションコーナーでドレスデンとプラハの美術館でゲルハルト・リヒターの展覧会があることを知った。やっぱりドイツの〝今〟だ。日本でまとまったものを観る機会など滅多にない。どちらかでもなんとか観たいと思ったのだった。そしてリヒターを展示しているアルベルティーヌムがすぐ近いと知って、早くこの亡霊の街から逃れたいと、私はずっとそわそわしていたのだった。

アルベルティーヌム（ドレスデン州立美術館）は、アルテマイスター絵画館（古典絵画館）に対して近現代美術の収集展示をしているところである。ここにゲルハルト・リヒター・ホールがある。現在展示されていたのは、大きなガラス板の、部屋のような箱が一点と、あとはすべてアブストラクト・ペインティング作品であった。ほとんどが二〇一六年から一七年の制作で、今年八五歳になるリヒターのエネルギッシュな活動に驚かされる。

様々な色を使い、何層にも重ねられた油絵の具のレイヤー（層）。ナイフを自在に使い、塗り込み、削り、引っ掻き、引き伸ばす。リズミカルな手の動きが伝わってくる。偶然性を伴いながら混色された色は、さらに複雑な階調をもたらす。その隙間から下の層が覗き、時間の層へと変容し、蓄積されていく。執拗なほどの物質＝油絵の具の層が、非物質＝光の層となって無限のイメージを生み出していく。

一九三二年、ドレスデンに生まれたリヒターは、東西を隔てる壁ができる直前の一九六一年、西ドイツに移住した。「芸術をイデオロギーに従属させる」社会主義リアリズムから解放されたかったという。僅かに見ていたポロックやフォンタナに強烈な印象を受けていたからだが、移住当時は西側の前衛的な作家、作品をほとんど知らなかったという。今や世界最高峰とも言われるリヒターの作品は、アクリルやガラスの立体の大作やアブストラクト・ペインティングの他、フォト・ペインティングやミニマルアート風の作品など多岐にわたり、抽象・具象の境界を意に介さず、しかも同時並行的に制作されている。それは現実を問い直し、記憶を問い直す、ひいては表現そのものへの批評的視線ではないだろうか。

ゲルハルト・リヒターの部屋

フリードリヒ《墓地の入り口》1824～26年

アルベルティーヌムでは、あまりにも広い空間のすべてを回ることはできず、三階の近現代絵画の回廊のみを回ったのだが、三階はリヒターに始まり、カスパー・ダーヴィット・フリードリヒで終わっていた――というのは全く勘違いで、実は目的のリヒターの部屋から回ったので、時代を逆走してしまっていたのだ。この回廊は、ドイツ・ロマン派絵画を代表するフリードリヒ（一七七四～一八四〇）に始まり、リヒターで終わるという構成になっている。もちろんその間にもドイツの作家を中心に、充実した収集が見られるが、やはりフリードリヒの部屋こそ、ドイツ的憂愁の世界だ。詳細は略すが、ドイツ・ロマン派文学を代表するティークとはドレスデンでの邂逅があり、ドイツ・ロマン派が絵画と文学との深い関わりの上で独自の文化となったことの証左となるだろう。すでに近代人であるはずのフリードリヒが描くのは墓場、古木、崩壊しかけた教会、雪――まさに象徴的な記号のように配されている。そして人物は滅多に現れず、それも背後からしか描かれていない。それがかえって見る者の視線を否応なく引きずり込む。ここには単なる郷愁にとどまらない、時代の裂け目を見据える目を感じる。

プラハ

プラハの、どこをどう歩いたのだろう、私は。

旅はいよいよ最後、そして一番の目的地・プラハだ。しかし、自由時間は旅行社の手違いもあり数時間だ。あまりにも時間が少ない。思い入れがありすぎた。旧市街広場に立ち、呆然とした。どこをどう歩けばよいのだろう、私は。しかししばらく周囲を見回しているうち、とにかく歩き回りたくなった。歩き回れそうな気がしたのだ。なんだか既視感がある。一五世紀のものという、世界最古のからくり時計が十時を知らせた。時報に合わせて死神の骸骨がぎくしゃくと頭を上下に振る。はい、行ってきます。

プラハは第二次世界大戦で空襲がなく市街は守られた。おかげでゴシックやルネサンス、バロック、さらにはアール・ヌーヴォーやキュビスムなど各時代の建物がそろっていて、さながら建築の博物館のようだ。確かに歴史ある建物がさりげなくあちこちにあり、いくつもの塔――プラハは百塔の町とも千塔の町とも言われている——があるものの、実験的な建物も柔軟に受け入れられ、表情豊かで生き生きとしている。それでも違和感がないのは、基本的に集合住宅で、それらがすべて圧迫感のない高さで統一されていることや、ファサードが揃っているせいかもしれない。一貫した街のたたずまいがある。歴史のある街とは、単に古い街並みが残っているというのではない。一時代で忽然と現れたわけではないことをよく物語っている。

私にとってのプラハは、カフカやマイリンクのプラハだった。だがかつてのゲットーは一九世紀半ばには廃止され、富裕なユダヤ人は、町のどこにでも居住できるようになった。取り残された下層民が住んでいた旧ユダヤ人街も、二〇世紀初頭には「衛生化措置」によって解体されている。カフカの生家も旧市街広場近くにある。成功者である父の代にすでにユダヤ人街を離れていたのだった。彼らも必ず歩いたであろう、旧市街広場からヴァルタヴァ川に向かう道を歩く。狭い石畳の道、直角のクランクや、曲がり角。ヘンゼルとグレーテルよろしく、帰り道の目印に、印象的な建物や彫刻などを写真に撮りながら。入り口を飾るのはバロック彫刻もあれば海外ブランドのロゴもある。同じ旧社会主義国であったベルリンやドレスデンよりもずっと開放的に見える。ようやく人混みを通り抜けるとぱっと視界が開ける。カレル橋だ。プラハを国際都市にした、神聖ローマ帝国皇帝カレルⅣ世にちなむ、世界最古の石の橋。全長五百メートルあまりの橋の両側にはバロックの聖人像が並ぶ。若者や家族連れや観光客で溢れ、音楽家や似顔絵描き、露店商などで賑わい、ほとんど広場も同然だ。ここは「黄金のプラハ」でも「黒鉛のプラハ」

ヨゼフ・スデク美術館内部

でもない。しかし、その向こうに見えるプラハ城の、数々の尖塔やドームは日を浴びて、威容を誇る。『城』のモデルが、プラハ城でないとしても、街を見下ろす、言い換えればいつも監視しているような城の存在が、カフカの作品の背景にないとは言えないだろう。

さて、短い時間をなんとかやりくりして、唯一目的を持って訪れたところがある。ヨゼフ・スデク美術館だ。「プラハの詩人」とも言われる写真家ヨゼフ・スデク（一八九六〜一九七六）が最晩年を過ごしたアトリエを改装した建物は、美術館というにはあまりに小さく、目立たず、表札を何度も見て確かめたのだった。

スデクは一九二四年から二八年にかけてプラハ城内の、完成間近の聖ヴィート大聖堂に通い、写真を撮り続けた。第一次世界大戦に従軍し右手を失い、戦後写真家として活動したスデクにとって、たくさんの重い機材を抱えて撮影するのはかなりの不自由を伴ったであろうが、これらの写真はみじんもそれを感じさせない。対角線に差し込む光が印象的な写真の、光のあたる先は豪華な大建築よりも、建築途上の資材や技師や瓦礫――本来光の当たらない部分であることに注目したい。

一方、アトリエ周辺で撮られた膨大な写真は、壊れかけた彫像、義眼が添えられたオブジェなどだけでなく、さりげなく撮られた木の一本一本、窓辺のグラスや花でさえ、どこか幻想的で不気味でさえある。まるで幻影たちと囁き合っているようだ。その眼で改めて、聖ヴィート大聖堂や詩情あふれるプラハの風景の写真を見ると、複雑な光と影のあわいに、ふっとプラハの亡霊たちが紛れ込んでいるような錯覚を覚えてしまう。

聖ヴィート大聖堂、ムハのステンドグラス

ところでムハ（アルフォンス・ミュシャ）のステンドグラスでも有名な聖ヴィート大聖堂は一四世紀に建設が始まったが、一五世紀フス派戦争の後、未完のまま放置されていた。完成を目指す動きが出たのは一九世紀半ばで、一九二九年にようやく完成した。また一五世紀以来、ボヘミア王はプラハ城を居城としていない。プ

カレル橋とプラハ城

ラハ城に主が戻ってきたのは、チェコスロヴァキアが独立した一九一八年、初代大統領トマーシュ・マサリクが「大統領府」を置いた時である。まもなく大聖堂も完成した。ここにはプラハの巨大な空白があったことになる。

　この日プラハ城を見て回り、カフカも一時住んでいたという黄金の小路なども見て、私は三回も徒歩でカレル橋を渡ったのであった。視線の先には常にプラハ城があった。

不死の庭

――ボマルツォの「聖なる森」――

ただ無窮あり、われは無窮に続くものなり
われを過ぎんとするものは一切の望みを捨てよ
（ダンテ『神曲』地獄篇第三歌）(1)

（1）

二〇一九年夏、ローマを旅した。一日、ローマから百キロほど北のラツィオ州ヴィテルボ県の小さなコムーネ（イタリアで最も小さな基礎自治体）、ボマルツォを訪れた。人口約千八百人の街に不可思議な彫刻が点在する庭園があるからだ。それは「聖なる森」、けれども「怪物公園」

として知られている。

一六世紀半ば、当時の有力貴族オルシーニ家の当主、ピエル・フランチェスコ・オルシーニ（通称ヴィチーノ）は、領地であるボマルツォに「聖なる森」という庭園を造った。イタリアの〝ヴィッラ（別荘）文化〟が背景にある。郊外の別荘に人を集めもてなすために、噴水や彫刻や花壇のある豪華な庭園を造るのである。(2)

ローマからボマルツォまでの行き方を心配していたところ、天空の街チヴィタ、丘の上の街オルヴィエートとの日帰りパックツアーを見つけた。不慣れな旅行者が列車やバスを乗り継いでいたら日帰りも覚束ない。オルヴィエートはエトルニア文化の遺る古都でもある。これに参加することにした。

古代の城壁の名残が随所に見られるローマを出てしばらく走ると、岩山の上に建物が密集している光景を目にする。何故あんなところにと思うが、絶えず異民族の侵入を受けていた国である。自然の要塞となっていたのだろう。絶壁がさらに削られて、いずれ消滅の宿命にあるチヴィタは、吊り橋から周囲を見回すだけでくらくらして、二度と訪れたくないと思った。

戦争に明け暮れ、政争に身をやつし、宗教改革の波にもさらされていた一六世紀イタリアの王侯貴族にとって、大都市からちょっと離れた別荘は、社交だけでなく、個人の思索を深めたり、のびのびと気晴らししたりする場でもあったことだろう。いや、大いにはめをはずしていたかもしれない。バスは曲がりくねった石畳の道を下っていき、公園入り口の駐車場まで私たちを運んでくれた。どうやらこの公園は谷底にあるらしく、丘の上にはオルシーニ家の居城があり、谷の斜面にへばりつくように家々が連なっていることにようやく気づいた。石切場もあったらしい。本来ならば未知の土地こそできるだけ歩くべきだと、少し後ろめたい気持ちになる。

ボマルツォの庭園は、ヴィチーノが最愛の妻を亡くし、その苦痛からの解放のために、ルネサンスを代表する建築家、ピッロ・リゴーリオ（一五一〇（？）〜一五八三）に造らせたと言われている。それにしてもなぜ「聖なる森」が「怪物公園」なのだろう。まずはこちらで発行されている公園内マップ（日本語）とガイドブック（イタリア語・英語併記版）に従って、庭園を一巡りしてみることにする（ガイドブックからの引用は英文より筆者訳、像などの日本語読みはマップの表記に従った）。

(2)

門をくぐるとまず二対のスフィンクスが出迎える。ここには「眉をつり上げ、口角を引き締めて歩かなければ、世界の七不思議たる（庭園）に値することは出来ないだろう」という挑発的な碑銘がある。ここは「世界に類を見ない」庭園を目指しているのだ。そこから森を彷徨うように、坂道を上り下りし、点在する石像の前に立ち止まりながら歩いて行く。下方には水の流れがある。当初は上方にも噴水や池など、水が巡らされていたと思われる。

入ってすぐプロテウス（海神ネプチューンの息子）が目を剝き、大きな口を開けて待ち構えている。まるで地球を戴くアトラスの如く、頭上に球体を乗せ、さらにオルシーニ家の城を戴く。水や火の造物主で「海の老人」と呼ばれているプロテウスの頭上にあるのは、魔法の薬草を食べて海の神になった漁師グラウコである。そして半ば壊れ、土に埋まりかけた霊廟を過ぎて少し下ったところで目に飛び込んでくるのがヘラクレスとカークスの「巨人の闘い」だ。成人男性をスケールにその大きさを想像してほしい。ヘラクレスはもう一人の巨人を逆さに持ち上げ、真二つに引き裂かんばかりだ。獣のような残虐さだが、ガイドブックによれば「ヘラクレスは最も弱い者を守り、カークスは最も貧しい者から食べ物を盗んだ」のであり、「彼の意志は道徳的であり、悪を打ち負かす英雄の行動である」のだという。

プロテウス－グラウコ

さらに下ると小さな池があり、笛を吹く少女を乗せた亀、自らも飲み込んでしまいそうに大口を開けたシャ

ヘラクレス－カークス

チ、ペガサスやニンフの像の一群がある。優美な少女像と獲物を狙って身構える亀は、園内でも特に写実的で繊細だ。かつては笛の先が噴水になっていて音も発したらしい。一方、シャチはウェルギリウスの「大口を開けた穴＝戻ることのない深淵」を表現したのだという。そしてヴィーナスや劇場など、イタリア庭園らしいものを一通り揃えているが、大小の「未だに意味不明」の像も並ぶ中、突然傾いた家が現れる。これはもう、来客を脅かすためであろうか。当時の流行でもあったのだろうか。中に入ると乗り物酔い状態になる。

しかしここで再び神話世界に戻り、神殿に向かって印象的な像が次々に現れてくる。頭上にかごを載せ、彫りの深い思索的な表情で正面を見据えているのは豊穣神ケレースだ。腰を下ろし、斜面に沿ってゆるやかに膝を曲げ、伸ばした膝下は足先に行くほど大きくなり、どっしりと地中に根を降ろしているようだ。その姿は森の空気を静かに圧し、豊かで美しくとりわけ威厳がある。さらに森の道を上りいくつかの小像を見ながら再び下り始めると、この森を象徴する驚異的な彫刻群が出現する。頭上に大きな方形の塔を乗せ

象

ケレース

た巨象が鼻の先に巻き込んでいるのは、カルタゴの将軍ハンニバルだ。象はポエニ戦争でローマを勝利に導いたスキピオはじめ、ローマ軍人の庭で飼われ、戦に参加し、勝利や敗北を共にする動物なのだ。そして「善悪を区別」し、「高潔で忠実で偉大」な「最も賢い動物」なのである。続いて空想の怪物・ドラゴンだが、今まさに犬とライオンと狼の攻撃を受けている。リゴーリオにとってはドラゴンは悪魔ではなく、時間を体現させているという。三つの動物はそれぞれ春、夏、冬の象徴であり、現在、未来、過去の象徴でもある。またこの時代の軍団は、古代ローマ軍団につながるドラゴンをイメージする旗を持っていたのだという。そしてこの庭のシンボル、オーガが現れる。高さ六メートルはあろうか、「人食い鬼」と言われているとおり、咆哮するような形相で、口はグロッタ（洞窟）のごとく、人を呑み込むのに十分だ。中には石のテーブルと椅子がある。「オーガ」とは地獄の王の名前の一つで、最も獰猛なシャチ類だが、ここでは恐ろしい叫び声を上げたまま石化した男の顔だ。口には「すべての思考は飛び去る」と彫られている。そんな緊張した像に続くのは、横座りし、ひげを生やした老人の姿の海神ネプチューン（写真314頁）と、岩の上で横たわるニンフ、通称「眠れる美女」である。

また上り坂になる。ライオン像を挟んで左側に、上半身は翼を持つ美女、下半身は蛇の体をした女神エキドナ（ケルベロスの母）、右側には復讐の女神フューリーが並んでいる。そして二頭の熊がバラの家紋を抱えて門柱のように立っている。熊はオルシーニ家のトーテムだ。広場は幅広い通路となっていて、両側に大きな松ぼっくりとどんぐりが交互に並んで列柱のようになっている。さらに坂や石段を昇り、神殿へと続く道を守るのが、

ドラゴン

オーガ

冥界の女王プロセルピナ（ケレースの娘）と、冥界の門の番犬ケルベロスだ。プロセルピナの下半身はベンチのようになっていて、両腕を広げて来訪者を迎える。ケルベロスはすべての方向を向く三つの頭を持ち、二つの口は閉じ、もう一つは今にも噛みつかんばかりだ。そして広々と開けた丘の上の神殿にたどり着く。造園の二十年後、亡き妻の追憶のために造られたという。列柱による切り妻式の玄関に続いて八角形の聖堂を組み合わせた神殿は、小ぶりながら荘厳なたたずまいを見せている。

松ぼっくりとどんぐり

プロセルピナ

ガイドブックに従えば、これらの石像がギリシアやローマの神話や伝説と、オルシーニ家の歴史を表現したモニュメントであることがわかる。とはいえ、それぞれが個性的すぎるのか一貫性がなく、しかも写真を見ても感じられるとおり、怪物たちは恐ろしい形相をすればするほどどこか

神殿

滑稽でもある。スフィンクスはへっぴり腰の四つん這いだし、戦うヘラクレスにも躍動感はみられない。ネプチューンはだらしなく足をくずし、エキドナは大股開き、「眠れる美女」は無防備に仰向けに眠るしまりのないニンフだ。緊張感ある像の一方で、茫洋として淫らで退嬰的な像との落差が大きすぎ、この庭園の不可解さを増幅させる。したがってそれぞれの像に諸説あるのも頷ける。例えば澁澤龍彦は、あれほど気品あるケレースの背後にまとわりつく得体の知れない小さな像について「倒錯的なエロティックな行為を表現しているとしか考えられず」と言い、ヘラクレスと闘う巨人は女性であり「荒々しい、残酷なエロティシズム」といった具合である。[3] さらにミヒャエル・ニーダーマイヤーは、闘う巨人像について「(アリオストの『狂乱のオルランド』の)オルランドとアマゾネスの豪快な性交シーン」という説まで紹介している。[4] 私にはもうひとりの巨人の顔は男性としか見えなかったが、体つきからして両性具有かとも思う。しかし、これほどエロティックな、あるいは茫洋とした石像でも、くねくねと坂道を上り下りし、案内がなければ迷ってしまいそうな森で突然出くわしたら、不安と恐怖に襲われたに違いない。

次々に繰り出される異様な大きさの石像や威嚇する神々、奇妙なポーズの女神だけでなく、その間にある「意味不明」の像の一つ一つが、何やら意味ありげな形体や、不敵な表情を見せている。ほとんど偏執狂的としか言いようがないが、不思議に騒々しさはない。一貫性がないとはまた、石像たちがそれぞれ孤立していることでもあり、各々が栄光の過去を遠く追想するかのように、森の中に沈潜しているのである。

ネプチューン

(3)

私はこの庭園をほとんど既視感にとらわれながら歩いていた。それは敬愛する写真家、川田喜久治の写真集『聖なる世界』(写真評論社　一九七一年刊)や、アルゼンチンの作家、ムヒカ＝ライネスの著書『ボマルツォ公の回想』(一九六二年　土岐恒二・安藤哲行訳　集英社一九八四年刊)を見たり読んだりしていたせいでもある。この地を訪れたいと触発されたのも、これらの本による。それでもそれ以上に懐かしいような、見知った場所のような気分にさせる何かがある。それはライネスが初めてこの地を訪れたとき、かつて訪れたことがあるかのような感覚にとらわれたことにも通じるのではないか。

オルシーニ家はローマ教皇を三人も輩出したほどの名家でありながら、史資料は乏しいという。そんな中で同時代の文筆家、アンニーバレ・カーロに宛てた手紙なども参照し、ヴィチーノが一五四二年領地を引き継ぎ、一五五二年庭園を完成させた事がわかっている。しかしヴィチーノ没後はそれを引き継ぐ者がなく荒廃に任せていた。それが四百年を経た一九五四年、イタリア人ジョバンニ・ベッティーニが買い取り修復整備し、公開に至ったのである。

まだ廃園状態の一九五〇年、サルバドール・ダリがここを映画の撮影場所にしている。そのせいもあろうか、アンドレ・ピエール・ド・マンディアルグは「解剖台上のミシンと蝙蝠傘」という一節を引き「美はしばしばマルドロール的な邂逅の形で現われる。(中略)こうして自然の力に助けられて、無秩序な世界に人間の手で創り上げられた幾つかの場所は、真の狂気の美とも言うべき性格にふさわしいものとなった。私の知る限り、ヨーロッパで、こうした性格に最もふさわしいと思われる場所は、ボマルツォの谷よりほかにないのである。」と述べている。(5)

グスタフ・ルネ・ホッケもまた廃園状態の頃のボマルツォ庭園について、「他に比べるもののない「聖なる森」だ。そこでは森羅万象が歪曲されて」おり、「ある狂気の観念」「妄執」そしてまた「相反するものの一致、錯綜したもの、というよりは「悪趣味」が、突如として調和する、その効果を前にして感じる「魂の震撼」を表現しようとした」と言い、「ヨーロッパのマニエリスム的集合所」と述べている。(6)

その特異性が伝わってくるが、聖なる森と奇怪な庭園の結びつきが解明されたわけではない。狂気か、時代の流れに乗った非調和の美か、単なる悪趣味か、逆にもっと深い意味が込められているのだろうか。

設計者については諸説あったが、ガイドブック通り、現在はピッロ・リゴーリオが有力視されている。ローマ近郊ティヴォリにあるイッポリト・デステの別荘、ヴィッラ・デステ（エステ荘）はリゴーリオの代表作で、イタリア式庭園スタイルを確立した事で知られているほか、ミケランジェロの後継者としてバチカンのサン・ピエトロ大聖堂の建築を手がけてもいる。しかし私にはこれらのイタリア美術を代表する庭や建築と、ボマルツォの「聖なる森」とがなかなか結びつかない。

私は今回の旅で、ティヴォリも訪れることにしていた。実は、出かけたのである。ローマの旅の主目的はピラネージの追紀行と、ボマルツォの聖なる森に関わる訪問であり、ピラネージは度々ティヴォリを訪れたらしく、版画集『ローマの景観』の中で二世紀初めに造られたハドリアヌス帝の別荘、ヴィッラ・アドリアーナ（ハドリアヌス荘）やヴィッラ・デステを描いているし、リゴーリオはヴィッラ・アドリアーナの発掘者であり、それを参考にヴィッラ・デステを造っているからだ。

《ティヴォリのエステ荘》
（ジョヴァンニ・バッティスタ・ピラネージ『ローマの景観』より）
1773年　銅版画

ところがローマから地下鉄とバスを乗り継いで一時間半、ティヴォリに着くやいなや猛烈な腹痛に襲われ、地元の人の案内で病院に行き、問診など受けてしばらく休んでいるうちに落ち着いたのだが、半ば〝拘束〟されて、もう大丈夫と必死に訴え続けてなんとか〝解放〟されるというスリリングな体験をして、一日を棒に振ってしまったのである。

ヴィッラ・デステは、ボマルツォ庭園とは全く規模が異なる広大な庭園で、何十種もの噴水を配し、技巧を凝らし、一六世紀を代表するイタリア的洗練を極めた庭園であると聞いている。それに対してボマルツォ庭園が、マリオ・プラーツの言葉を借りれば「優雅なイタリア美術とはあまりにかけ離れ」[7]た存在であることは想像に難くない。ヴィッラ・デステこそ自分の目で見ることは出来なかったが、幾つか散策したローマの庭園のいずれもが、整然としていて、広々として見晴らしがよく、刺繍花壇など凝った植栽があり、そもそものコンセプトが全く異なっているとしか思えなかったからだ。ボマルツォ庭園は庭ではない。見通しのきかない、人を迷わせる森なのだ。

ムヒカ＝ライネスは『ボマルツォ公の回想』の中で、イッポリト・デステがリゴーリオに造らせたヴィッラ・デステと、ボマルツォ庭園とが対極のものであるとヴィチーノに語らせている。例えば次のように。

彼の別荘は水の勝利を称賛するための建築の供物として計画されていたが、私のそれは石の称揚であった。

私はエトルリア人であり、彼は半ばイタリア人、半ばスペイン人というコスモポリタンであった。

二つの概念が向かいあっていた、噴水の騒々しさを背に際立つイッポリト枢機卿の儚い、宮廷的な、華やかな概念と、石の怪物の無言の、不動の背景に浮かび上がるボマルツォ公の封建的、深遠な、不穏な、極めて個人的な概念とが。

ヴィッラ・デステは一五六五年頃から建設を始め、イッポリトやリゴーリオが亡くなった後も継続されていたし、そもそも施主があっての庭である。単純に比較することは出来ないが、どうしてもボマルツォ庭園には反ローマ、反都市文化があると思うのだ。とはいえ、私は庭園や彫刻の作者について論じることなど出来ない。ここでは庭園の作者を〈リゴーリオ〉としよう。それは偉大なるリゴーリオかもしれないし、ありきたりの造園家かもしれないし、土地の職人であるかもしれない。その上で私はライネスの想像力を借りて、ボマルツォ庭園を改めて観てみたいと思う。なぜならば自然を生かし、素朴で力強い石像が点在する庭園には、非イタリア人であるライネスに、そして私にも記憶の奥底に響くものがあり、それが既視感を抱かせたものに他ならないと思うからだ。

(4)

ライネスは資料の空白を逆手に、類いまれな想像力で一六世紀イタリアという、戦争と殺戮が日常であった時代、文化芸術的には古典的な調和が意識的に崩された時代を背景に、壮大なドラマを仕立て上げた。

オルシーニ家の次男・ヴィチーノは、ミケランジェロの三十七年後のちょうど同じ日・同じ時刻に生を受ける。ホロスコープでは限りない生を与えられていると言われるが、先天性骨格異常のため、せむしで右足を引きずっている。兄弟に苛められ、祖父や父に疎まれ、祖母だけが愛情を注いでくれる。ヴィチーノは祖母から一族の起源や歴史を聞いて育つ。

長男が事故死し、ヴィチーノは十八歳でボマルツォ公を継ぐ。そして名門ファルネーゼ家の娘ジュリアと結婚するが、関係がうまく持てず、後継者を孕ませるために弟・マエルバーレを利用、直後に彼を暗殺させる。ショックで祖母は亡くなり、マエルバーレの妻は盲目となる。やがて長男オラッツィオが生まれる。

神聖ローマ帝国軍との戦いに参戦し敗走した後、人生の転機を感じ、一族の歴史を描こうと決意、ミケランジェロに依頼する。ミケランジェロから紹介されたヤコボは助手のザノッピ兄弟と共に邸内にフレスコ画を描き始める。しかし妻・ジュリアが病死し、主題に疑問を抱いたヴィチーノは、森の岩を使って自分の人生を象徴する庭を造ることにする。制作はザノッピを中心に、芸術家ではない、土地の職人達に任せる。

オルシーニ家の財政が逼迫したことから資産のあるクレリアと結婚するが、彼女への嫌悪感から、オスマントルコとの戦いにオラッツィオ、マエルバーレの遺児・ニッコロと共に参戦する。そこでオラッツィオが戦死し帰郷。孤独感、絶望感、罪悪感に苛まれ、ルネサンス人の生き方をも問い直し、自らの避難所となる地獄のような庵を造らせる。その中で、出来上がったばかりの不死の薬を飲むが、そこには父の死因を悟ったニッコロが毒を盛っていた。

物語を簡単に追ってみた。二段組み六百頁超の長篇をこれだけにまとめるのはあまりにも乱暴なので、少し補足すれば、ここには夥しい数の人物が登場し、歴代教皇や皇帝、メディチ家の一族や、ミケランジェロはじめ、ヴァザーリ、パラケルスス、セルバンテス等々目眩くような名前が点綴する。そして壮麗で仰々しいまでの文体と、濃密な文章がマニエリスムからバロック萌芽期の時代の雰囲気を彷彿とさせる。

何よりもライネスの独創性は、ヴィチーノを奇形の人物に仕立て上げたことである。ヴィチーノが私怨から暗殺に手を染めたのはマエルバーレだけではない。彼は本質的には厭戦的な人物であり、詩を書き、文学を愛好するロマンチストで知的な紳士である。だからこそ劣等感と孤独のうちに憎悪を募らせていく、屈折し、分裂した、美と狂気の人物像が浮かび上がってくる。ボマルツォの庭園は子供の頃の予兆のような夢とつながっているのだ。

巨大な彫刻に溢れる岩だらけの庭園にいる夢を、そして、私を守るその威圧的な怪物たちの中でえもいわれぬ安らぎを味わっている夢を見た。以前、フィレンツェで迎えた最初の夜、別の夢を見た、そのとき私は暗い庭でわれわれを取り巻く糸杉よりも高いミケランジェロのダビデの脚の下にいたが、まるで凱旋門のドームに守られているかのようであった。（中略）私は小さく奇形であったため、途轍もないことに、些細な並の大きさのものを圧倒的に凌ぐ凄まじい美しさに憧れていた。（後略）

石像にはそれぞれヴィチーノだけが知る意味や象徴を込める。そしてそれらの制作をミケランジェロがだめなら他のどんな芸術家もできないとして、土地の職人達に依頼する。エトルリア的伝統に想像力を付け加えた幻想的な荒々しい像を彫っていた者たちだ。ミケランジェロとは、ヴィチーノにとって唯一無二の芸術家であり、その美は絶対である。だからこそ模倣ではなく、美と対峙し得る異質の世界を現出しようとしたのではないか。その一方で、ミケランジェロが死の直前、自宅に棺を背負う骸骨を描いていた等、彼が栄光と名声の影で孤独の生涯であったことと、ヴィチーノの孤独とを重ね合わせてもいるのだろう。

もちろんこれらはあくまでもライネスの創作だ。第一に史実ではヴィチーノは奇形ではない。だが、地元の職人たちに作らせたというライネスの庭園解釈は傾聴に値すると思う。都市近郊の、ギリシャ、ローマ詩人の影響を受けた貴族的で雅な庭園に対して、ギリシャよりももっと古くからの、エトルリアの伝統に連なる大地に根ざした庭園と見たのだ。実際に石像群は、土地の石・凝灰岩の中にもともとそれらしい姿を潜めていて、職人たちの鑿によってたまたま姿を現したかのように、自然な量塊感を保ってそこにある。土地の職人たちは肝心の「恐ろしさ」「威厳」

など忘れて、怪物や神々を仲間のような意識で造り上げたのではないかとさえ思えてくる。そこには汎神論的なおおらかさが感じられるとともに、人間臭さや卑俗さがあるのも確かだ。川田喜久治の写真は、石のざらざらした質感までも写し込みながら、このあたりを見逃していない。異端の美、グロテスクなものは、俗で、淫らな世界にもつながっているのだ。だがそれはまた、半人半獣たちがニンフを追いかけ、気怠くまどろむ、のどかで妖しい神話時代を彷彿とさせもする。それでも広場や神殿へと向かうほどに、並んでいる怪物や地獄の神々が、単なる奇矯や脅かしというよりも、葛藤や死の恐怖からの、解放や再生へと向かわせ、静かな瞑想へと誘われていく気がしたのだった。

それにしても絶叫するように大口を開けた像が何と多いことだろう。それは人を驚かすというよりも、自らが絶望の淵にいて、見る人共々深淵に引きずり込んでいくようだ。そこに見え隠れするのはミケランジェロの姿だ。ヴィチーノも〈リゴーリオ〉も、常にミケランジェロを意識していたのではないか。当代きっての偉大な芸術家としてだけでなく、あのシスティーナ礼拝堂に、地獄を克明に描き出し、絶望的な罪人たちを描き、生皮となった自画像を描き込んだミケランジェロに、鋭く感応していたのではないだろうか。

イタリアの歴史を繙けば一五二七年、ローマ教皇軍は神聖ローマ帝国皇帝軍に敗北し、教皇クレメンス七世はサンタンジェロ城に逃げる。このとき「ローマ劫掠」が起こり、ローマの文化は大きく損なわれ、盛期ルネサンスが終わったとされている。この機にフィレンツェでも民衆が

システィーナ礼拝堂《最後の審判》部分

蜂起し、ミケランジェロも、パトロンであったメディチ家に背いて革命軍に加わっている。メディチ家は追放され共和国政府が樹立されたが、三年後に革命軍は打倒され、メディチ家は復活する。革命軍の仲間が処刑される中、粛清を免れたミケランジェロは、再びメディチ家やローマ教皇の仕事をすることになるが、そうした経験が作品に反映していないわけはない。マニエリスムとは、過渡期の危機に瀕した世界を直覚した者が踏み込む迷宮なのだ。

《最後の審判》は、教皇クレメンス七世の発注だが、ほどなく世を去り、主に次の教皇パウルス三世（在位一五三四～一五四九、本名アレッサンドロ・ファルネーゼ。ヴィチーノの妻と同じファルネーゼ家の出身である）の時に描かれ一五四一年に完成した。上方に天国、下方向かって左側は復活して神の国に迎えられる人たち、下方向かって右側が地獄となっているが、地獄の描写が圧倒的に生き生きとしていて迫力がある。特に下方中央の洞窟の悪魔たちが不気味だ。地獄の最も深いところで獲物を待ち構えている。ヴィチーノも〈リゴーリオ〉も、怪物とはミケランジェロ自身から生まれたものであると見抜いたのではないか。そしてライネスもまた、ボマルツォの怪物たちの中にヴィチーノ自身の怪物性を見出し、怪物が一面として持つ奇形的存在の具現化としたのだろう。

ところで、ライネスは物語冒頭で、ヴィチーノに「不死」の運命を与えている。生誕時の星占いで「不死」を予言されて以来、それは通奏低音のようにヴィチーノにつきまとう。

ヴィチーノは父が戦死した後、秘密の部屋で幾つかの文書を見つける。それはヴィチーノを後継者として認めようとしなかった父が、彼を抹殺したいという手紙と、永世を予言した文書であり、そこには父の筆跡で「怪物たちは決して死なない」と書き添えられていた。

友人パラケルススは、不死の薬を作る錬金術師・ダスティンの手紙が、オルシーニ家にあると伝える。そして言う。「不死はあまりにも由々しき問題なのです。おそらく、死そのものよりも恐ろしいことでありましょう。」またヴィチーノは、一世紀以上生きることを目指したルイジ・コルナーロの老いさらばえた姿を見て思う。「それが生きるということだ、失うこと、歩いてきた道に残していくこと、手放すこと……」

ここでは誰もが羨み、望むはずの「不死」を語ることは、まるで腐臭が漂うように、おぞましく、忌まわしい。もしかしたら怪物が死なないのではなく、「不死」が怪物を作り出してしまうのかもしれない。そうであれば、虚弱で奇形のヴィチーノに与えられた「不死」という運命が特権となり、その傲岸さがヴィチーノの怪物性を生み出してしまったのだろうか。

深淵のような大口を開けて人を驚かすオーガ（写真311頁）こそが、ヴィチーノの〝避難所となる地獄のような庵〟である。地獄の最も深いところで自分を見つめ直すのだ。「すべての思考が飛び去る」洞窟とは無窮の闇なのだ。ここでダスティンの手紙を解読して作られた不死の薬を飲み、あらゆる者の記憶から消え、自らの内面をのぞき込みながら、絶対の孤独を引き受けていくはずだった。けれどもヴィチーノは死んだ。まるでライネスが、「不死」の苦しみからヴィチーノを解放したかのようでもある。

しかしライネスは、ヴィチーノの運命を忘れたわけではない。物語の語り手として、「回想する人」として、四百年の空白を経て復活したボマルツォの庭園と共に、現代に蘇らせたのである。ライネスの言う「不死」のテーマは重い。森を歩き回る私にずっとつきまとい、なお謎は深まっていく。そのうち、途方もない世代にまたがる魑魅魍魎たちが、「不死」の重荷に耐えながら、森の奥底に潜んでいるような気がしてくるのだった。

(5)

教えてやろう、私は生前大きな法衣をまとっていた。
事実、私は熊の子なのだが、

小熊たちを出世させようという欲にかられて
現世《げんせ》では金《かね》を、ここでは自分を財布《あな》につめこんだ

（『神曲』地獄篇第一九歌）

ヴィチーノを遡ること三百年、教皇ニッコロ三世（在位一二七七～一二八〇）、本名ジョヴァンニ・ガエターノ・オルシーニにはこんな汚名が着せられている。とはいえ、前述のようにオルシーニ家もファルネーゼ家も教皇を輩出する名門同士である。にもかかわらず、オルシーニ家の資料がほとんどないというのは奇異に思える。政争の中で、かき消されるような何かがあったのだろうか。いやそれよりもヴィチーノ自身の隠者的性向のためであったかもしれない。政治的混乱の中で、逸脱と荒唐無稽なヴィッラに自己逃避していた当時の貴族たちの中でも、極端な姿を想像したくなる。

実際に、ボマルツォの庭園は、ライネスの解釈とはまた別の意味だとしても、ヴィチーノのための庭であり、極めて個人的な嗜好が反映された「唯一無二」の庭だったと思う。目指したのはイタリアの既存の庭などではない。むしろ碑銘にある通り、古代の世界都市メンフィスにも劣らないミステリアスな魔境であり、ロードス島の巨像(8)にも比せられる、無邪気なまでの巨大趣味ではなかったか。そして深い森を彷徨うとは、『神曲』地獄篇のような地獄巡りの体感ではなかっただろうか。

唐突に現れる傾いた家には、
ガリゼンタの塔(9)は傾斜している方から見あげると
雲がその上を通るごとに、
手前に倒れてくるような印象を受ける

家紋を持つ熊

(『神曲』地獄篇第三一歌)

ような崩壊感覚を覚える。

決して計画性がないのではない。あえて調和に陥ろうとしていないのである。さらに自身の心の内をさらけ出すように、善も悪もない交ぜに、性愛にも率直に、グロテスクなものへの偏愛も隠さない。そして立ち止まる。楽園にも死に神は存在しているのだ、と。

地獄の神々や獣たちに囲まれた広場の入り口に、家紋を持った熊が立っている。オルシすなわち熊はオルシーニ家のトーテムであり、世界の覇者である伝説の獣であり、一族を神々とつなぐものなのだ。それだけではない。ここに棲まう獣たちはみな、凶暴さにおいて、あるいは賢さにおいて、それぞれの種族の最たる者たちだ。

聖ピエトロ大聖堂に飾られたローマ時代の巨大な松ぼっくりの彫刻は、繁栄の象徴だという。同様に列柱のように並んだ大きな松ぼっくりも、植物の豊穣さに豊かな生殖願望を重ねてのことだろう。そしてもうひとつ、松は不死の象徴でもある。欲望と秘儀とカタルシスのために、常に死と隣り合わせの快楽のために、神話の神々や象徴が総動員される。狂おしくもあり、滑稽でもあり、何とも切実なのだ。これはヴィチーノ一世一代の劇場でもある。

マンディアルグは熱気溢れる筆致で「ジャン・デュビュッフェの恐るべき熔岩やタールなどに近いのだ」と書き、グスタフ・ルネ・ホッケはめくるめくような文体で「マックス・エルンストの一連のヴィジョンを髣髴とさせる」と書いた。古典的、権威主義的な美とは別種の、創造の源泉をみたのだ。四百年後の世界に召喚された庭園が心を震わせるのは、逆説的だが極めて個人的な庭であり、後世に遺そうなどと考えなかったからに他ならない。

それからさらに半世紀以上すぎ、眼前にある石像たちは、荒々しさよりも素朴で、時に孤独の相貌を見せる。森は人間たちが異界へと追いやった怪物たち——獣や異形の神々を包み込む大きなゆりかごだ。そこには何世紀にもわたって生き続ける魑魅魍魎も潜んでいるかもしれない。主役は石像たちではない。森なのだ。「聖なる森」とは、人間と神々と獣たちが共に棲み、深い闇をも共有し、豊穣であると同時に畏怖の対象でもあった頃の記憶を呼び起こす森なのである。エトルリアの大地と古代ローマの深い森は今なお、伝説の力を輝かせ続ける。それこそがヴィチーノにカタルシスをもたらすことだろう。

注

(1) ダンテ『神曲』の訳はすべて平川祐弘（河出文庫　二〇〇八年刊）による。
(2) ローマにはすでに古代から田園にヴィッラを構え、自然の景観を生かした庭園を造る伝統があった。中世には一時廃れたものの、寺院等に引き継がれ、フィレンツェに始まるルネッサンス以降、ヴィラの造営が盛んになり、イタリア式庭園芸術が確立された。さらに一六世紀にはマニエリスム、バロック的な「驚異」をもたらすイタリア独特の庭園が造られた。（巌谷國士『イタリア庭園の旅』（平凡社二〇〇〇年刊）より）
(3)「バロック抄―ボマルツォ紀行」（『ヨーロッパの乳房』（立風書房　一九七三年刊）所収）
(4)『エロスの庭』一九九五年（濱中春、森貴史訳　三元社　二〇一三年刊）
(5)『ボマルツォの怪物』一九五七年（澁澤龍彥訳　大和書房　一九七九年刊）
(6)『迷宮としての世界』一九五七年（種村季弘、矢川澄子訳　美術出版社　一九六六年刊）
(7)「マニエリスム研究―ボマルツォの怪物」一九四九年（白崎容子訳（若桑みどり他訳『官能の庭』ありな書房　一九九二年刊）所収）
(8) エーゲ海南東部の島、ロードス島には紀元前三世紀、太陽神ヘーリオスの巨像があった。全長三十四メートル、台座を含めると五十メートルを超えたと言われ、世界の七不思議に数えられている。しかし五十年後に地震で倒壊し、放置されていたが、七世紀にウマイヤ朝がロードス島を征服した時、残骸はすべて撤去売却されたという。

（9）アシネッリの塔（高さ九十七メートル）と並ぶ、ボローニャの有名な斜塔。高さ四十六メートル。ダンテ生前時には六十メートルくらいあったという。北東方向に三メートル以上傾いている。

パリの小さな美術館
――師走のパリ旅行記――

フランスのストライキ

二〇一九年十二月五日から始まったフランスのストライキが年を越しても続いている。マクロン大統領が選挙公約にも挙げていた年金改革に反対して、国鉄やパリ交通公団の職員を中心に行われているもので、史上最長になったという。権利を脅かされると、フランス人は「自由」「平等」を掲げて、一気に二百三十年前に立ち帰る。フランス革命の精神が蘇るのだ。電車や地下鉄はほとんど運休（地下鉄一号線と一四号線が通常運行なのは自動運転だからである）、バスも半分くらいに減便で、パリ市民の日常にも大きな影響を与えているはずだ。フランスの年金は大幅な赤字で、改革に理解を示す人が多いにも拘わらず、ストライキに理解を示している人の方が多いというのも不思議である。一昨年、燃料税の値上げの際の「黄色いベスト」運動のような暴動が起こりさえしなければ、パリ市民は大目に見ているのだろうか。現地在住の日本人女性は、いつの間にかうやむやにしてしまう日本よりずっといい、と言っていた。

私がパリに到着したのは十二月七日だった。パリ在住の画家偕子（Tomoko Kazama Ober）さんと、東京在住の画家置鮎早智枝さんとの三人展のためである。新潟市の美術作家や東京の知人らが折々同行してくれた。事前にストライキの情報は入っており、気にしてはいたものの、シャンゼリゼ大通りに点灯されたイルミネーションのニュースを日本で見て、フランスの一大イベントであるクリスマスを前に、そんなに長引くはずはないと思っていた。しかし情報は日に日に悪い方へ向かう。とにかくシャルル・ド・ゴール空港からモンパルナスのホテルまで何とか着けるだろうか、と思っていたら空港から市内直行バスは平常通りの運行で、渋滞にも遭わず、無事に予定通りに駅前のホテルに着くことができた。

還暦を過ぎてようやく年に一度のヨーロッパ旅行を楽しむようになった。そのためには展覧会の予定や游文舎の予定とすりあわせた上で、せっかくの機会だからと事前に少しは現地のことを調べて行くようにしている。ところが今回のパリ行は、そうした年間予定に追加の形。自分の出品作のことで精一杯で、ほとんど予備知識を持ち合わせていなかった。だからホテルに着いたはいいが、さて、いったい私はどこにいるのだろう？　と、足元が揺らぐような気がする。まず地図を見る。とにかく見続ける。私は地図が大好きだ。外に出るととんでもない方向音痴なのだが、地図を見ているといろんな風景が立ち上がってくる。モンパルナスから展覧会場であるカル

パリ三人展の作品
上から偕子さん、早智枝さん、筆者

チエ・ラタンのギャラリーまでは歩いて三十分くらいだろうか。こんな時は歩くに限る。初めてとはいえ、聞き慣れた地名がたくさんある。案外近そうだ。パリの街ならいくらでも歩けそうな気がしてきた。まずはギャラリーの下見に行ってみよう。こんなふうに私のパリ逍遥は始まった。

ギャラリーからの帰り道、セーヌ通りからイルミネーションで飾られたサン・ジェルマン大通りに出てまもなく、サン・ジェルマン・デ・プレ教会がある。ここはロマネスクの鐘楼と身廊を遺す、フランス最古の教会だという。時代ごとに修復を重ね、聖堂内部は交差ヴォールトになっているなど、様々な様式が混在しているが、ゴシック様式の、どこまでも高く、巨大な内部空間とは異なる、人間的で実に暖かみのある教会だ。日々歩き疲れてはこの建物を眺め、時に立ち寄り、どれだけ心慰められたことだろう。そしてこの教会近くの交差点からレンヌ通りに曲がればモンパルナス・タワーの灯がいやでも目に入る。一九世紀に大改造されたパリの街並みは、整然とした区画とともに、建物の高さが揃っていて、空がとても広い。そんな街に五十九階建て、二百メートルを超える直方体のビルは、何と不粋なことかと思ったが、道案内にはこれほど心強いものはなかった。

サン・ジェルマン・デ・プレ教会

ヨーロッパ写真美術館（Maison Européenne de la Photographie）

写真家は、世界が自己をこえていること、そこに不気味なものもあることをもっとも明確に見出した最初の人間であるかもしれない

（多木浩二『写真論集成』岩波現代文庫　二〇〇三年刊）

写真がどんなに現実を正しく切りとって伝えようとしても、そのまま伝わるはずもなく、その情報量は限られている。現代を写し出し開示するという一方方向では、断片だけが当てもなく集積されるにすぎない。したがって観る側の想像力をどれだけ駆動させられるかは、写真家の力量を測るひとつの物差しかもしれない。しかし次々と情報が入ってきて、溢れ、とどまることなく流れている今、いっそう人々は個人の無力や世界との違和を感じ、世界の意味を問うことから遠ざかろうとしているのではないか。そんな困難な時代にあって、写真家と世界との間にある不気味な深淵と、観る側と世界との屈折した関係とを見据えながら、なお黙々と写真を撮り続けている二人の作家の写真に出会ったのは、ヨーロッパ写真美術館においてであった。

この美術館に誘って下さったのは、埼玉から来られた坂巻氏である。氏は五、六年前、一年間モンマルトルに暮らし、パリの日常生活をつぶさに見てこられた。私はその美術館を知らなかったのだけれども、氏のお薦めならばと、期待して出かけた。そして期待に違わぬ写真を観ること

が出来たのである。

パリ市庁舎から歩いて十五分、マレ地区にあるヨーロッパ写真美術館（MEP）は、一九九六年にオープンした、ヨーロッパ最大級の写真美術館なのだという。ガイドブックにもちゃんと載っている。私の下調べ不足なのだが、それでもよほどの写真好きでなければ、パリに初めて来た人が優先的に訪れる場所ではないだろう。一八世紀の貴族の邸宅を改装したという建物は、ちょうどゴシック小説の舞台になりそうな外観だが、内部はモダンに改装され、地下一階から地上三階まである展示室の他、図書館やビデオテーク、会議室などが備わった本格的な施設だ。これを「小さな美術館」と呼ぶのはふさわしくないと思われるかもしれないが、旅から帰ってきて、やはりここは「小さな」に分類したかった。

この旅で、ルーヴルを初めとして、オルセー、ポンピドゥー、ケ・ブランリーなど、主立った国立美術館に行った。グラン・パレやプチ・パレにも行った。だが一回見たくらいでこれらの館について語ることなどとうてい出来ない。ただただその広さや造りに圧倒され、収集品や展示品の、中身よりも数に疲れ果ててしまった。国の威信をかけた巨大な美術館は、日本のナショナル・ミュージアムの比ではない。プチ・パレだってグラン・パレに対するプチということであって、堂々たるものだ。だが写真美術館の、コンセプトの明確な落ち着いた空間はとても心地よく、一巡りするのにちょうどよい。ここでいう大小とは、建物の大小というよりは、威圧感の違いと言ったらよいだろうか。「小さな」には「居心地のよい」「愛すべき」「好ましい」といったニュアンスも含めたい。

　そして二〇一九年十二月から二〇二〇年二月までの企画展として展示されていたのが、Ursula Schulz-Dornburg と、Tommaso Protti の、ともに白黒の写真だったのである。

Tommaso Protti（パンフレットより）

　会場で入手したパンフレットによれば、Tommaso Protti は一九八六年イタリア生まれの若い写真家である。彼のシリーズは「Amazonia: Life and Death in the Brazilian Tropical Forest」と題されているとおり、生態系の危機にあるアマゾンの熱帯雨林を撮り続けている。南米九つの国にまたがるアマゾン熱帯雨林の六割がブラジルに属し、この一帯に三億人、四百二十の民族が住み、ほとんどが自然の恩恵だけで生きているという。しかし経済活動や気候変動によって急激に森林破壊が進んでいる。Tommaso Protti は Belo Monte ダムの影響調査のために初めてアマゾンに行った二〇一四年からブラジルに住み、現地の人たちと共に活動し、生活している。そしていかにこの国の社会、人間、環境の危機が増大しているかを訴え、さらに破壊と流血とが重なり合う現実に、世界の人々が気づき、問題にしていく事が重要だと言う。なぜならばそれはグローバル市場における変化の結果であるからだ。

パンフレット表紙にも使われているのが、Tommaso Protti がブラジルに住むきっかけとなった Belo Monte ダムによって枯れた木々である。立ち枯れの木々に絡む枯れ枝。暗闇に浮かぶそれらはさながら亡霊のようだ。このダムは四百平方キロメートルの森林を流した。ダム建設当時、環境や市民団体から批判があった。現在、この計画は議論が行き詰まったままになっているという。

また森林の真っ只中に白っぽい歪んだ四辺形の大きな異物がべったりと貼り付いたような写真がある。マラニョ州の森林破壊地域である。マラニョは森林火災や違法な伐採などで、破壊が最も深刻な地域だという。

一方、子供たちが滝の水を浴びながら遊んでいる写真もある。カヤポ族地域の Kuben-Kran Ken 村の滝とカヤポ族の子供たちである。カヤポは世界で最も広い森林が守られている地域で、それが南方から進んでいる森林破壊からの重要なバリヤーになっているという。

最もショッキングな写真は、白い布が掛けられた遺体を中央にして、それを取り巻く人々を写したものである。遺体から下方に黒い筋——血液だ。手前に警察官たち。それを遠巻きにして見つめる人たちの表情には恐怖よりも絶望ややるせなさを感じるし、警察にも緊急の動きが感じられない。背後には日常化した暴力があるのだろう。死体に近づく黒い犬がハイエナのようで不気味だ。
こうして書いていると単なる報道写真と思われるかもしれない。しかし滝で遊ぶ子供たちの表情は生き生きとしていて自然だし、家の中に向けられたカメラに向かって、くつろいだ表情を見せる人たちもいる。Tommaso Protti が土地の人たちとしっかりとした信頼関係を築いてきたことが窺われる。

Ursula Schulz-Dornburg は一九三八年ドイツ生まれ、デュッセルドルフに住んでいる。タイトルの「The Land in Between」をそのまま訳せば「間に挟まれた土地」となるが、それはどういう意味だろう。ところどころに地図がある。彼女が撮影のために旅したところだ。それぞれがシリーズとなっている。アルメニア、マーシュアラブ（イラク）、パルミラ、アララト……名前を聞いたことがあるのは皆、古代文明の発祥地だ。そしていくつもの国に囲まれ、国と国の関係の狭間にある土地であったり、東西交易の拠点であったり、度重なる戦争や紛争の舞台にもなった場所である。複雑に絡み合う歴史や文化と戦略的な力学。様々な形で「挟まれた」地域の、歴史や環境の変化や衰退——それはおそらく人為的な——を想像させる写真なのである。
荒野に大きな傘を広げたようなものが立ち、その下に所在なげに佇む人がいる。アルメニアの、旧ソ連時代からのバス停を写したシリーズである。遠くに雪を戴いた山が見える。人家な

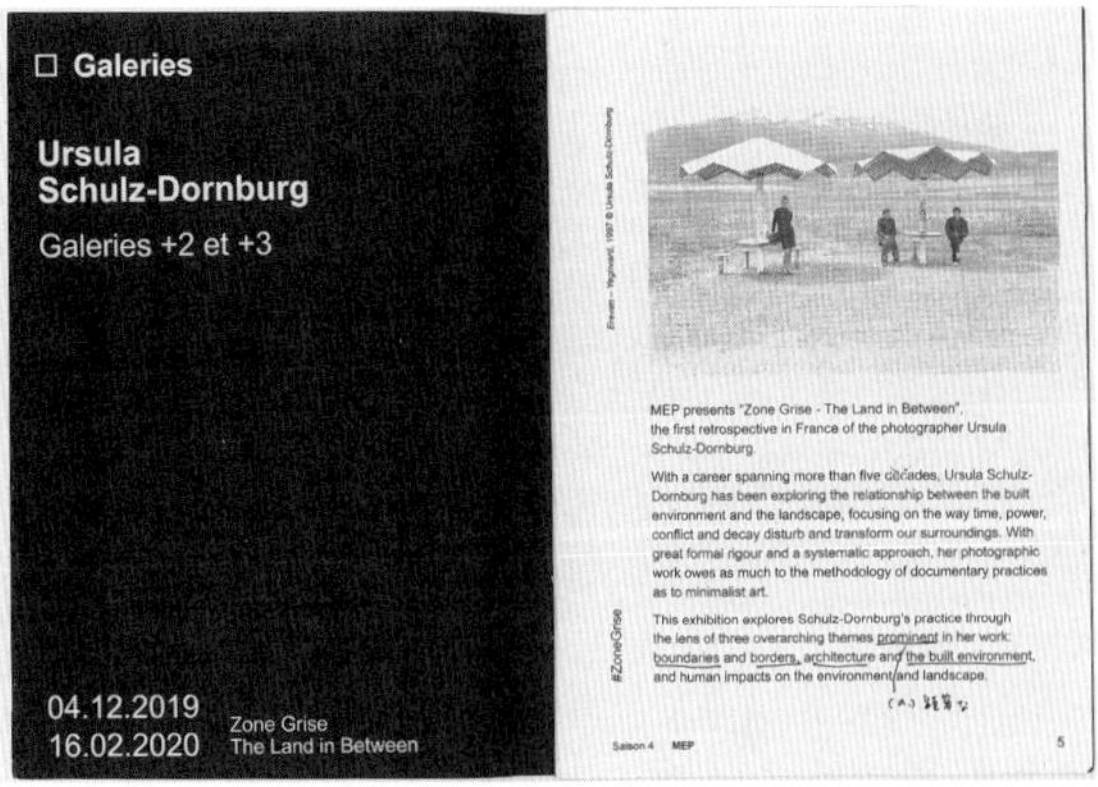

Ursula Schulz-Dornburg（パンフレットより）

ど全く見えない。人々はどうやって、どれくらい時間を掛けてやって来たのだろう。バスはどこから来て、どこに向かうのだろう。そもそもバスは本当に来るのだろうか。不条理劇のようだ。

セピア色の、幻想の街のような写真は、「VANISHED LANDSCAPE」の一つとして写されたパルミラである。シリア中央部にあり、ローマ帝国に支配されていたパルミラには、当時の都市遺跡が遺っていた。一九八〇年には世界遺産に登録されている。撮影されたのは二〇〇五年と二〇一〇年。しかし二〇一五年にイスラム過激派によって破壊された。写真家は予言者でもあるのだろうか。

富士山のような美しい山の写真はアララト山で、トルコにある五一三七メートルの成層火山である。ノアの箱舟が流れ着いた山とされている。この地にはアルメニア人が多く居住していてアルメニア民族のシンボルとなっていたが、第一次世界大戦中に強制移住でトルコから追放された。大虐殺もあったという。トルコとロシアにより、アルメニアから引き裂かれた山なのである。

コンクリートの建物がぽつんと荒野に立っている写真は「Opytnoe Pole」シリーズのひとつ。旧ソ連、現在のカザフスタン・セミパラチンスクの核実験場である。一九四九年から一九八九年まで実験が続けられ、一九九一年閉鎖された。影響はそれまで隠蔽されていたが、カザフスタンの所有となってから公開調査されているという。殺風景な場所である。記憶の芯に堅く打ち付けられ、取り去ることが出来ないようなコンクリートの塊。自然がどんなに破壊されても、人工的なものが遺ってしまった、そんな光景である。

同じ白黒といっても二人の表現は対照的だ。動と静、明瞭と曖昧、現と幻——Tommaso Protti はくっきりと明解であり、それが闇をいっそう昏々とさせ、世界の歪みを凝縮したような暗部を作り出す。一方、Ursula Schulz-Dornburg はソフトフォーカスで白昼夢のような世界を現出する。すべてが遠くへと去って行くようで、それが過去へなのか、未来へなのか、もしかしたら未来の廃墟なのではないかと思わせる。二人の違いとは、Tommaso Protti が今、現実の、生《なま》の声をリアルに写し出しているとしたら、Ursula Schulz-Dornburg はまるで声なき声を引き出し、代弁する語り部のようだということである。

今展ではストの影響もあろうか、展示室一室にせいぜい数人ずつが、時間をかけて作品に見入っていた。同館のこれまでの企画を見ると、アンリ・カルティエ・ブレッソンやアンディ・ウォーホル、デイヴィッド・ホックニーなど、著名な作家の写真展を開催しており、当然多くの観客を集めてきたのだろうが、（少なくとも Ursula Schulz-Dornburg は）初めてのフランスでの展示という外国人作家にもきちんと目配りをする、この美術館に大いに共感したのだった。

ギュスターヴ・モロー美術館（Musée national Gustave Moreau）

ギュスターヴ・モロー（一八二六〜一八九八）という画家を、私は手放しで好きだとはちょっと言いにくい。たぶんそういう人が多いのではないだろうか。甘美に過ぎる。自己陶酔的だ。時代錯誤ではないか。けれどもどうしても気になる。たぶんそういう人も多いのではないだろうか。時代の流れに一切惑わされず、神秘的で幻想的、ミステリアスで官能的、妖しく隠微で、死の影をまとった孤高の世界を構築した特異な作家だと思う。先駆者もなく、一人超然と神話の世界にいた人だ。「自分は手に触れるものも、眼に見えるものも信じない。見えないもの、ただ感じるものだけを信じる」というモローの言葉は、目に見える世界を徹底的に追求した同時代のクールベやマネ、印象派等を強く意識してのことだろう。それではモローにとって「見えないもの」「感じるもの」とは一体何だったのだろうか。

モローは一八五二年から居宅兼アトリエにしていた建物を、自身の作品展示場にすることを考えていたという。そして亡くなった後、建物は作品やコレクションと共に国に遺贈され、一九〇三年に「ギュスターヴ・モロー美術館」としてオープンした。したがってこの美術館は国立である。そういえば日本には国立の（特定の作家一人の作品に限って収蔵展示する）個人美術館はなかったはずだ。ちなみに初代館長は、晩年の数年間、請われて教授職に就いたエコール・デ・ボザールでの教え子、ジョルジュ・ルオーである。

パリには個人美術館が実に多い。ピカソ、ブールデル、ロダン、ザッキン、マイヨール、ダリ、ドラクロワ等々、時間が許せば訪れたいが、交通ストさなかでもありとうてい無理だ（ドラクロワ美術館には行ってみたが冬期休館中だった）。それでもモロー美術館に優先的に出かけたのは、出発前に複数の知人から勧められていたことと、例えばピカソのように様々な作風を変遷した作家を追うのもいいが、モローのような一貫した作家の濃密な世界に浸ることで、初めて見えてくるものがあるのではないかと考えたからだ。

この日、運良くモンパルナスからサン・ラザール駅までバスで行くことが出来た。そしてモンマルトルに向かって少し上り坂になった頃、モロー美術館を見つけた。そう、「見つけた」のである。元々住居であっただけに、外観は通りの建物と全くなじんでいて、気をつけていないと通り過ぎてしまっただろう。しかし中に入ると、思いの外広々としている。二階は居室や寝室で、壁面にはびっしりと絵が掛けられている。家族の肖像や友人から送られたものなどで、中にはドガや、少し年長なだけだが師と慕っていたシャセリオーの作品もある。

三、四階がアトリエだったところで、そこが主要ギャラリーになっている。三階の、大小の作品がモザイクのように二段にも三段にも掛けられた部屋でしばらく絶句した。神話とキリスト教

ギュスターヴ・モロー居室

とエキゾチックな異教が渾然一体となった目眩くようなモローの世界そのもの、繊細で装飾的で過剰なほどの画面の一つ一つが、それぞれの劇のハイライトであるような作品でびっしりと埋め尽くされているのだ。中には描きかけの、まるで夢の中から今イメージが立ち上がったばかりのような絵も多くある。常日頃それらに囲まれながら、なお絵画の奥へと向かっていく作家の思考が張り巡らされているような気がした。

この部屋で否応なく目に飛び込んでくるのが、サロメを描いた二点の作品である。《踊るサロメ》は別名《刺青のサロメ》とも呼ばれている。写真を拡大すると色彩が施された画面の上に細やかな線描があることがおわかりいただけるだろう。しかし線描はサロメの体だけではなく、画面左右の建物部分にも施されており刺青ではない。一八七六年のサロン展に出され

《踊るサロメ》部分

《踊るサロメ》制作年不詳

た《ヘロデ王の前で踊るサロメ》に近似しながらも、光の効果が見られないなど、サロン展作品に先駆する作品とみられており、線描はかなり後になって施されたと考えられている。

もう一点は《出現》だ。同じ構図で描かれた水彩画がルーヴル美術館にある。水彩の方は、やはり一八七六年のサロン展に出品したものであり、同時期とみられている。モローは同一テーマを繰り返し描いているが、とりわけこの時期サロメを集中的に描いている。おそらく最も脂の乗りきっていた時期ではないだろうか。《踊るサロメ》では、茶褐色の暗い背景の中から玉座に座るヘロデ王や、サロメの足下に腰を下ろすヘロディアや従者がわずかに浮かびあがる。凄惨な場面を予感しているかのように二人はサロメを凝視している。サロメの若さみなぎる、張り詰めた白い肌だけが、画面の光をすべて集めている。その左腕はヘロデの前を横切るように、画面中央に伸びている。恍惚の状態だろうか、瞑想にふけるような表情だが、きりりと結んだ口元と、すっくと立っている肢体には妖艶さと同時に強さ、潔さが感じられる。

《出現》ではさらに、洗礼者ヨハネの首が光の中に浮かび上がっている。血を滴らせた首がサロメを見つめているが、サロメもまた鋭く強い視線でヨハネを見返している。ヨハネの光の影にヘロデはかすみ、従者の表情は変わらず、その首がサロメにしか見えていないことを示唆している。ここにも後から施されたらしい線描がある。

《出現》1876年

よく知られているように「サロメ」とは、ユダヤ王ヘロデの妻ヘロディアの連れ子で、ヘロデが兄の妻を娶ったことを非難した洗礼者ヨハネを捕らえ、処刑するかどうか迷っていたところ、ヨハネを憎むヘロディアが王の誕生日に娘に踊らせ、その褒美にヨハネの首を所望させた、という新約聖書に拠っている。しかし聖書には娘の名前すら明かされておらず、中世以降、芸術家たちがその妖しい魅力に惹かれて名前を与え、主題にしてきたのだという（一九九五年国立西洋美術館「ギュスターヴ・モロー展」カタログより）。その中でも、モローのサロメは独自の境地に達している。特に《出現》は、異様で衝撃的な場面にも拘わらず、それ以上に強い意志をもった一人の女性としてのサロメが際立っている。それは悪女などという卑近なレベルではない、死を呼び込む魔性を備えた超越的な存在になっているのだ。

ちなみに、ユイスマンスが『さかしま』の中で、数ある現代画家で、主人公デ・ゼッサントを唯一恍惚状態にさせてくれる画家として、モローのサロメの絵について克明に書いているが、それは一八七六年のサロン展に出された二点である。ユイスマンスは同書で「聖書の中のあらゆる既知の条件からはみ出すような想像力によって描かれた、このギュスターヴ・モロオの作品に、デ・ゼッサントは要するに、彼が永いこと夢みていた超人間的な、霊妙な、あのサロメの実現されたすがたを見るのであった。」（澁澤龍彥訳）と書き、「いかなる画家に源を発するものでもなく、「真の祖先とてなく、また後継者があろうとも思われぬ」作家だとしている。その上で、登場人物や室内の様子を子細に書き留め、見えないはずの温度やにおいや音さえも言葉にしている。

《Moïse exposé sur le Nil》制作年不詳

水彩や油彩を手がけるに当たってモローは、ラフなものから何段階もの習作を経て構図を定め、また細部のデッサンも怠りなく、登場人物の性格から立ち位置まで周到に構想し、それは衣装や装飾品にも及んでいるという。そうなると、先に私が描きかけの絵について「夢の中から今イメージが立ち上がったばかりのような絵」という見方は訂正しなくてはならない。まさに緻密に練り込まれた舞台のクライマックスであり、美の背後に隠された聖性や霊性、狂気や悪や毒までも「感じられる」ように組み立てていくのだ。

　多くが成人をモチーフにして、それも複数の人物を劇的に配した作品の中で、幼子を描いた異質な作品があった。画面右下方に、丸々とした赤ん坊がいる。左側の同じ高さに赤い鳥、背景は着色のみでほとんど描かれていない未完の作品である。タイトルは《Moïse exposé sur le Nil》、旧約聖書「出エジプト記」の一場面である。

ヘブライ人がエジプト内に増加していることに脅威を感じたファラオが、生れてくるヘブライ人の男児をすべて殺すよう命じるが、ヨケベトは我が子モーセを殺すに忍びず、葦舟に乗せてナイル河に流す。

同じテーマの別作品を図版で見たことがある。フォッグ美術館の《ナイル河に捨てられたモーセ》である。一八七八年のパリ万博に出品されたもので、縦長の画面下方に黄金色に光り輝く赤子が葦舟に横たわり、無垢な表情で眠っている。中景には赤いペリカンや白い鳥、花々が細やかに描き込まれている。そして後景には壊れかけたスフィンクスや神殿など、エジプトの古代建築が光に溶け込むように描かれている。背景との対比で、赤子は「新しい法の中の希望」を象徴しているという。

目の前の作品も、中景は暗色の帯となっていて、画面中央から上方にかけて黄金色が塗られており、ナイル河と古代エジプトの建築を光の対比のうちに描こうとしていたと思われる。赤い鳥はペリカンだろう。自らの胸に穴を開けて自分の血で我が子を養う鳥——母性愛の象徴である。そうなるとフォッグ美術館の作品とほとんど同じ構成になるが、決定的に異なるのがモーセの描き方である。半身を起こし、目を見開いて上方をじっと見ている。三ヶ月の赤ん坊にはあり得ない姿勢だが、モローはこうして運命の子・モーセが超越的存在であることを示しているのではないだろうか。妖艶で官能的、背徳の匂いをまとったサロメとは対照的な作品だが、運命に立ち向かう毅然とした視線に相通じるものを感じる。フォッグ美術館の完成度の高い美しい作品も好き

《人類の生》1886年

だが、私はこちらの方により惹かれる。

もう一つ異質だったのが《人類の生》という、九連作である。（写真のさらに上に、血を流したキリストが、天使たちによって天上へと連れられていく半円形の図もあるのだが、写真に撮れなかった）。一八八六年の作品である。上段三点は黄金の時代、中段三点は白銀の時代、下段三点は鉄の時代で、縦に三点ずつ朝、昼、夜となっている。黄金の時代の三点はアダム、白銀の時代の三点はオルフェウス、鉄の時代の三点はカインである。横にも縦にも関連づけながら、神話と聖書を対応させた、複雑で緻密な構成となっている。アダムという純粋な生命の始源から、カインという犯罪者の誕生、そしてカインの「夜」、つまり九番目の図は「死」となる。こうした連作によって、モローは壮大で象徴に溢れた物語を表現しようとしていたのである。だからこそ、中央にはオルフェウスを置かなければならなかった。詩人

《ユピテルとセメレ》1895年

こそ芸術と思想の母胎なのだから。

部屋の一辺に大きな螺旋階段があり、天井の高い三階のアトリエのアクセントになっていて、階段途上からアトリエを眺め回すことも出来る。そして上りきるとここにも作品がぎっしりと掛かっている。その中で最も目立つのが縦二メートルを超える大作《ユピテルとセメレ》である。一八九五年、晩年の最大の完成作である。

ユピテルは人間に姿を変えてテュロスの王女セメレのところに通っていたが、それを妬んだユピテルの妻・ヘラがセメレをそそのかし、ユピテルの本当の姿を現すよう懇願させる。セメレは雷神の姿を現したユピテルの稲妻に撃たれて焼け死んでしまう。

玉座に坐るユピテルは目を見開き、正面を見据えている。ユピテルの膝の上で体を反らせて息絶えるセメレは、苦痛というよりも恍惚とした視線を向けている。二人の足下には有翼の人をはじめ、多くの神々や女神たちが、哀しみや苦悩の表情を浮かべてうずくまっている。大画面にも拘わらず、まるで細密画を寄せ集めたように隅々まで精緻に筆が入り、暗い中にも効果的に光が取り入れられている。とりわけ青い空と、ユピテルの光背のような赤い雷光が鮮烈だ。そして画面中央をよぎるセメレの白い裸身が異様なほどに際立ち、既に純化して地上の存在ではないと思わせる。

小品の入った木箱

ところで三階のアトリエには大きな家具のような箱形の木箱がある。扉を開くと、なんとパズルのようにぎっしりと小品が掛けられている。さらに窓の下には棚が作り付けられていて、いくつもの引き出しがあって夥しい数のデッサン類を見ることが出来るようになっている。モローは一つの作品に対してたくさんの習作を繰り返していたから、時間をかけて探していれば、館内の完成作と下絵を見比べることもできるだろう。こんなふうに、マニアならずとも何度でも訪れて、時間をかけて見ていたいと思わせる個人美術館など、他に思い浮かべることが出来ない。

ドローイング

　年齢を重ねるほどにモローの物語は深化し、神話や聖書に材をとりながらも、独自の解釈を加え、異教や伝説も混淆し、複雑な象徴を駆使しているように思う。同時に「手に触れるもの」「眼に見えるもの」からはいよいよ遠ざかっていく。現世的、物質的なものには目もくれない。冒頭の甘美に過ぎる、自己陶酔、時代錯誤という言葉は完全に先入観だったと言わなければならない。時代など超越しているのだ。アトリエは今なお、超然たる「モローの時間」を刻み続けている。

ジャコメッティ美術館（Institut Giacometti）

モローは「見えないもの、感じるものだけを信じる」と言ったが、ジャコメッティは「見えるものを、見えるままに」像を作り、描こうとした。それなのに、なぜあんなにごつごつとした、長く引き延ばされた影のような像なのだろう。なぜほとんど顔を塗りつぶさなければならなかったのだろう。ジャコメッティは、自らの知覚がとらえたままに現実を表現することの困難さに挑戦し続けたのだ。対象と制作者との距離が単なる空間ではなく、生き生きとした交感の場であること、しかしそれを作品の中にとどめることの不可能性を、これほどに自覚していた人はいない。

二〇一七年、国立新美術館で大規模なジャコメッティ展を観た。マーグ財団美術館コレクションを中心にした展覧会では、削ぎ落とされた存在の〝芯〟だけが立ち上がるような彫刻をたくさん観ることができた。謎は謎のままに、けれども途方に暮れさせるのではなく、周囲の空間まで取り込んだ影像は、モデルと作家の沈黙の対話を思わせるような、静謐で崇高なまでの時間をもたらしてくれた。

そのジャコメッティ美術館がモンパルナス界隈にあるという。モンパルナス墓地を訪れ、その近くにあるはずの美術館を見つけるのは意外に手間取った。道に迷うというのではないのだが、案内があるわけでもなく、パリの街並みらしく他の建物とすっきりと並んでいて全く目立たないのだ。目の前でようやく小さな看板に気づいた。白い外壁と青い扉の、モダンな外観であ

復元されたアトリエ

る。でもあまりにもひっそりしていて、ドアを開けていいものかどうか迷っていたら、中にいた人が開けてくれた。フロアは狭いが、白で統一され、階段に凝った工夫がなされ、いくつもの部屋に区分され、全体がとても洗練されている。しかしエントランスの右側だけは半世紀以上前のままだ。ジャコメッティのアトリエになっているのだ。硝子に覆われて中に入ることは出来ないが、漆喰壁には様々なデッサンが奔放な筆致で直書きされており、造りかけの人体がいくつも並び、イーゼルやら画材があり、そして犬の彫刻の石膏像が置いてある。あの、人間みたいに悲しそうな、山の稜線みたいな背中をした犬。二〇一七年の展覧会の図録の表紙になっていた犬の像である。その時、猫の像も展示されていた。その二つの強烈なインパクト故に、私は動物像もたくさん造っているのだと思っていた。けれども他に動物は馬が二つあるだけで、ブロンズになったのは犬と猫の一つずつなのだという。それほどに人間に集中していたのだ。アトリエは思っていたよりもずっと小さい。モデルに向き合う作家の姿を想像する。

ところで、ジャコメッティ美術館については、偶然インターネットで見つけて出かけ、無事に見ることが出来たのだが、いろいろ後で知ったことをここで記しておこう。まずこの美術館は二〇一八年にできたこと。まだ開館間もなかったのだ。ガイドブックに載っていなかったわけである。そしてどうやら予約が必要だったらしい。たまたま空いていたからだろうか、すんなりと見せてもらえたことは何とも幸運だったのだ。さらにこの場所はジャコメッティが住み、制作していた場所ではない。同じ界隈の、装飾家の家だったという。一九一三年に建てられたアール・ヌーヴォーからアール・デコへの過渡期の建物を大規模に改装し、アトリエはロベール・ドワノーらの写真を元に忠実に再現したという。

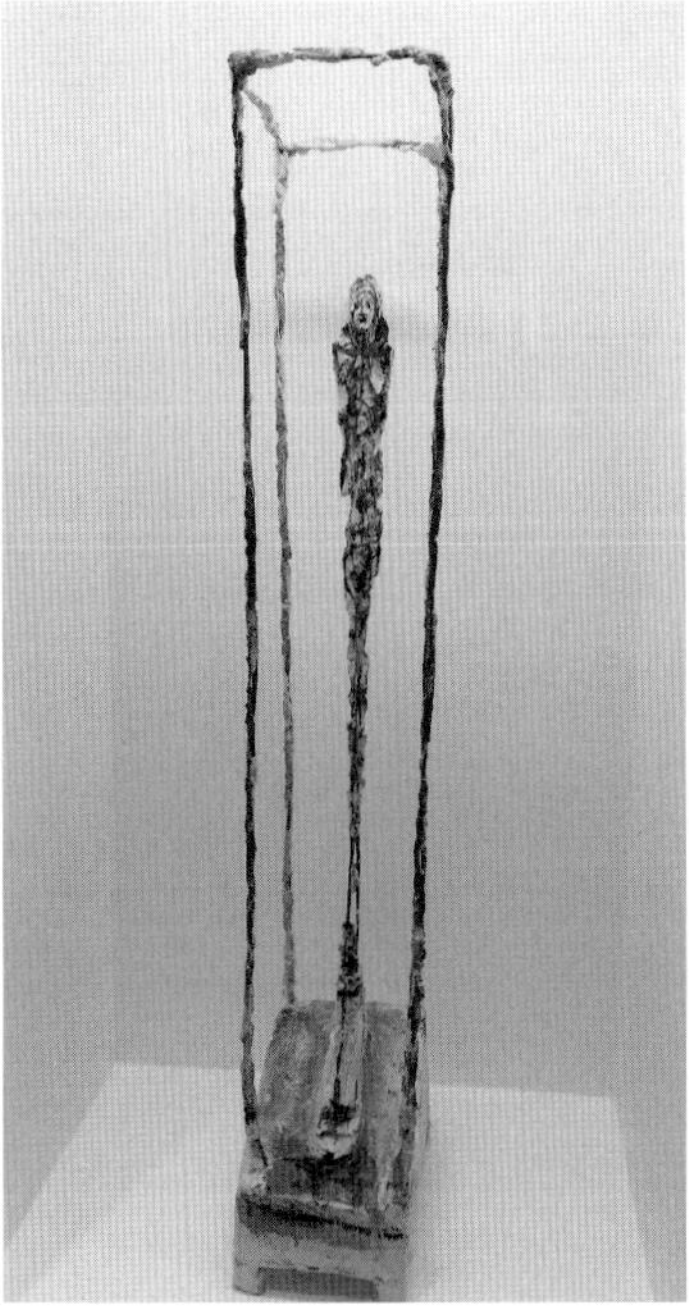
《ケージの中の小さい像》1950年
石膏　ジャコメッティ財団（パリ）

さて、一階突き当たりには二つの、細い人体像がある。石膏像である。数日前に観たケ・ブランリー美術館の部族美術を思

ケ・ブランリー美術館の部族美術より

い出す。ジャコメッティがそれらに注目していたのは一九二〇年代、まだ作風を模索中の頃で、記号的・象徴的表現や、幾何学的な形態としてその影響を見ることが出来る。しかし様々な変遷を経て、なお一貫して存在の原点のような像へのオマージュはあったのではないだろうか。あるいは創作を重ねる中でこうした形態にならざるを得ないことを自覚していったのではないだろうか。

ジャコメッティらしい像を眺めながら階段を上って行ったところで目を瞠った。全く異質の作品が並んでいるのだ。この美術館では、折々意欲的な企画展示をしているらしい。そして今展ではシュルレアリスムの作家たちと交流していた一九二九年から一九三四年までの作品を展示していたのだ。年譜としてシュルレアリスムを通過していたことは知っていたが、作品を見るのは初めてだ。二〇一七年の大規模展でも、それ以前の部族美術やキュビスムの影響を受けた作品はあっても、シュルレアリスムの作品はすっぽり抜けていた。慌てて受付で受け取ったパンフレットを見る。今展のタイトルは「GIACOMETTI/SADE」、そして副題は「欲望の残酷なオブジェ」（英文より筆者訳）である。

パンフレットの表紙はマン・レイの写真で、モデルの女性が持っているのがジャコメッティの《不快なオブジェ》である。パンフレットによると、一九三三年、彼はアンドレ・ブルトンに宛てて「昨日、サドを読みました。彼の文章にはとても興味があります」（筆者訳）という手紙を送ったという。しかしそれ以前から、ジャコメッティはエロティックで暴力的な作品を手がけており、サドの書物はきっかけというよりも、当時の作品に合致し、あるいはさらに鼓舞されたのだろう。

GIACOMETTI/SADE展パンフレット

企画展示している最初の部屋の一面には、作り付けの書棚があり、ジャコメッティの画集や展覧会図録や、いろいろな作家の画集等が並んでいる。ここだけでも十分に観る価値がある。高い天井いっぱいの本棚の前に、いくつかのオブジェが置かれている。それほど大きくないオブジェが、重量感のある書籍や棚に負けずにそれぞれ強い存在感を見せている。

ジャコメッティは一九二九年から三三年の間に数え切れないほどの「性的暴力、汚辱、レイプ、殺人」の作品を作っていたという。それは一見、有機的な昆虫や植物のような形態に暗示的に表現されている。

《Woman with her Throat Cut》(喉を切られた女)は一九三三年の作品である。カマキリと葉っぱがねじくれて絡み合ったような奇妙な形の中に苦悶と倒錯を見てしまう。

《Cage》(檻)は一九三〇〜三一年の作品で、木製である。木枠の中に人体や刃物が押し込められている。同様の構成のスケッチもあり、枠は拷問される体を一定の位置に押し込めておくため

《Woman with her Throat Cut》
(喉を切られた女)
1933年　ブロンズ　バーゼル市立美術館

《Cage》(檻)　1930〜1931年　木
ストックホルム近代美術館

《男と女》1928～1929年　ブロンズ
ポンピドゥー・センター

の家具なのである。

《男と女》は一九二八～二九年の作品。ブロンズのシャープな像は、後の人体像を連想させもするが、背徳的な意味が込められている。ポンピドゥー・センター所蔵品。

一九三一年、ブルトンの雑誌「革命に奉仕するシュルレアリスム」に、ジャコメッティは「物言わぬ動くオブジェ」として、こうした作品を集めたテキストを発表している。抽象的な形態を探りながらも身体との関わりを暗示する、不安定で不穏な作品は、肉体的、精神的な暴力を思わせる。ルイス・ブニュエル監督の映画「アンダルシアの犬」（一九二八年）の冒頭、女性の眼球をカミソリで切るシーンがある。目をそむけたくなる痛々しい場面だ。次の部屋には、それに触発されて作られた作品が並ぶ。《Caught Hand》は一九三二年の作品で、回転する機械に手が挟まれちぎれそうな不安を駆り立てられるが、かろうじて機械に触れずにいる。一九三一～三二年の《Point to the Eye》も同様に、棒の先端は目を突きそうでありながらも寸前でとどまっている。

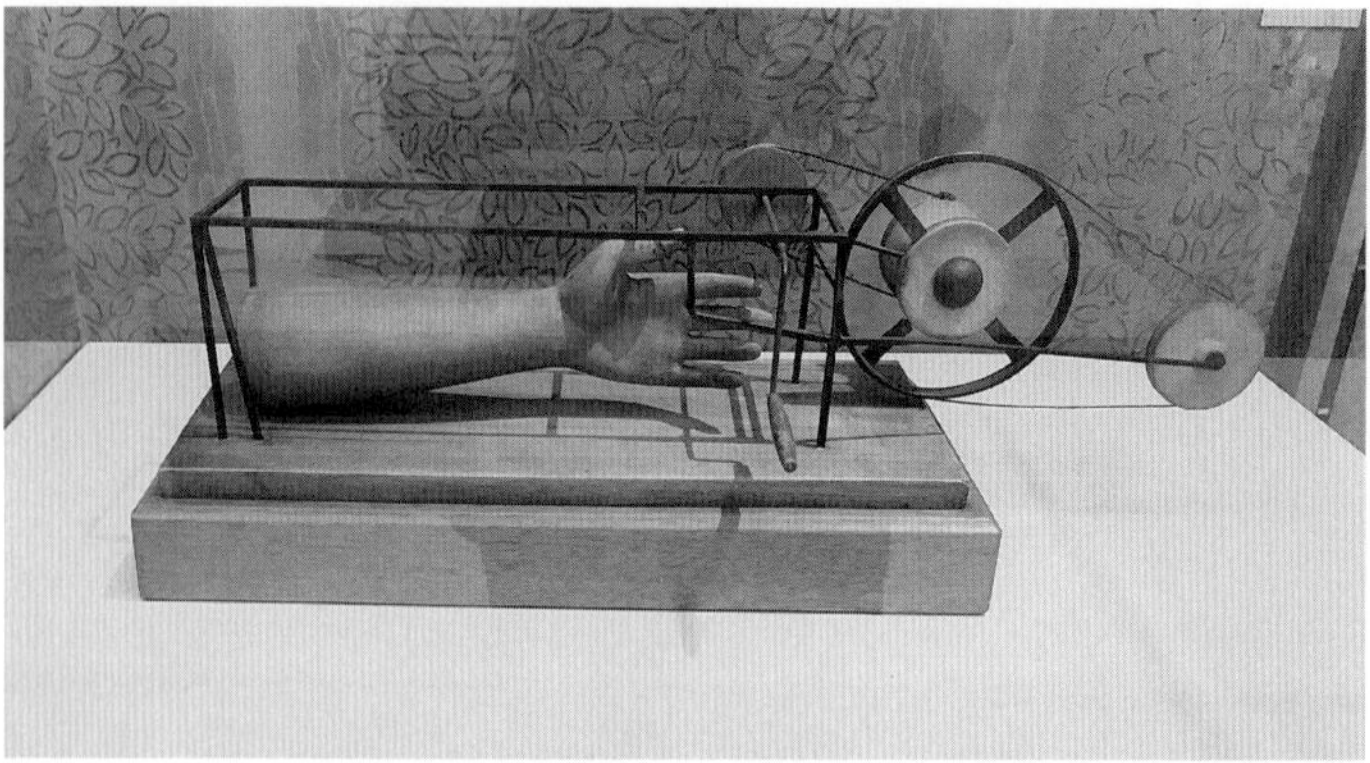

《Caught Hand》1932年　木、金属
アルベルト・ジャコメッティ財団（チューリッヒ）

（棒の先端にあるのは頭蓋骨で、その下にはあばら骨もついている）。今にも傷つきそうな、残酷で、神経をきりきりさせるシーンを思わせるものだ。観る者のフラストレーションは否応なしに高められていく。

館内には、オブジェやドローイング、消失してしまった作品の写真など四十点あまりが並ぶ。ほとんどが初公開だという。これまでこのような切り口で展示する試みがなかったのだろうか。封印されていた理由があったのだろうか、と素朴な疑問を覚える。

二〇一七年の回顧展図録の年譜によれば、ジャコメッティは一九二九年、パリで《見つめる頭部》等を出品し、アンドレ・マッソンやジャン・コクトーと知り合ったという。さらにエルンストやミロなど多くの知遇を得、バタイユが「ドキュマン」に寄稿、翌年にはマン・レイやブニュエル、トリスタン・ツァラと親交を結び、《吊り下げられた球》を見たブルトンとダリに誘われてシュルレアリスム活動に参加したという。以降、ブ

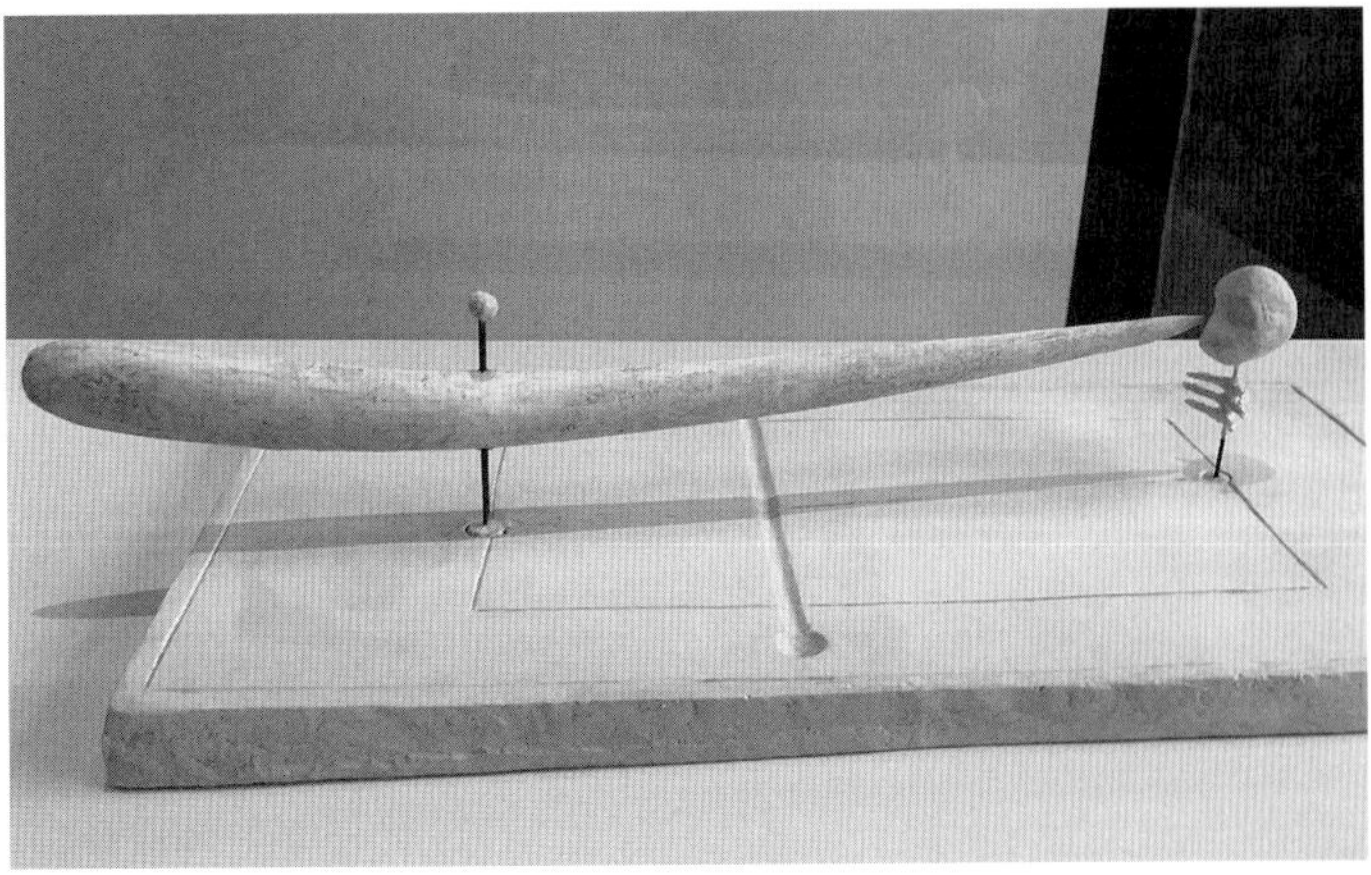

《Point to the Eye》1931～1932年　石膏　ジャコメッティ財団（パリ）

ラックユーモア的なオブジェや、エロティックで暴力的なオブジェをシュルレアリスム・グループの一員として発表していた。しかし一九三三年、父の死去に伴いしばらくスイスにとどまっている間に、シュルレアリスムへの関心を失っていったという。この時期に作られたのが過渡期の作品としてよく取り上げられる《見えないオブジェ（空虚を抱く手）》である。翌年パリに戻るも、ブルトンに写実への回帰を糾弾され、シュルレアリスムと決別したとされている。

ブルトンが意見を異にする人たちを次々に除名していったことはよく知られているが、ジャコメッティ自身にもシュルレアリスムへの懐疑があったのは間違いない。その後再びモデルに向かう作品に戻っている。ジャコメッティにとって、内面を表出する作品と、モデルに向き合う作品との根本的な違いとは何だったのだろうか。シュルレアリスムを経由しているからこそ、回帰の意味は大きいと思う。

『ジャコメッティ―エクリ』を読む

そこでちょっと寄り道をして『ジャコメッティ―エクリ』(一九九〇年　矢内原伊作、宇佐見英治、吉田加南子共訳　みすず書房　一九九四年刊)を読んでみることにした。私はシュルレアリスムの作家たちに好きな人がたくさんいる。だからなぜシュルレアリスムと決別したのか知りたかったからだ。

ところが寄り道どころではない、どっぷりと道草にはまってしまったのである。公表するためのまとまった文章だけでなく、散文、メモ、書簡等が入り交じった本書は、「既刊の文章」と「手帖と紙葉」の二部構成に対談を加えたもので、それぞれの部で年代順になっていると思われるのだが、どのページを開いても、どこから読んでも、作品同様、自らの言葉で何かを摑み、表現しようとするジャコメッティそのものなのだ。とりとめもなく記憶を辿るように、時系列などあってないようなもので、もどかしくもありながら何度でも立ち帰りたく、離れがたく思わせるのだった。

シュルレアリスムとの関わりについても度々書かれている。ニューヨークの個展のため、ピエール・マティスに宛てた手紙には《物言わぬ動くオブジェ》などの、自身のスケッチによる作品リストもある。その中の多くがジャコメッティ美術館のこの度の企画展に展示されていた。そこにはなかったが、やはりリストに載っていた作品を十二月十二日にポンピドゥー・センターで観ることが出来た。一九三三年に作られた《ある廊下のためのテーブル》である。
彼は晩年の、アンドレ・パリノとの対話の中で、次のように語っている。

（ブールデルに学んでいた）ほぼ一九二五年に私は自分が見ているとおりに絵画や彫刻を作ることは不可能であり、現実を抛棄しなければならないことを理解しはじめた。私はやむをえず心に残った現実の追憶像を別な形で表わそうと試みた。そこで私は十年間——真実とは無関係に——記憶で作った。

ところがオブジェは彫刻ではない。もうどんな進歩もなかった。

私はまたモデルを使い、すぐさま習作をやってそれから彫刻を作ろうと思った。それが一九三五年のことだった。

これで十分だと思った。記憶で作るのはオブジェであり、彼が作ろうとしているのはあくまでも彫刻なのだ。
ジャコメッティが日々モデルと向き合いながら、常に未知のものに出会うと同様に、本書を開き、読み返す度にこれまで見えていなかったことが、ふいに開かれてゆく。しかし求道者のような姿に感銘し、少し感傷的になりかけると楔を打ち込むような断章が現れる。

空間は存在しない。創り出す必要がある。だが空間は存在しない。(一九四九年頃)

空間を現実に存在するものとして作られる彫刻は、すべてインチキだ。空間の錯覚があるのみ。(同)

幾つかのテーマが複雑に絡み合い、円環のように巡っていて、何かが開かれたと思うとまた振り出しに戻っているのだ。絡んだ糸を少しでも解きほぐせたらと思うのだが、はたしてどこを端緒とすればよいのだろう。もちろん何十年も制作と思索とを往還し、自らと対話し続けた人をこの一冊で理解しようなどと大それた事を考えているわけではない。

まずはおそらく最も有名な、そして私たちを戸惑わせ続ける一文を引こう。

一つの顔を私に見える通りに彫刻し、描き、あるいはデッサンすることが私には到底不可能だということを私は知っています。にもかかわらず、これこそ私が試みている唯一のことなのです。(一九五九年)

対話の中でジャコメッティは「人間は現実には人々を等身大では見ていない」と語っている。対話者の助けを借りればこういうことになる。一メートル離れた人の頭を片目を閉じてスケールで計ってみよう。おそらく十センチくらいのはずだ。遠ざかるほどに人体は小さくなる。近づくと細部ばかりで全体像が見えない。それでは我々はなぜ人を等身大で見るのか。それは客観的なある大きさを持っていることを知っているからだ。立体についても、我々は頭を作る前にそれが丸いことを知っている。彫刻家はギリシャ以来の西洋の既成概念のもとに、見てはいない空間内のヴォリュームを作り出しているのだ。しかし見たままを作るとしたら頭蓋の奥行きを知ることは出来ないはずだ。

これでは等身大の像など作れるわけはない。ある大きさを持った像にしようとしたら、引き延ばされるばかりだった。「プリミティフの画家たちの大きさの比例、縮め方のほうがはるかに私に近い」のだった。したがってピカソが西洋的な視点から、異質な価値観として部族美術に触発されたのとは全く別の次元なのである。

二〇一七年のジャコメッティ展で爪楊枝のような小さな像を見たことを思い出す。モデルを離れて想像で作ろうとしたものだ。私は目を閉じて、一つの像を思い浮かべてみる。まぶたの裏の像は何と小さいことだろう。空間との関係を失った像はさらに小さくなって消え去らんばかりだ。無を作らざるを得ないという恐怖すら覚える。

それではジャコメッティは既成概念や西洋的な芸術理念から解放されて生《き》のままで見ること

や、究極のリアリズムを目指していたということなのだろうか。そうではない。「私に見える通りに」とはあくまでも「「私に」見える通りに」と言わなければならないだろう。知覚とはそれぞれの人間に固有のものなのだから。その上でそれが決して完成するものではないことを自覚しているのだ。なぜならば、「見える通り」とは絶えず未知のものに出会うこと、絶えず逃げ去るものを摑み、手に入れようとすることであり、絶え間なく更新され続けなければならないからだ。

ジャコメッティは一体何を摑もうとしていたのだろう。絶えず逃げ去るものとは何だったのだろうか。アンドレ・パリノとの対話の中でジャコメッティは「(人はコップを模写するとき)ヴィジョンの残滓を模写するのだ。(中略)人はコップをあたかもそれが消失し……再び現れ……消失し……再び現れるかのように見るわけだ。……いいかえるとコップはまさしく常に存在と虚無の間にあるわけだ……近代の芸術家の仕事の仕方はすべて絶えず逃げ去る何ものかを摑み、手に入れようとするこの意志のうちにある。」と語っている。見ることと作ることとの断続的な〝間〟——そこに入り込むヴィジョンも含めて「私に見える通りに」ということなのだろうか。そして「レアリテというものはいくら幕をめくってもたえず幕の後ろに隠れているようなものだ」というとき、リアリティの存在自体を疑わせる。それでは彼は何を模写しているのか。なぜ模写をし続けるのか。それこそが絶えず未知のものに出会うことだからだ。過去の芸術というスクリーンを外した時、「既知のものが未知に、絶対的未知のものになったのだった。そうなるとそれは驚くべき素晴らしいものになり、同時にまた描くことの不可能なものになった。」

「模写についてのノート」（一九六七年）では、子供の頃からの、自分を捉えた様々な作品を模写していたことを振り返り、それらの作品が時を超え、模写した時間と重なり合い、「全てが同時的だ、あたかも空間が時間にとってかわったように」と記す。模写という行為によって蘇ってくる時間こそが、空間を成り立たせているのだろうか。

これと同じ言葉が書かれているのが「夢、スフィンクス楼、Tの死」だ。本書で最も奇怪な文章でもある。夢を契機に次々と記憶が蘇ったり、禍々しい出来事を思い出したりする。そして隣室の管理人Tの死に際して「同時に生きてもおり、死んでもいる或るものとして」それを見、生者と死者が渾沌とする体験をする。さらにある朝突然ものが限りない不動性の中で重さを持たず、虚空の深淵に切り離され宙ぶらりんになっているという不気味な体験をする。それら現実の出来事や夢や幻覚（としか言いようのないもの）が同一平面上にあるとするのだ。「すべての出来事が私の周囲に同時に存在しているという感情をもった。時間は水平の円環になった。時間は同時に空間だった。」（一九四六年）

しかし率直な感動が同時的に想起される前者の体験と、不気味な幻覚を交えた体験とが同じことばで語られることにはいささか奇異な感を抱く。それがジャコメッティにとっての「見える」こと、つまり「ヴィジョン」としか言い表しようのない、翻訳不可能な語彙によってつながるのかもしれない。周知のように「ヴィジョン」とは日本語で「見る、視界」や「想像力」「幻想、幻覚」など様々な意味を持つ。つまり現前のものを見ることと、幻を見ることを別のことと考える日本語使用者に対して、「ヴィジョン」という言葉を使う人々にとっては、「幻」も「確かに見える」ものとして使い分ける必要がないのではないか。現前のものや、心を捉えたものを描くことも、幻覚を描くことも「私に見える通りに」描くことなのではないだろうか。

さらに先の幻覚に関わりそうなのが、対話の中で語られている一九四五年頃の体験だ。「人は物そのものを決して見ず、いつもスクリーンを通して物を見る。（中略）ところが、突然、断絶が起ったのだ。」に続いて、突然周囲が未知の光景に変わっていると同時に、一切が絶対的不動性を示しているように見えたと言うのだ。「ものを言っている人間、それはもはや運動ではなく、互いに全く切り離されたいくつもの不動性の継起だった。」

不動のまま虚空に浮かび、それぞれが深淵によって隔てられ、何の関係も持たないものともの——一九五〇年前後の「広場」などの群像にはこうしたヴィジョンが取り込まれているのではないか。これもまた「私に見える通りに」なのだと、私は思う。これには第二次世界大戦直後のパリということも考慮されなければならないとは思う。しかし絶えず未知のものに出会うための、ほとんどオブセッションのようなデッサンの繰り返し、同一の反復行為がある時ついに別の次元を切り開き、目の前で深い断裂となって、見え方が全く変わったのではないか。それでもここには積み重なった時間の記憶がある。新たな現実にリアリティを与えるのも過去の記憶によってであるはずだ。それがどんなに未知のものであっても。

観念としての空間を否定するジャコメッティにとって、空間とは時間の積層によって初めて実感されるものだったのだと思う。しかし絵画や彫刻は時間を表わすことが出来ない。それを実現するのがデッサンに引かれた無数の線であり、彫刻のごつごつした表面もまた、時間の痕跡だったのではないだろうか。

パリから日本へ

他に観たものをいくつか覚え書きとして記しておきたい。

「アンヴァリッド」はルイ一四世の造った堂々たる黄金のドームに、「廃兵院」という聞き慣れない名称、そこにナポレオンの墓があるという、よくわからない観光名所だが、行ってみると立派な軍事博物館（Musée de l'Armée）もあった。一三世紀から第二次世界大戦までの戦争の歴史と資料が展示紹介されているのだが、ヨーロッパがいかに多くの戦争をしてきたかがよくわかる。ヨーロッパから見れば、日本の江戸時代のように中央集権で二百五十年も平和が続くなど思いもよらないことだろう。しかもフランスはこの二世紀だけで、普仏戦争、第一次、第二次世界大戦と、大きな対外戦争を三つもしていて、その度に甚大な被害を蒙っている。奥深い空洞であり、暗部である。ド・ゴール率いるレジスタンス運動に広いスペースが割かれている施設である

カタコンブ

が、私にはとりわけ第一次世界大戦で西欧の没落を見た衝撃の大きさが伝わってきた。これだけの膨大な戦争史を一箇所で展示する施設など日本にはない。私が訪れた日も、小学生や高校生らしい団体がレクチャーを受けながら鑑賞している姿が、何組も見られた。

また、カタコンブ（Catacombes de Paris）は、興味深いというよりも異様な施設だった。カタコンブというと、古代の地下墓所のことだが、パリのそれは一八世紀に、共同墓地から人骨を移してきた場所である。現在のポンピドゥー・センター近くにあったサン・イノサン共同墓地（「罪なき幼子たち」の意）が、腐敗した遺体の残留物による有毒ガスで都市の汚染を招いたことから、一七八六年から一七八八年にかけて、かつて地下採石場だった巨大な地下空間に骨を移したという。延々と運び込んだことだろう。その後さらに別の墓地からも運び込まれてその数六百万体。ところどころに墓地名や搬入の日付のプレートがついている。

近年数時間待ちという人気スポットになっているというが、これもストの影響だろうか、ほとんど待たずにすんなりと入れた。百三十段の石段を下り、さらに地下へ約二十メートル、「Arrête ! C'est ici l'empire de la mort」（止まれ！　ここは死の帝国だ）。静かだ。地下水だろうか、水の流れる音だけが響く。全長一・七キロの壁面にびっしりと人骨が埋め込まれているのだ。昨夏ローマの骸骨寺で、人骨で荘厳された聖堂を見たが、それを遥かに超える数である。いずれにしてもこうした骸骨との向き合い方は日本人の理解を超える。壁面に隙間なく、大きさを揃え、時に頭蓋骨をアクセントのように配した壁面装飾と言ってよい。それらが今にも語りかけてきそうで、夥しい数の「かつての生」を思わずにはいられない。サン・イノサン墓地とは、「死の舞踏」の絵図が最初に描かれたところだという。死者との共生ということでは、なおその命脈をとどめているということだろうか。出口では骨のかけら一つとして持ち出さないよう、厳しくチェックされた。

レオナルド・ダ・ヴィンチ《グロテスク》
1500～1506年

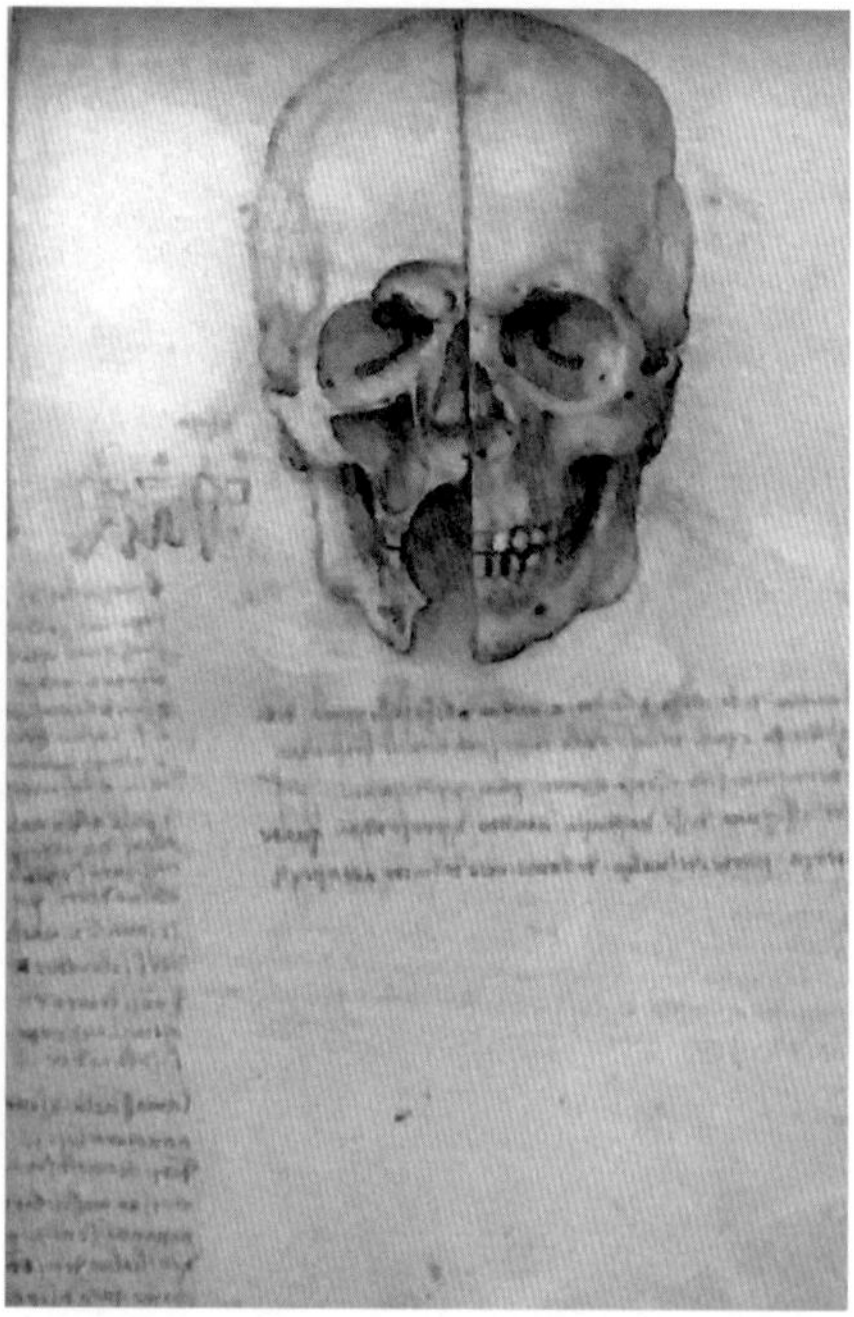

レオナルド・ダ・ヴィンチ《解剖手稿》1489年

最後にもうひとつ、この旅のメインイベントとなった「レオナルド・ダ・ヴィンチ」展である。ルーヴル美術館で開催中の展覧会を、早智枝さんの友人で、パリ在住の淳子さんが予約しておいてくださったのだ。出発前の慌ただしさで何ら予備知識を持っていなかった私は、パリに着いてから空前絶後とも言われている事を知り、幸運に大喜びしたのだった。何しろ私のパリ展出品作は「ダ・ヴィンチの卵　あるいはものがみる夢」というシリーズのボックスアートで、あちこちにダ・ヴィンチへのオマージュが込められているのだから。時間まで指定しての予約システムだから、ゆっくりと観ることが出来た。油彩画の、透明色の重なり、光の効果、筋肉の表現、極めてデリケートな表情のとらえ方、何をとっても完璧だ。完璧主義故の寡作が惜しまれる。私は手稿類も大好きだ。私のボックスアートでコピーを使用している頭蓋骨デッサンの原画も観ることが出来た。とにかく何にでも興味を持ち、とことん科学的に追求する。それが芸術表現としても優れているのだ。ダ・ヴィンチについてはいずれもっと書きたいが、あまりにも偉大すぎるとしか、今は言えない。

この文章を書いているうちに、フランスから帰国して二ヶ月以上が過ぎていた。ストライキはどうなっただろう。二月末の偕子さんからのメールでは「宣言は出されていないけれど、ほぼ終息」ということだった。偕子さんは展覧会の会期中、ずっと往復三時間かけて歩いていた人だ。そういえば冬のパリを、人々は黙々と歩いていた。

ノートル＝ダム大聖堂（2019年12月8日）

私もまた、日本では考えられないくらいよく歩き回った。モンパルナスという場所はかなりのところまで徒歩で行けるところではあったが、それでも行動半径は限られている。しかも職員不足だろうか、三十分以上歩いて訪れた凱旋門には入場できず、ルーヴル美術館やクリュニー美術館はあちこち立ち入り禁止のロープが張られ、オルセー美術館ではまだ閉館時間に間があるのに、突然閉館を告げられ追い出された。

さらに昨年四月、ノートル＝ダム大聖堂が火災に遭った。焼失したのは一九世紀に再建されたという尖塔だけですんだが、今もすべて立ち入り禁止だった。別に信者でもなく、特に感慨はない。むしろ、昨秋全焼した沖縄の首里城にしてもそうだが、歴史的にずっと庶民の心のシンボルであったのか疑問に思っていた。それでもやはり建築的にはぜひ見ておきたいところだったし、シテ島はパリ発祥の地であり、ノートル＝ダム大聖堂はその中心である。私は中心を喪失したパリを見ていたことになる。

そして十二月という時期。連日冷たい雨で、朝九時でもまだ薄暗い。クリスマス月で、大通りのイルミネーションこそ華やかだったが、「花の都パリ」のイメージなどとても思い浮かばない。ということは、私はずいぶん欠陥だらけのパリを見ていたのかもしれない。もっともっとすばらしいはずのパリを見るべきだったのだろうか。しかしステレオタイプのきれいなものばかり揃えて、本当のパリを見たといえるだろうか。世界のどこだってそんな旅で満足したくはない。

キリスト降誕祭が（中略）一年のうちで一番暗い日、氷雨の降り続く、暗雲に閉ざされた日であることも容易に納得ができた。如何にもそれは「ケルト的」な《冬至の祭》の記憶を呼び覚まさずにはおかない儀礼であり、一年のうちで太陽の力が最も衰えた時に、奇跡として新しい生命が生れるのである。

（渡辺守章『パリ感覚』岩波書店）

一九八五年に書かれた同書によれば、一九六〇年代以前には、「万霊節」つまり「死者の日」（十一月一日の「万聖節」の翌日）以降のパリは、「人の心というか体ももろともに、室内に閉じこもることになるのだ。（中略）そして、この「死者の日」以来、パリはひたすら死の徴のもとに灰色になっていく。」（同）

もしかしたら、この「暗さ」「灰色」こそが、文化を胚胎してきたのではなかったか。イルミネーションも、「パリ大洗滌」による白い壁面による明るさも、ほんの半世紀ほど前からのことなのだ。あっという間に、人々は静かに閉じこもる時間を放棄してしまったのだろうか。

それにしても急転の二ヶ月だった。日本は新型コロナのニュース一色になってしまっていたのだ。今なら海外渡航には、二の足を踏んでいただろう。いや相手国から入国拒否されるかもしれない。外出もイベントも自粛、公的施設は軒並み閉鎖する中、小中高校の休校が決定的に国民を閉塞感に陥れた。その底流には長期政権による奢りから、公平で冷静な判断力を失ってしまった安倍政権、いや安倍首相個人に対する不信感と嫌悪感が渦巻いている。まもなく東日本大震災と原発事故から丸九年を迎えるが、追悼のセレモニーも自粛されるという。東京オリンピック誘致に向けて「アンダーコントロール」と言い放った人が、オリンピック開催も危ぶまれる中、なお国をリードしようとしていることへの違和感。国民の不満の矛先はどこへ向かうのだろう。新型コロナよりも恐ろしい事態にならないことを祈るばかりだ。今はとにかく、静かに閉じこもることを能動的に受け入れるよい機会にしたいものである。

ジャコメッティ美術館の作品写真は筆者撮影。キャプションはパリ・ジャコメッティ財団にご教示いただいた。

あとがきにかえて

霜田 文子

ここ十年余りで書いた文章をまとめて、生まれて初めての本を出版することが出来ました。ほとんど独学で絵を描き、手探りで雑文を書いていた私が、発表の場を得るようになったのは、二〇〇八年に仲間と「文学と美術のライブラリー游文舎」を立ち上げた頃からでした。游文舎に様々な形で関わってくださった皆様に、多大な刺激とインスピレーションを与えていただいたからに他なりません。したがって、本書は游文舎の活動記録と言ってもよい内容になっています。

そこでまず、序文をお寄せくださった浦田憲治氏に心より感謝申し上げます。中央紙の中でも特に充実した文化欄を誇る日本経済新聞社で、長らく文化部記者や編集委員を務め、退職後は文芸評論の本をお書きになるなど、文学や芸術に造詣の深い浦田氏は、作家のリービ英雄氏をご紹介してくださった方でもあり、私たち游文舎スタッフの大恩人です。

游文舎は、柏崎で震度六強を記録した中越沖地震の直後にオープンしました。瓦礫の中から救い出した小谷寛悟さんと安藤正男さんの書籍が図書室の蔵書の核となっています。初めて文芸同人誌「北方文学」に寄稿したのは、本書冒頭の「写真の想像力」で、小谷さんの蔵書の中に、戦後写真史の記念碑的作品である、川田喜久治氏の写真集『地図』があったからこそ書くことができたのでした。いまだに図書室で『地図』を発見した時の驚きと喜びを忘れることが出来ません。

川田氏の〝地図〟は戦争という暴力の象徴ですが、私は子供の頃地図帳が大好きで、晴れた日には地面に日がな一日、ぐるぐると〝地図のようなもの〟を描いていました。絵を描くことは大好きでしたが、正規の美術教師もいない田舎の中学校で、すっかり美術の授業が嫌いになり、高校では美術を選択せず、大学では美術史学科に進んだものの実作はしていません。そんな私が絵を描き始めたのは、よりよい鑑賞者になろう、ならば少しでも作家の気持ちを理解できるようになろう、ということからでした。その後、ボックスアートやバーントドローイングも始めましたが、いずれも、いつの間にか自身の頭の中の地図を表出していたようです。

文章の方は、気になる本や作品を、ただひたすら自分の狭い知見に引き寄せて書いたもので、こうして並べてみると、やはり私の脳内地図を白日の下に曝しているようで恥じ入るばかりですが、それでも書かずにはいられなかった、作家の方々へのオマージュであることをご理解いただけましたら幸いです。

二〇一一年の東日本大震災と原発事故で観念の底を覆されるような思いをした後、毎年のように「経験したことがないような」大きな災害に見舞われました。そして今年、新型コロナウイルスの流行という未曾有の事態に呆然とし、文学や芸術の無力さが頭をかすめたのですが、本書を出版するために文章を読み返していると、決して声高な表現ではないけれども、作家がそれぞれ災厄や世界情勢に真摯に向き合い、作品の中に深く、力強く落とし込むことによって、静かな感動を呼び、それこそが人々に寄り添う力なのだと感じるのです。またチアヌ・アチェベの小説「呪い卵」の、交易の拡大でキティクパ（天然痘）が流行し、それを防ぐため村が分断される、というストーリーには、グローバル化の中で一気に世界中に広まった新型コロナをそのまま当てはめたくなるのでした。コロナ後の世界がどうなるのか、私の想像の及ぶところではありませんが、人間同士の距離は完全には戻らないと思います。でも直接人と語り合い、作品に接する機会は失いたくありません。

ところで今年三月、上越市の美術作家・舟見倹二氏が九十五歳で亡くなられました。游文舎ではオープンした二〇〇八年と昨年、個展をしていただきました。年齢を感じさせないシャープな批評と知性、子供や孫にあたる世代にも平等に声をかけ、なお若い人からも学ぼうとする向上心と謙虚さに、新潟県内の作家がどれだけ励まされたことでしょう。本来ならば、本が出来上がったら真っ先にお届けしていたはずです。謹んでご冥福をお祈りいたします。

たくさんの方に学ぶ機会を作っていただきました。游文舎設立のきっかけを作ってくださった柏崎中央病院院長・星山圭鉱先生、同副院長・星山真理先生ご夫妻はじめ、スタッフの皆様、足繁く企画にお越しいただいた皆様、私を展覧会出品にお誘い下さった美術作家の方々、「北方文学」同人諸氏に感謝申し上げます。

パリの偕子・風間・オベール氏のアドバイスは、本にまとめる作業を一気に加速させてくれました。「北方文学」同人の柳沢美幸氏には原稿のチェックに手を煩わせました。ありがとうございました。

最後になりましたが、地元柏崎に玄文社という優れた出版社がなかったら、私には本を出版することなど思いもよらなかったことでしょう。「北方文学」編集長であり、游文舎を共に立ち上げた同志でもある、玄文社主人・柴野毅実氏に厚く御礼申し上げます。

二〇二〇年十月

初出一覧

第一章　闇の奥へ

写真の想像力　―川田喜久治の写真集『地図』―……「北方文学」第64号（二〇一〇年十月）
原始の闇への遡行　―フランソワ・ビュルランの絵画世界―……「北方文学」第67号（二〇一二年六月）
《サーカスの景》への道　―古賀春江の「超現実主義」―……「北方文学」第70号（二〇一四年七月）

第二章　図書室の片隅で

「発見」の喜び　ドナルド・キーン『日本語の美』など……「越後タイムス」（二〇一〇年八月二七日～九月三日）
鏡の向こうの水先案内人　ドナルド・キーン・センター柏崎と著作集に寄せて……「越後タイムス」（二〇一二年二月二四日）
仮死で見る夢　川端康成『名人』『眠れる美女』など……「越後タイムス」（二〇一四年一月一日～二月二五日）
ひとときの「世界」
「創造者」＝「詩人」の内なる声　ホルヘ・ルイス・ボルヘス『創造者』など……「越後タイムス」（二〇一〇年二月五日）
「開かれた物語」としてのアフリカ
　チママンダ・ンゴズィ・アディーチェ『半分のぼった黄色い太陽』……「越後タイムス」（二〇一一年一月二八日）
虚空に書かれたおとぎ話　残雪『黄泥街』……「越後タイムス」（二〇一二年一月一日）
未知の世界を開く　世界文学全集短篇コレクションより……「游文舎ブログ」（二〇一六年一月）
これっきり、でも後味のおまけ　追悼・ギュンター・グラス……「游文舎ブログ」（二〇一六年九月）

なぜナチは生き延びるのか　ロベルト・ボラーニョ『アメリカ大陸のナチ文学』……「游文舎ブログ」（二〇一七年三月）

再構成された神話　ブルーノ・シュルツ全小説……「游文舎ブログ」（二〇一五年三月）

『悪童日記』に見る神話的構造　アゴタ・クリストフ『悪童日記』……「游文舎ブログ」（二〇一五年七月）

都市の孤独が生み出す亡霊たち　多和田葉子『百年の散歩』……「游文舎ブログ」（二〇一七年七月）

第三章　私達は自由よ

表現せずにはいられない

交感するアート　―交信を超えて―　アール・ブリュット／交差する魂
……「越後タイムス」（二〇〇八年九月一九日～一〇月三日）

〝抽象画〟が出来るまで　無心の表現者たち……「游文舎通信」第4号（二〇一〇年一月）

舛次崇さんとの〝再会〟　アール・ブリュット展in上越……「游文舎ブログ」（二〇一五年七月）

私達は自由よ　岡上淑子『はるかな旅』作品集出版記念展……「游文舎ブログ」（二〇一五年五月）

蟻塚のように　関根哲男展「原生」……「游文舎ブログ」（二〇一七年五月）

地球の西の果てで　エマ・マリグ《アトラスの哀歌》……「游文舎ブログ」（二〇一八年九月）

寓話というリアリティ　川田喜久治 百幻影……「游文舎ブログ」（二〇一八年一〇月）

未完の「廃墟の美術史」　終わりのむこうへ：廃墟の美術史……「游文舎ブログ」（二〇一九年二月）

解放される美術

未分化の世界へ　鴻池朋子展「皮と針と糸と」……「游文舎ブログ」（二〇一六年一二月）

虚と実で語り直す近代日本美術史　小沢剛 不完全―パラレルな美術史……「游文舎ブログ」（二〇一八年二月）

きらめく断片、または分身たち　季村江里香展「六月の見た夢」……「游文舎通信」第23号（二〇一九年七月）

第四章　ギャラリーの一隅で

身体化された〝ひも〟　茅原登喜子展……「游文舎通信」第21号（二〇一八年七月）
身近な自然から描き出す悠久の世界　カルベアキシロ展「周囲四kmの里山」……「游文舎通信」第23号（二〇一九年七月）

第五章　旅と美術

未完の夢、あるいは欠損の美　―アントニ・ガウディに寄せて―……「北方文学」第74号（二〇一六年一二月）
日常の中の「ヴォイド」　―ベルリン・ドレスデン・プラハ紀行―……「游文舎ブログ」（二〇一七年七月）
不死の庭　―ボマルツォの「聖なる森」―……「北方文学」第80号（二〇一九年一二月）
パリの小さな美術館　―師走のパリ旅行記―……「游文舎ブログ」（二〇二〇年二月）

著者略歴

霜田文子（Shimoda Fumiko）

新潟県柏崎市生まれ、在住。1978年、東京大学文学部美術史学科卒業。
1990年頃より美術制作を始める。個展・グループ展多数。
2008年「文学と美術のライブラリー游文舎」を設立、企画委員。
2011年より文芸同人誌「北方文学」同人。

地図への旅
ギャラリーと図書室の一隅で

発行日　二〇二〇年十一月十五日
著者　霜田文子
発行者　柴野毅実
発行所　玄文社
住所　〒九四五―〇〇七六
柏崎市小倉町十三―十四
電話　〇二五七―二二―九二六一
FAX　〇二五七―二二―九二六一
印刷　有限会社めぐみ工房
製本　協栄製本工業株式会社
ISBN978-4-906645-38-1